DWY CYM

Astudiaethau Rhywedd yng Nghymru
Gender Studies in Wales

Pwrpas y gyfres hon yw llenwi bwlch mewn gwybodaeth. Fel y mae nifer o haneswyr, cymdeithasegwyr a beirniaid llenyddol wedi bod yn honni ers peth amser, mae prinder gwybodaeth ynghylch nodweddion ac effeithiau'r gwahaniaethau cymdeithasol rhwng y rhywiau yng Nghymru, a'u heffaith ar drigolion y wlad yn gyffredinol, yn y gorffennol a'r presennol. Effeithiwyd pob agwedd o'n bywydau – ym meysydd addysg, gwaith, diwylliant a gwleidyddiaeth, yn ogystal â'n bywydau personol – gan gysyniadau cymdeithasol am y gwahaniaeth rhwng y gwrywaidd a'r benywaidd. Ac y mae hanes penodol pob gwlad yn golygu bod y dylanwadau hyn yn cael effeithiau gwahanol ym mhob diwylliant. Yr hyn sydd arnom ei eisiau yn y cyd-destun Cymreig, felly, yw ymchwil manylach ar y modd y mae'r gwahaniaethau cymdeithasol rhwng y rhywiau wedi effeithio, ac yn parhau i effeithio, ar fywydau yng Nghymru yn benodol. Archwilio agweddau gwahanol rhywedd yn hunaniaeth dynion a menywod Cymru ddoe a heddiw yw nod y gyfres ryngddisgyblaethol hon. Lluniwyd ei chyfrolau, rhai yn y Gymraeg a rhai yn Saesneg, gan arbenigwyr mewn sawl maes, gyda'r un nod o daflu golau ar effeithiau amrywiaethol rhywedd ar lên, diwylliant, hanes a chymdeithas Cymru.

DWY GYMRAES, DWY GYMRU

HANES BYWYD A GWAITH GWYNETH VAUGHAN A SARA MARIA SAUNDERS

Rosanne Reeves

GWASG PRIFYSGOL CYMRU
CAERDYDD
2014

www.gwasg-prifysgol-cymru.org

Mae cofnod catalogio'r gyfrol hon ar gael gan y Llyfrgell Brydeinig.

ISBN 978-1-7831-6061-7
eISBN 978-1-7831-6062-4

Cysodwyd gan Gwasg Dinefwr, Llandybïe
Argraffwyd gan CPI Antony Rowe, Chippenham

i

RHYDIAN, SIONED a MATHONWY

ac er cof am

ROBIN

Cynnwys

Delweddau

Diolchiadau

Hoffwn ddiolch yn bennaf ac yn arbennig i'r Athro Jane Aaron am ei gwybodaeth ac am ei hysbrydoliaeth dros nifer o flynyddoedd; heb ei harweiniad a'i sylwadau adeiladol, ni fyddai'r gyfrol hon wedi gweld golau dydd. Diolch i'r Athro Gareth Williams am ei agwedd gadarnhaol tuag at fy ymdrechion. Rwyf hefyd yn ddiolchgar i Caroline Noall, Llyfrgell y Sir, Caerdydd, am ei chymorth parod; i Archifau Caernarfon am stôr o wybodaeth; i Lyfrgell Genedlaethol Cymru, yn arbennig Emyr Evans; i Gyngor Llyfrau Cymru am gymorth ariannol; i Jane Bloor, Archives Research Centre, Knox College, Dunedin; i Lyfrgell Salisbury, Caerdydd; ac i staff Gwasg Prifysgol Cymru am eu hamynedd wrth lywio'r gyfrol drwy'r wasg. Rwy'n hynod o ddiolchgar i Marion Loeffler am ei chyngor a'i chymorth ymarferol – heb ei chyhoeddiad hi *The Book of Mad Celts*, ni fuaswn wedi darganfod y lluniau o Gwyneth Vaughan a ymddengys yn y gyfrol hon. Cefais fwynhad yn trafod Gwyneth Vaughan yng nghwmni Nan Griffiths a Gwenda Paul yng ngogledd Cymru a diolch o galon iddynt am fy nghyfeirio at ffynonellau defnyddiol. Dymunaf gydnabod anogaeth a diddordeb cyson a gwerthfawr fy ffrindiau – Eurwen a Ken Booth, Pat Griffiths, Janie Jones, Mary Lloyd (fy chwaer-yng-nghyfraith), Luned Meredith, Sue Puntan, Ceri Black a John Osmond ac i Rhydian, Sioned a Mathonwy am eu ffydd digwestiwn yn fy nyfalbarhad.

Rhagymadrodd

Yn chwarter olaf yr ugeinfed ganrif, fel rhan o'r deffroad ymhlith menywod y byd Gorllewinol, troes criw bychan o academyddion Cymreig eu sylw at Gymraes y gorffennol gan amlygu'r bwlch mawr yn hanes Cymru y gellid ei lenwi'n unig drwy ddatguddio cyfraniad menywod i ddatblygiad cymdeithasol, crefyddol, gwleidyddol a diwylliannol eu cenedl

Yn y gyfrol hon, yng ngoleuni gweledigaethau a gweithgaredd y rhagflaenwyr hyn, gwneir ymgais i ychwanegu at yr ymchwil a wnaed eisoes drwy ganolbwyntio ar ddwy awdur benywaidd o gefn gwlad Cymru nad ydynt eto wedi derbyn sylw haeddiannol, sef Annie Harriet Jones (1852–1910) a aned yn Nhalsarnau, Meirionnydd, ac a adnabyddid mewn cylchoedd cyhoeddus a llenyddol fel Gwyneth Vaughan, a Sara Maria Saunders (1864–1939) a fagwyd yn Llangeitho, Ceredigion, ac a ddaeth yn enwog o dan ei henw llenyddol, S.M.S. Gan fanylu ar eu bywydau a'u gwaith archwilir y dadleuon dros ailgyflwyno Gwyneth Vaughan ac S.M.S. i ddarllenwyr yr unfed ganrif ar hugain.

Er mwyn gosod gwaith y ddwy mewn cyd-destun cymdeithasol bydd y bennod gyntaf yn olrhain twf hunaniaeth genedlaethol Cymraes Anghydffurfiol y bedwaredd ganrif ar bymtheg mewn cyfnod o newidiadau tyngedfennol yn ei hanes. Manylir ar effeithiau chwyldroadol cyfnod cynnar Methodistiaeth ar ei hunanddelwedd ac archwilir ei hymdrechion dros yr achos. Ystyrir y dryswch a wynebai arweinwyr Ymneilltuaeth yn eu hymgais i adfer parchusrwydd Cymraes capeli Cymru pan gafodd ei chyhuddo o anniweirdeb yn Adroddiadau'r Llywodraeth ar addysg yng Nghymru yn 1847. Dilynwn ei hymdrechion i sicrhau troedle, ymhen amser, ar waelod yr ysgol a ddringwyd yn y gorffennol gan wŷr llên ei chenedl, a phan groesodd y 'Ddynes Newydd' y ffin o Loegr ar ddiwedd y ganrif gwelwn ferched mwyaf blaengar y Gymru Gymraeg yn ehangu eu rôl ym myd crefydd i feysydd dirwest, gwleidyddiaeth a rhyddfreiniad, gan herio'r drefn batriarchaidd a fu'n eu rheoli cyhyd.

Maes arall cyffrous a fydd yn hawlio sylw yw'r adfywiad efengylyddol yn ne Cymru. Rhoddir sylw i ymgyfraniad 'Chwiorydd y Bobl' yng ngweithgareddau'r Symudiad Ymosodol, corff a ddaeth yn rhan swyddogol o weithgaredd y Methodistiaid yn ardal Caerdydd yn 1892. Gwelwn efengylwyr y De yn ehangu eu hymdrechion i rannau eraill o Gymru, gan arwain yn y pen draw at Ddiwygiad 1904–5, a'r Gymraes yn amlwg yng nghanol y berw. Ochr yn ochr â'r datblygiadau hyn, sonnir am y merched ifainc sengl a gododd angor a mentro i'r maes cenhadol o ddiwedd wythdegau'r bedwaredd ganrif ar bymtheg.

Roedd Gwyneth Vaughan ac S.M.S. ymhlith y mwyaf amlwg yn y mudiadau o'u dewis a apeliodd at fenywod eu cyfnod ac a nodir yn y bennod hon. Ond oherwydd eu statws anghofiedig, cyn bwrw mlaen yn y bedwaredd a'r bumed bennod i sôn am eu llenyddiaeth, teimlir mai buddiol ac angenrheidiol fydd neilltuo'r ail a'r drydedd bennod i'w cyflwyno o'r newydd a dilyn eu taith o'u plentyndod yng nghefn gwlad i lwyfannau arweinwyr eu cenedl.

Merch a fagwyd mewn cymdeithas dlawd, grefyddol oedd Gwyneth Vaughan – plentyn disglair a dyfodd yn ferch ifanc uchelgeisiol, ac wedi hynny, yn ddynes ymroddedig nad oedd arni ofn ysgwyddo cyfrifoldeb a mynegi barn ar bynciau dadleuol ei dydd yng nghylchgronau ac ar lwyfannau Cymru a thu hwnt. Fe'i dilynwn o ogledd Cymru i Lundain, yn wraig briod dair ar hugain oed yn 1875; oddi yno i'r De diwydiannol yn 1888, ac yn ôl i ogledd Cymru yn 1892. Cofnodir ei hymdrechion, dros flynyddoedd lawer, i wireddu amcanion yr achosion oedd agosaf at ei chalon, yn eu plith y British Women's Temperance Association (BWTA), yr iaith Gymraeg, yr Eisteddfod Genedlaethol, y Mudiad Celtaidd, Undeb y Ddraig Goch, y Blaid Ryddfrydol a Mudiad Cymru Fydd. Hwylusodd y ffordd i'r merched a ddaeth ar ei hôl drwy hawlio'i lle yn ddiymdroi ar fyrddau a chynghorau lleol pan gafodd y Gymraes yr hawl i sefyll mewn etholiadau lleol. Drwy esiampl, dangosodd yr hyn y gellid ei gyflawni gan ferch i felinydd, a gweithiodd yn ddiwyd i gynnal hunaniaeth genedlaethol draddodiadol y Gymraes Gymraeg, nodwedd annatod, yn ei barn, o gadernid a dyfodol ei chenedl.

Gwahanol iawn oedd amgylchiadau S.M.S., ac yn y drydedd bennod cyflwynir ni i blentyn hynaf i rieni oedd yn troi yng nghylchoedd breintiedig Methodistiaid dosbarth-canol Cymru. Fe'i gwelwn yn aeddfedu'n ferch ifanc, yn profi tröedigaeth, yn priodi pregethwr Methodistaidd o deulu adnabyddus, ac wedi hynny, am weddill ei hoes, yn ymrwymo i achub eneidiau a hyrwyddo pŵer gweddi drwy ei gwaith a'i llenyddiaeth.

Rhoddir cryn sylw i'w hymgyfraniad yn y gweithgareddau a arweiniodd at gynnwrf y cyfarfod hanesyddol ym Mlaenannerch gan gychwyn y Diwygiad mawr yn Hydref 1904. Archwilir hefyd y gwaith a gyflawnodd dros Genhadaeth Dramor Methodistiaid Calfinaidd Cymru a'r modd yr ymdrechodd yn ddiflino yng nghyfnod olaf ei bywyd i hwyluso gwaith cenadesau Cymru o'u pencadlys yn Lerpwl. Yn anffodus, ychydig a wyddom am ei blynyddoedd olaf a thristwch yw nodi na welwyd teyrnged goffa amdani yng nghylchgronau'r enwad y bu mor ffyddlon iddo ar hyd y daith, ffaith sy'n cynyddu'r angen i dynnu sylw at ei bodolaeth a'i statws fel awdur ac efengylydd.

Heb gyffredinoli'n ormodol, gellir dweud bod y datblygiad yng ngyrfaoedd y ddwy fel awduresau, yn enwedig felly yn achos Gwyneth Vaughan, yn adlewyrchu'r twf yn eu diddordebau – a'r cronolegol a'r thematig, o'r herwydd, yn aml yn gwau i'w gilydd yn ddigon hwylus. Wedi dweud hynny, mae rhai themâu yn rhedeg fel llinyn di-dor drwy eu holl weithiau, yn eu plith eu daliadau Cristnogol a'u cred ddisyfyd yn hanfodrwydd ymgyfraniad cynyddol menywod Cymru yn nhynged eu cenedl, nodweddion a ddaw'n amlwg yn y bedwaredd a'r bumed bennod lle gwneir ymgais i gloriannu eu gweithiau llenyddol toreithiog.

Parhad naturiol yn dilyn cyfnod fel newyddiadurwraig yn Llundain oedd i Gwyneth Vaughan gychwyn ei hysgrifennu yng Nghymru drwy gyfrwng y Saesneg. Daeth yn gyd-olygydd y *Welsh Weekly* yn 1892–3, papur cenedlaetholgar â'i fryd ar uno enwadau Cymru. Yn 1893 fe'i penodwyd yn gyd-olygydd y *Dowlais Weekly Gazette*, a'i herthyglau golygyddol, cefnogol i'r Blaid Ryddfrydol, yn datguddio'i diddordeb mewn materion gwleidyddol. Erbyn 1894, ar ôl canolbwyntio â'i holl egni ar drwytho'i hunan mewn llenyddiaeth Gymraeg a materion Cymreig tra oedd yn byw yn Nhreherbert, cychwynnodd ysgrifennu drwy gyfrwng y Gymraeg i'r *Eryr*, ac o hynny ymlaen, heblaw am dair stori i *Celtia* a'r *Celtic Review*, glynodd wrth ei mamiaith yn ei holl ffuglen.

Fel rhan o ymwybyddiaeth cyhoeddwyr Anghydffurfiol Cymru yn niwedd y bedwaredd ganrif ar bymtheg o bresenoldeb to o fenywod llenyddol, daeth cornel wedi ei neilltuo ar gyfer 'merched' yn nodwedd gyffredin ym mhapurau newydd Cymru. Fel golygydd nifer o'r colofnau hyn, rhwng 1892 a 1904, gwnaeth Gwyneth Vaughan yn fawr o'i chyfle i gynyddu hyder y Gymraes a'i hannog i gefnogi ei mamiaith, ei diwylliant a'i llenyddiaeth yn y *Welsh Weekly*, y *Dowlais Gazette*, yr *Eryr*, a'r *Cymro*. Erbyn troad y ganrif yr oedd yn gwbl sicr ei seiliau fel Cymraes wybodus, hyderus, ac ychwanegodd ei llais at y dadleuon am bynciau'r dydd a wyntyllwyd yn y *Goleuad*, y *Genedl Gymraeg*, y *Geninen* a *Cymru*.

Yn ail hanner y bedwaredd bennod telir sylw arbennig i'r pedair stori gyfres hir a ysgrifennodd Gwyneth Vaughan rhwng 1903 a 1910 i'r *Cymro* a'r *Brython*, uchafbwynt ei gyrfa fel llenor;[1] drwyddynt enillodd boblogrwydd a'i gwnaeth yn enw cyfarwydd ar aelwydydd darllengar Cymru, gan ddenu cryn sylw ymhlith beirniaid llenyddol ei chyfnod ac edmygedd llawer o'i chyfoedion. Rhoddir blaenoriaeth i'w phortreadau o gymeriadau benywaidd gan eu bod mor niferus ac amrywiol mewn cymhariaeth â ffuglen prif ffrwd y cyfnod. Diddorol nodi na wnaeth Thomas Parry, mewn papur a gyflwynodd ar lenyddiaeth Gwyneth Vaughan i Gymdeithas Hanes Meirionnydd yn 1978, werthfawrogi newydd-deb y delweddau hyn – cadarnhad, efallai, o'i ddiffyg diddordeb cyffredinol yn llenyddiaeth menywod y cyfnod.[2] Heb amheuaeth, crintachlyd yw ei sylwadau; dewisodd ganolbwyntio ar wendidau Gwyneth Vaughan, ac yn wir, gam-esbonio rhai o elfennau mwyaf arwyddocaol ei gwaith, rhagfarnau yr ymhelaethir arnynt yn y bennod hon ar ei llenyddiaeth.

Yn achos S.M.S., erbyn iddi hi gychwyn ar ei gyrfa lenyddol yn wyth ar hugain mlwydd oed yr oedd yn efengylydd cwbl ymroddedig, a'i hysgrifennu, bron yn ddieithriad – o'i chyhoeddiad cyntaf yn 1892, hyd ei stori olaf yn 1930 – yn hybu tröedigaeth Gristnogol fel profiad a fedrai drawsnewid dyfodol ei chymeriadau er gwell. Amcan y bumed bennod yw tanlinellu rhagoriaethau llenyddol S.M.S., gan ganolbwyntio ar yr elfennau a'i galluogodd i gyfleu ei neges mewn dull apelgar, cymhwyster a'i gwnaeth mor boblogaidd ymhlith ei darllenwyr.

Ei chryfder oedd ei hadnabyddiaeth o'r natur ddynol a'i diddordeb mewn pobl. Cofiodd nodweddion hen gymeriadau gwreiddiol ei phlentyndod; cydymdeimlodd â menywod difreintiedig trefi de Cymru; datblygodd ddiddordeb arbennig ym mhotensial merched ifainc; datblygodd ddealltwriaeth o deimladau dyfnaf, drwg a da, yr unigolion a ymwelai â'r mans ym mha eglwys bynnag yr oedd ei gŵr yn weinidog, a chymysgodd drwy ei gwaith efengylyddol â

'Chwiorydd y Bobl' a chyfoedion diwylliedig o'r un anian â hi ei hunan. A'r holl ffynonellau hyn at ei gwasanaeth ni welodd yr angen i fabwysiadu arddull hunandybus, flodeuog, hen ffasiwn i drosglwyddo gwerthoedd Cristnogaeth. Chwistrellodd fywyd newydd i'r *Drysorfa*; heriodd awyrgylch wryw-ganolog yr *Efengylydd*; mewn dwy gyfres i'r *Gymraes* goresgynnodd y foeswers arferol, a chyfoethogodd lenyddiaeth yr *Ymwelydd Misol* drwy ei hanesion darllenadwy am Ddiwygiad 1904–5. Gyda'i dawn dweud a'i chlust fain, creodd S.M.S. gymeriadau cofiadwy a siaradai yn rhugl â'i gilydd yn nhafodiaith gyfoethog Ceredigion. Portreadodd gymdeithas cefn gwlad heb ramanteiddio na seboni, ac yn bennaf oll gwnaeth gyfiawnhad â'r merched a'r menywod cadarn a arolygai gymunedau gorllewin Cymru, ac a gadwai lygad barcud ar gyflwr ysbrydol y pentrefwyr.

Pwnc a gaiff sylw arbennig yn y bennod hon yw dwyieithrwydd llenyddiaeth S.M.S.; ysgrifennodd lawn cymaint yn y Saesneg ag yn y Gymraeg. Defnyddiodd ei dwyieithrwydd fel cyfle i arbrofi. Er enghraifft, ailgyflwynodd gymeriadau a phentrefi ei chyfresi Cymraeg yn ei chyfresi Saesneg diweddarach, nodwedd na welwyd ei bath cyn hyn, hyd y gwyddys, yng nghylchgronau Cymru. Elfen arall gwerth ei nodi yw'r gwahaniaethau bychan, ond arwyddocaol, rhwng fersiynau Cymraeg a fersiynau Saesneg y storïau o'i chyfres am y Diwygiad a gyfieithwyd i'r Saesneg. Pwnc dadleuol yn y cyd-destun hwn a gododd wrychyn rhai beirniaid llenyddol cenedlaetholgar y dydd oedd ymdrechion awduron Cymru i gyflwyno cymeriadau a chymunedau uniaith Gymraeg drwy gyfrwng y Saesneg, thema arall a drafodir ymhellach yn y bumed bennod.

Optimistiaeth ddisgwylgar sy'n teyrnasu yn hanesion S.M.S. er gwaethaf caledi ei chymeriadau mewn cyfnod o ddirwasgiad trallodus. Drwy bŵer gweddi, a gaiff ei hateb yn ddi-ffael – yn aml iawn yn dilyn cyfnod o wewyr meddwl – lleddfwyd doluriau cymdeithas; drwy dderbyn cyfarwyddiadau'n uniongyrchol oddi wrth 'yr Arglwydd', goresgynnwyd yr anghyfartaledd a'r diffyg hyder a rwystrai gymeriadau benywaidd capeli S.M.S. rhag ysgwyddo'u cyfrifoldebau. Llwyddodd i gyfleu darlun gwerthfawr a gwreiddiol o'r Gymru wledig, ac yn anad dim, symudodd lenyddiaeth Cymraes y bedwaredd ganrif ar bymtheg yn ei blaen, camp y gellir ei hystyried, mae'n siŵr, fel un sy'n haeddu cydnabyddiaeth ehangach.

O hirbell hawdd tybio y byddai dwy ferch a aned yng nghefn gwlad Cymru ar aelwydydd Methodistaidd yng nghanol y bedwaredd ganrif ar bymtheg wedi ymdebygu i'w gilydd wrth aeddfedu'n awduresau adnabyddus. Ond nid felly y bu am fod nifer o ffactorau, a asesir yn y chweched bennod, wedi tywys Gwyneth Vaughan ac S.M.S. i gyfeiriadau gwahanol. Un nodwedd y gellid ei phriodoli i'r ddwy, fodd bynnag, oedd eu hymrwymiad i'r sialens o ddileu drygioni a hyrwyddo daioni ar lefel deuluol, gymunedol a chenedlaethol. Hefyd, ystyriodd y naill fel y llall, fel y gwelir yn eu delweddau diysgog o'r Gymraes, bod ymgyfraniad merched a menywod Cymru'n elfen allweddol yn llwyddiant yr orchwyl hon o wella cyflwr cymdeithas. Canllaw a ddefnyddiwyd gan y ddwy oedd eu Beibl, y gellid dyfynnu adnod ohono ar bob achlysur bron, fel tystiolaeth o ddilysrwydd argyhoeddiadau eu prif gymeriadau.

Camddealltwriaeth dybryd, fodd bynnag, fyddai casglu, ar sail y cyffelybiaethau hyn, iddynt ddewis yr un cyfryngau i wireddu eu breuddwydion am Gymru'r dyfodol. Yn hanner gyntaf y bennod olaf hon, amlygir gwahanol weledigaethau dwy Gymraes unigolyddol eu natur o hanfodion bywyd Cristnogol a gwladgarol. Cymherir pwysigrwydd statws a dosbarth cymdeithasol yn eu llenyddiaeth; eu diddordeb mewn diwygiadau ac enwadaeth; eu hymroddiad i'r iaith Gymraeg; dwyster eu hymrwymiad i wleidyddiaeth, Rhyddfrydiaeth a Mudiad Cymru Fydd, ac fel y crybwyllwyd uchod eu delweddau difyr o ferched a menywod y Gymru wledig.

Yn ail hanner y bennod mae'r cywair yn newid. Yma rhoddir sylw i arddull a ffurf. Trafodir hiwmor a dychan yn ffuglen Gwyneth Vaughan ac S.M.S.; asesir eu defnydd o dafodiaith a deialog, heb anghofio'r dadleuon am yr anhawster o ddarlunio cymunedau Cymraeg drwy gyfrwng yr iaith Saesneg; amcangyfrifir i ba raddau y mae rhamant yn amharu ar gredadwyedd eu cymeriadau a'u pentrefi drwy eu cymharu â'i gilydd, a hefyd ag awduron gwrywaidd y cyfnod; cyffelybir eu traethyddion, ac yn olaf dadansoddir swyddogaeth y stori gyfres fel ffurf lenyddol, pwnc na chafodd fawr o sylw gan feirniaid llenyddol Cymru, ond a enynnodd chwilfrydedd academyddion Saesneg ac Americanaidd. Yng ngoleuni'r defnydd crefftus a wnaed gan Gwyneth Vaughan ac S.M.S. o'r elfennau llenyddol y sonnir amdanynt yn ail hanner y bennod hon, yn arbennig o gofio mai ffurf newydd oedd y 'ffugchwedl' Gymraeg, atgyfnerthir eu hawl i sefyll ochr yn ochr ag awduron amlycaf eu cyfnod, a mynnu eu lle yn hanes llenyddiaeth Cymru.

Wrth gloi pwysleisir nodweddion arloesol Gwyneth Vaughan ac S.M.S. fel dwy oedd o flaen eu hamser. Drwy eu harweiniad llwyddasant i bontio'r cyfnod rhwng y genhedlaeth ddibrofiad o awduresau diwedd y bedwaredd ganrif ar bymtheg, a pharatoi'r ffordd, drwy eu blaengarwch, ar gyfer menywod llenyddol y ganrif ganlynol. Trafodir y modd y llwyddodd y ddwy i ddilyn eu llwybrau eu hunain gan amlygu amrywioldeb hunaniaeth genedlaethol merched a menywod Cymru, hyd yn oed o fewn un ideoleg ddominyddol; gwelodd y ddwy Gymru'r cyfnod fel cenedl y gellir drwyddi wireddu eu gwahanol freuddwydion. Archwilir y rhesymau dros eu statws anghofiedig yng nghyd-destun y dirywiad ym mhoblogrwydd Ymneilltuaeth a Rhyddfrydiaeth. Ond ar nodyn optimistaidd, fel canlyniad i'r diddordeb a fynegwyd yn fwy diweddar yn swyddogaethau a llenyddiaeth Cymraes y bedwaredd ganrif ar bymtheg, mynegir y gobaith y gwelir Gwyneth Vaughan ac S.M.S. fel dwy arwres a gadwodd y fflam ynghynn, ac sydd fel y cyfryw yn haeddu cydnabyddiaeth yn yr unfed ganrif ar hugain.

1

Cyfraniad Cymraes Anghofiedig y Bedwaredd Ganrif ar Bymtheg i'w Chenedl

Er mwyn gosod bywydau a gweithiau Gwyneth Vaughan a Sara Maria Saunders mewn cyd-destun cymdeithasol a'u lleoli yn hanes eu cenedl, bydd y bennod hon yn edrych yn gyffredinol ar amgylchiadau'r Gymraes Anghydffurfiol yng nghefn gwlad Cymru rhwng diwedd y ddeunawfed ganrif a diwedd y bedwaredd ganrif ar bymtheg. Mewn canrif o newidiadau pellgyrhaeddol ym myd crefydd, addysg, gwleidyddiaeth, diwylliant a'r economi, rhaid ystyried y datblygiadau hyn i gyd, ac effaith y cysylltiadau rhyngddynt ar dwf personoliaeth a hunaniaeth merched a menywod Cymru, ac ar natur eu gweithgareddau a'u llenyddiaeth.

Crefydd

Ymneilltuaeth oedd y dylanwad hollbresennol ym mywyd merched mewn cymunedau Cymraeg eu hiaith yn ystod y bedwaredd ganrif ar bymtheg a thu hwnt, a hynny yn sgil y Diwygiad Methodistaidd. Roedd hon yn grefydd chwyldroadol ei natur a fu'n ffactor tyngedfennol yn nhwf ymwybyddiaeth y Gymraes o'i chyfartaledd â dynion o flaen ei Duw. Nôl yn niwedd y ddeunawfed ganrif, pan gynhaliwyd cyfarfodydd ar aelwydydd selogion y ffydd newydd[1] – gweithred beryglus yn y dyddiau ansefydlog hynny – gellir dychmygu'r cynnwrf a ddaeth i fywydau merched a menywod Cymru wrth wrando ar bregethwyr ar eu haelwydydd yn sôn am ffydd â'i hygyrchedd yn elfen gwbl newydd. Gan fod natur y gwasanaethau hyn mor annhebyg i gyfarfodydd Eglwys y Llan, o dipyn i beth gwawriodd arnynt fod eu heneidiau hwy yr un mor bwysig ag eneidiau dynion. Yn wir, menywod oedd y mwyafrif o'r rhai a brofodd ailenedigaeth,[2] ac fel y trafodir yn nes ymlaen yn y bennod hon, fe'u hysbrydolwyd gan wefr eu profiadau i gyfansoddi emynau. Fel y dywedodd Eryn Mant White, wrth gyfeirio at awgrym a wnaed gan E. P. Thompson:

> [Roedd] Methodistiaeth, yn hollol anfwriadol, wedi hybu twf mudiadau'r dosbarth gweithiol trwy roi hunanhyder i bobl a'u hyfforddi i fynegi eu teimladau. Rhoddid yr un hyfforddiant i ferched a disgwylid iddynt hwythau hefyd drafod eu profiadau yn gwbl rydd ac agored yng nghymdeithas glòs y seiat.[3]

Am y tro cyntaf yn eu hanes, fe'u dyrchafwyd uwchlaw eu gorchwylion domestig diddiolch arferol, a gan fod bechgyn a merched yn mynychu seiadau – cyfrwng arloesol Methodistaidd o gynnal sêl y rhai a achubwyd – roeddent o safbwynt ysbrydol, o leiaf, 'yn un a'u gilydd . . . yn gymorth y naill i'r llall i ddal ymlaen yng ngwyneb anhawsderau ac ymosodiadau gelynion o'r fath waethaf'.[4]

Gymaint oedd lledaeniad Ymneilltuaeth yn hanner cyntaf y bedwaredd ganrif ar bymtheg, fel i nifer fawr o ferched duwiol, cadarn eu crefydd dyfu i fyny yng nghefn gwlad Cymru. Fel y dywedodd yr hanesydd Jane Williams (Ysgafell) wrth ddisgrifio Betsy Cadwaladr, un o'r cymeriadau mwyaf lliwgar yn hanes ei chenedl, 'Such eras ever tend to produce determined characters as the necessity for resistance to opposing power follows the choice of party and stimulates the exercise of strength.'[5] Cadarnheir hon fel delwedd ddilys o ferched crefyddol y cyfnod gan Edward Thomas yn ei lyfr *Mamau Methodistaidd*, sy'n cofnodi dewrder bron i ddeugain o fenywod a ddioddefodd wrthwynebiad y lliaws ac ymosodiadau ffyrnig yn nyddiau cynharaf Methodistiaeth.[6]

Wrth ddarllen hanes yr arwresau penderfynol hyn, a'u cyfraniad i barhad eu henwad, cwbl ddealladwy oedd i arweinwyr gwrywaidd Ymneilltuaeth fynd ati i greu delwedd ddelfrydol o'r Gymraes Fethodistaidd – un gadarn a moesol, diwyd a diwair – un y gallent ei chyflwyno gyda balchder i'r byd, yn arbennig i'r Eglwys Wladol, fel prawf o ragoriaeth Ymneilltuaeth. Medd Lewis Edwards wrth adolygu llyfr Thomas Jones am ei chwaer Margaret Jones yn 1845, wrth gymharu'r Gymraes â merched gwledydd eraill, '[O]'r rhai hyn i gyd y mae yn ddiddadl, yn ein meddwl ni o leiaf, mai merched Cymru, mewn amryw ystyriaethau, yw y rhai rhagoraf.'[7]

Brad y Llyfrau Gleision

Ergyd drom i'r Ymneilltuwyr felly oedd casgliadau Adroddiad y Llywodraeth ar Addysg yng Nghymru yn 1847 y cyfeiriwyd ato wedi hynny fel Brad y Llyfrau Gleision, pan gafodd merched y capeli eu cyhuddo o anfoesoldeb, yn bennaf fel canlyniad i'r arfer o gynnal cyfarfodydd gyda'r hwyr i bobl ifainc. Honnid fod hynny'n arwain at weithrediadau rhywiol a genedigaethau y tu allan i briodas. Er bod yr haeriadau hyn yn ffurfio 'llai na dwsin o dudalennau'r Adroddiad . . . y tudalennau hynny a roddodd gyfle i bapurau Llundain bardduo'r Cymry'.[8]

Er mai'r rheswm dros gynnal yr ymchwiliad yn y lle cyntaf oedd gofid am gyflwr cymdeithas yn dilyn y trafferthion ym Merthyr, protestiadau'r Siartwyr a therfysg Rebecca, daeth y comisiynwyr nid yn unig i'r casgliad bod yr iaith Gymraeg yn arwain at ansefydlog-rwydd, ond bod anfoesoldeb merched Cymru'n un o'r ffactorau arwyddocaol yng nghyflwr anwaraidd y genedl gan roi'r argraff 'mai pechod cenedlaethol Cymreig oedd anniweirdeb rhywiol'.[9] Bernid bod eu hymddygiad 'yn llygru rhuddin moesol y gymdeithas, ac yn arwain at holl ffaeleddau nodweddiadol eraill y Cymru – yn ôl yr Adroddiad – dwyn, dweud anwiredd, pob math o dwyllo, meddwdod a diogi'.[10]

Am y tro cyntaf yn eu hanes unwyd gwahanol enwadau'r Ymneill-tuwyr yng Nghymru mewn gwrthryfel yr erbyn yr honiadau dilornus. Iddynt hwy, Anglicaniaid cenfigennus oedd y rhai a roddodd dystiolaeth i'r Dirprwywyr, yn achub y cyfle i bardduo enw da a llwyddiant ysgubol Ymneilltuaeth Gymreig.[11] Mewn llythyr angerddol at William Williams,[12] mae Evan Jones (Ieuan Gwynedd), a sefydlodd *Y Gymraes* fel cylchgrawn ar gyfer merched Cymru yn 1850, yn tynnu sylw at yr ystadegau swyddogol ar enedigaethau anghyfreithlon, a oedd ar gael i bawb eu gweld yn adroddiadau'r *Registrar General*. Dangosodd y rhain nad oedd y nifer yng Nghymru ronyn gwaeth nag yn Lloegr, ac meddai, 'the daughters of Cambria need not blush, when their reputation is measured with that of their Anglo-Saxon sisters.'[13]

Mewn erthygl hir holl-gynhwysfawr i ddarllenwyr y *Traethodydd*, dadansoddir y da a'r drwg gan Lewis Edwards, Methodist pybyr a golygydd y cylchgrawn. Nid oes taw ar ei gynddaredd yn erbyn 'dynion parchedig yn ein plith ni ein hunain' yn cyhuddo merched Cymru o anniweirdeb. 'Yr ydym yn addef', meddai, 'fod llawer o arferion gwarthus yn ffynnu yn Nghymru; ond y gwarth mwyaf o bob gwarth sydd yn perthyn iddi yw y gwarth o fagu y fath ddynion a hyn'[14] sy'n 'gosod allan holl ferched Cymru fel pentwr o butein-iaid.'[15] Ond er iddo eu hamddiffyn yn gyhoeddus, yn breifat dywedodd am yr adroddiadau, 'Y mae ynddynt beth gwirionedd, a dylem ninnau ei ystyried yn ddifrifol, a meddwl am ddiwygio.'[16] Nid oedd Ieuan Gwynedd ychwaith wedi ei lwyr argyhoeddi, fel y nodir gan Sian Rhiannon Williams:

> Ieuan Gwynedd set out to disprove the allegations . . . Privately, however, he personally disapproved of 'bundling', and although he defended their character to the outside world, the moral champion of Welsh women felt that there were indeed serious deficiencies which could be eliminated through education.[17]

Addysg

Hoeliwyd sylw'r genedl yn dilyn cythrwfl Brad y Llyfrau Gleision ar ei merched, a daethpwyd i'r casgliad mai'r ffordd o wella safonau cymdeithas yn gyffredinol oedd drwy 'gydweithredu a sefydliadau addysgiadol ein hoes er cynhyrchu morwynion ffyddlon, merched rhinweddol, gwragedd darbodus a mamau deallgar'.[18] Ond 'sefydliadau addysgol' Saesneg a gynigiwyd gan y Dirprwywyr fel y 'feddygin-iaeth' orau, a daeth awydd arweinyddion Cymru i wneud argraff ar y Saeson ac ennyn eu hedmygedd yn fwyfwy amlwg. Yr adeg honno, 'Y frwydr bwysig [i egin-ddosbarth-canol y Gymru gapelog] oedd honno o blaid . . . hawliau'r Cymry fel Anghydffurfwyr.'[19]

Gan mai merched yr Ymneilltuwyr a bardduwyd, roedd delwedd y 'Gymru gapelog' yn y fantol, ac aethpwyd ati, mewn rhai cylchoedd, i wneud iawn am y cam drwy gyflwyno delwedd Seisnig dosbarth-canol Lloegr mewn portreadau o ferched Cymru. 'Angyles yr Aelwyd' oedd hon, creadigaeth a wthiwyd ar ddarllenwyr gan lenorion dros y ffin. Fe'i hefelychwyd gan feirdd a llawer o awduron gwrywaidd yng Nghymru, mewn cyfnod pan grëwyd yr hyn a enwid wedi hynny fel 'sfferau ar wahân'. 'The woman's sphere', medd W. Gareth Evans,' was the home, and her education was seen in terms of improving the effectiveness of her domestic role.'[20]

Er nad 'croeso digymysg' a gafodd Angyles yr Aelwyd yng Nghymru, ac er nad oedd modd, oherwydd y gwahaniaethau dosbarth yn y ddwy wlad, i 'asio'n llwyr y ddau ddelfryd – Angyles yr Aelwyd Saesneg, a'r Fam neu'r Ferch Rinweddol Gymreig',[21] ni ellid osgoi ei dylanwad yn llwyr. Meddir yn y 1860au yn adroddiad Taunton:

> It would appear that it is beginning in some parts to be considered unfashionable for girls to know Welsh, and this feeling is likely to make the language die out rapidly, at least among the middle classes. The Welsh language interferes with education.[22]

Adlewyrchiad o wirionedd y fath ddatganiad oedd Seisnigrwydd y ddwy ysgol Howell's yn Ninbych a Chaerdydd ac wedi hynny ysgol Dr Williams yn Nolgellau. Cynyddodd y nifer o ferched a anfonwyd o Gymru i ysgolion bonedd yn Lloegr hefyd wrth i aelodau 'egin-ddosbarth-canol' Cymru gael eu darbwyllo mai dyna'r dull gorau o sicrhau gwell dyfodol i'w plant. Mae'n amlwg i'r cyfleoedd addysg hyn a gynigiwyd i ferched teuluoedd gwell eu byd ddwyn ffrwyth, oherwydd erbyn 1888, ryw bedair blynedd ar ôl i brifysgolion Cymru agor eu drysau i ddisgyblion benywaidd, 'yr oedd 33 y cant o fyfyr-wyr Colegau Prifysgol Cymru yn ferched – 120 ohonynt o gymharu â 266 o'r meibion – canran lawer iawn yn uwch nag ym mhrifysgolion Lloegr ar y pryd.'[23]

Ond dal yn anfoddhaol oedd cyflwr addysg merched cyffredin, llai ffodus Cymru. Er bod addysg elfennol ar gael i ferched a bechgyn yn yr ysgolion eglwysig a Brutanaidd erbyn 1870, ni ddaeth yn orfodol tan 1880. Go brin y gellid disgwyl i ddyheadau'r Ymneilltuwyr am ferched 'ffyddlon a deallgar' gael eu gwireddu mewn system addysg elfennol lle nad oedd y plant yn deall iaith eu hathrawon, ac mae'n amheus a fedrir dysgu 'darbodrwydd' drwy gyfrwng nodwydd ac edau – yr unig bwnc a neilltuwyd i ferched yn y cwricwlwm oedd gwaith gwnïo. Erbyn iddynt orffen eu haddysg ffurfiol yn dair ar ddeg oed, uchelgais y rhan fwyaf o ferched cefn gwlad oedd cael lle fel morynion mewn tŷ crand, a gyda lwc, meistres garedig. Tynged eraill oedd aros gartref i helpu eu mamau â'u gorchwylion llafurus yn y tŷ ac efallai ar y tir, neu gyda'u sgiliau gwnïo gael gwaith mewn tref gyfagos fel gwniadwragedd.

Wrth edrych ar ddatblygiad Cymraes cefn gwlad Cymru yn y blynyddoedd hyn felly, rhaid troi at addysg yr ysgol Sul, y capel, a'r cartref. Y Beibl oedd y canllaw allweddol, ac fel y gwyddom yr oedd merched a bechgyn wedi eu trwytho o'r crud yn ei athrawiaeth a llawer ohonynt wedi dysgu darnau maith ohono ar eu cof yn eu hiaith eu hunain. O amgylch y capel yr oedd bywyd yn troi, ac o gadw mewn golwg gyfraniad cynnar menywod i dwf Methodistiaeth mae'n gwbl ddealladwy fod dylanwad crefydd wedi chwarae rhan bwysicach mewn cynhyrchu'r math o ferch yr oedd yr Ymneilltuwyr yn dyheu amdani na'r addysg oedd ar gael iddi yn yr ysgolion.

Yn 1886 dechreuodd pethau wella yn y system addysg seciwlar hefyd. Yn y flwyddyn honno, fel y nodir gan W. Gareth Evans, daeth grŵp o gyfeillion at ei gilydd yn Llundain i drafod yr angen i ddarparu gwell addysg i ferched o bob cefndir a phob rhan o Gymru.[24] Hwy oedd yn gyfrifol am sefydlu'r Gymdeithas er Hyrwyddo Addysg Merched Cymru, a'r huotlaf yn eu plith oedd Frances Hoggan, yr ail fenyw ym Mhrydain i raddio fel meddyg, yr addysgwraig flaengar Dilys Lloyd Davies[25] ac Elizabeth Phillips Hughes,[26] prifathrawes coleg addysg i ferched yng Nghaergrawnt. Iddynt hwy yr oedd yn hollbwysig i ferched gael cymwysterau a fyddai'n eu galluogi i ennill bywoliaeth, a chwaraeodd y Gymdeithas ran bwysig yn y trafodaethau a arweiniodd at Ddeddf Addysg 1889, gan sicrhau cyfleodd cyfartal i ferched yn ysgolion canolraddol Cymru, a hynny cyn i ferched Lloegr gael yr un cyfle. Wrth edrych i'r dyfodol, meddai Ellen Hughes yn 1892, 'Credwn y bydd y "genethod graddedig" wedi dyfod mor gyffredin yn fuan, fel na fydd i'r syniad amdanynt gynhyrfu gwen ar wyneb y mwyaf gwamal.'[27]

Daliwyd i roi pwyslais ar bwysigrwydd dysgu merch i gadw tŷ a chodi teulu, ond yn raddol sylweddolodd y Gymraes y gellid ehangu'r sgiliau hyn er lles y gymdeithas tu allan i'r cartref. A phan groesodd syniadau newydd dros Fôr Iwerydd i Loegr ac oddi yno dros Glawdd Offa yn chwarter olaf y ganrif, roedd digon o ferched 'deallgar' yng Nghymru i gwrdd â'r sialensiau. Gwelir hyn o 1895 ymlaen mewn erthyglau gwleidyddol yn y golofn 'Women of Wales Circle' yn *Young Wales*, lle mae Nora Philipps yn ymwrthod yn bendant â delwedd 'Angyles yr Aelwyd'. 'An excessive admiration for the graces of woman,' meddai, 'her gentleness and softness led to the emphasizing of these qualities, till gentleness became weakness, and softness degenerated into flabbiness.'[28] Gwahanol iawn oedd ei darlun hi o'r Gymraes ddelfrydol: '[T]he new movement', meddai, 'is producing, and will continue to produce, a magnificent type of womanhood, worthy descendants of their most heroic ancestresses.'[29]

Dirwest

Un o'r ymgyrchoedd cyntaf i ysgogi'r Gymraes Anghydffurfiol i ehangu ei gweithgareddau tu hwnt i'w chartref a'i chapel oedd y mudiad dirwestol, a'r Ddeddf Cau'r Tafarnau ar y Sul yn 1881 hwyrach wedi cynyddu ei hymwybyddiaeth o'r angen i dynnu ei phwysau er mwyn gwireddu amcanion y Mesur penodol Cymreig hwnnw. Dyma faes y medrai merched Cymru uniaethu ag ef gan eu bod, ochr yn ochr â bechgyn, wedi eu trwytho o'u plentyndod yn erchyllterau'r ddiod feddwol yng nghyfarfodydd y Band of Hope. Dwysáwyd eu brwdfrydedd gan yr agwedd gyffredinol drwy gydol y bedwaredd ganrif ar bymtheg mai'r fam oedd yn gyfrifol am ymddygiad ei gŵr a'i phlant. Yn ôl y *Frythones*, 'roedd y ddiod feddwol yn arwain at ddyoddefaint a thrueni' a chyfrifoldeb mam wrth fagu ei phlant oedd gofalu na fyddai 'cyfeddach diotwyr a'r dafarn yn meddu unrhyw swyn iddynt un amser'.[30] Roedd hwn yn gyfrifoldeb enfawr ac yn ddigon o reswm i famau fanteisio ar unrhyw gefnogaeth a allai fod ar gael i'w helpu i ymdopi o dan lygad barcud eu cymdogion. Dyma ymgyrch y medrai merched y Gymru wledig uniaethu â hi drwy brofiad a gwybodaeth bersonol, mewn cyfnod lle 'nad [oedd] odid dŷ heb un marw ynddo o haint meddwdod'.[31] A thrwy fentro i faes y gad dros yr achos hwn, darganfu'r Gymraes lawer am ei photensial ei hunan, gan ddod yn fwy ymwybodol o'r anghyfartaledd a fodolai rhwng y ddau ryw yn ei chymdeithas.

Wrth gamu allan dros garreg ei drws i awyrgylch ceidwadol y gymdeithas batriarchaidd â'i hamgylchynai, darganfu'n fuan nad peth derbyniol oedd gweld merch yn annerch cynulleidfaoedd cymysg. Fel y dywedodd y ddirwestwraig ymroddedig, Ceridwen Peris, wrth edrych yn ôl ar ei bywyd yn 1931, 'Yr oedd gwaith merch yn esgyn i lwyfan i siarad yn gyhoeddus yn taro yn erbyn y syniad cyffredinol am safle merch mewn cymdeithas. Yr aelwyd oedd lle merch, a distawrwydd oedd ei rhinwedd – dyna farn y cyhoedd y pryd hynny.'[32]

O gadw hyn mewn cof ni ddylid synnu mai menywod o'r dosbarth canol a arweiniodd y ffordd pan sefydlasant Undeb Dirwestol Merched Gogledd Cymru (UDMGC) yn 1892. Roedd hyn yn galw am hunanhyder a welwyd yn bennaf ymhlith menywod breintiedig fel gwragedd aelodau seneddol y Blaid Ryddfrydol, neu ferched y cyhoeddwr a'r dirwestwr, Thomas Gee – Miss Gee a'i chwaer Mrs Mathews. 'The dominance of middle-class women was perhaps inevitable,' medd Ceridwen Lloyd-Morgan, 'as they alone had the leisure, confidence and family support to organize meetings and speak in public.' Serch hynny, ychwanega am Granogwen, a fu'n gyfrifol am sefydlu Undeb Dirwestol Merched y De (UDMD) yn 1901, 'Cranogwen was an exception in this respect, for although by 1901 she was a respected public figure, her home background was humbler and she had always worked for her living.'[33]

Ond ni ellir amau sgiliau trefniadol nac ymrwymiad merched Cymru i'r achos. Erbyn 1896 roedd cant a chwech o ganghennau wedi eu sefydlu gan UDMGC, 16 yn Lerpwl (cyrchfan boblogaidd i lawer o Ymneilltuwyr Cymraeg eu hiaith); wyth ym Manceinion, a 461 o ferched yn swyddogion canghennau. Roedd nifer yr aelodau'n amrywio o le i le, o 1,497 ym Mlaenau Ffestiniog i gyn lleied â saith mewn pentref fel y Groeslon.[34]

Yn ogystal â chynnal cyfarfodydd – a oedd ar y cychwyn yn debyg i wasanaethau crefyddol, ond a ddaeth yn fwy amrywiol ar hyd y blynyddoedd – rhoddwyd pwyslais hefyd ar lenyddiaeth ddirwestol. Diolch i hyfforddiant ac anogaeth Cranogwen o ddyddiau'r *Frythones*, roedd nifer o ferched Cymru erbyn hyn yn ddigon hyderus i gyhoeddi llyfrynnau'n rhybuddio'n erbyn y ddiod feddwol, ac ymddangosodd cyfresi ac erthyglau dirwestol yn yr ail *Gymraes* a sefydlwyd gan Ceridwen Peris yn 1896. Gymaint oedd ymrwymiad y cylchgrawn hwn i'r frwydr yn erbyn y ddiod feddwol fel iddo ddod yn llefarydd ar ran yr achos, gan gynyddu ei gylchrediad drwy gyfrwng y canghennau i dros 2,000 y mis.

Yr hyn a ddaw'n amlwg wrth ystyried natur y ddau undeb dirwestol yng Nghymru yw eu Cymreictod. Yn hyn o beth yr oedd gwahaniaeth sylfaenol rhyngddynt â'r British Women's Temperance Association (BWTA), sy'n egluro amharodrwydd UDMGC i weithredu o dan adain y Gymdeithas Seisnig, er i Gymru fod yn rhan o faes llafur y gymdeithas honno ers diwedd yr 1880au. Fel y dywed Ceridwen Lloyd-Morgan, nid oherwydd eu gwrthwynebiad i'r ymgyrch dros bleidlais i fenywod yr ataliwyd y Fonesig Carlisle rhag annerch cyfarfod yr Undeb yn 1903, ond am nad oedd yn siarad Cymraeg. Teimlwyd hefyd fod anghenion Cymru'n wahanol: 'Objection to the BWTA was . . . based largely on the English character of that organization, and an unwillingness to be told what to do, in Wales, by the English.'[35] Yng ngeiriau Mrs Mathews: 'Gan ein bod yn genedl ar wahân o ran iaith, arferion a diwylliant, teimlent mai fel Undeb Cymreig y llwyddid orau.'[36]

Gwleidyddiaeth

Nid oes prinder tystiolaeth o'r ymwybyddiaeth gynyddol hyn mewn hunaniaeth genedlaethol yng Nghymru erbyn chwarter olaf y ganrif. Oddi ar 1847, yr oedd nifer o'r Ymneilltuwyr mwyaf arloesol wedi dringo grisiau proffesiynol i swyddi pregethwyr, meddygon, athrawon, darlithwyr, cyhoeddwyr, aelodau seneddol a phenaethiaid sefydliadau addysgol, a chawsant hefyd lwyddiant ym myd busnes, a'u plant a'u gwragedd yn aml iawn, fel canlyniad, hefyd yn esgyn i ddosbarth uwch. Wrth i'w hyder gynyddu, felly hefyd eu balchder yn eu hiaith a'u traddodiadau. Yn awr, lledaenodd y brwdfrydedd a greodd gymdeithasau'r Gwyneddigion a'r Cymmrodorion yn Llundain yn y ddeunawfed ganrif i gefn gwlad Cymru. Cychwynnwyd ymgyrch yn 1873 dros sefydlu Llyfrgell Genedlaethol ac agorwyd Coleg Prifysgol yn Aberystwyth yn 1872, i'w dilyn yn fuan gan Gaerdydd a Bangor – canolfannau o wybodaeth ac ymchwil academaidd y gellid ymfalchïo ynddynt ac a ddisgrifir gan David Williams fel 'the product and cause of an awakening unparalleled in the modern history of Wales'.[37] Nes ymlaen yn y ganrif cynyddodd awydd yr Eisteddfod Genedlaethol i hyrwyddo'i chysylltiad â'i brodyr a'i chwiorydd mewn gwledydd Celtaidd a gydag asbri ac egni nodweddiadol, ar droad y ganrif, cychwynnwyd Undeb y Ddraig Goch er mwyn diogelu dyfodol yr iaith Gymraeg fel iaith yr aelwyd.

Yn yr 1880au cynnar ehangwyd yr optimistiaeth yma i'r byd gwleidyddol drwy ymdrechion nifer o Gymry ifainc a ddaeth at ei gilydd yn Llundain yn 1885 – Aelodau Seneddol a chefnogwyr y Blaid Ryddfrydol – i sefydlu Cymru Fydd, gan uniaethu ag Iwerddon a gwledydd eraill ar gyfandir Ewrop oedd yn awyddus i ddiosg hualau meistri estron ac ailsefydlu eu diwylliannau cynhenid drwy ennill ymreolaeth. Byr fu parhad y mudiad am amryw resymau. Nid y lleiaf oedd yr agosatrwydd rhwng Cymru ac Ymerodraeth fwya'r byd. Pan dderbyniodd ei arweinydd T. E. Ellis swydd yng Nghabinet Gladstone, gwelwyd nad oedd apêl coridorau pŵer Llywodraeth Lundeinig yn gwbl wrthun i Gymry uchelgeisiol. Ymddangosodd rhwyg rhwng y Gymru wledig a'r De diwydiannol, yn Gymry di-Gymraeg ac yn newydd-ddyfodiaid o wledydd eraill heb unrhyw ymwybyddiaeth o Gymru fel cenedl ar wahân. Yn y cyfarfod yn 1896 y cyfeirid ato fel 'bear-garden party' yng Nghasnewydd, gwŷr busnes a roddodd ergyd farwol i Gymru Fydd pan gasglasant at ei gilydd i danseilio anerchiad Lloyd George – rhai o'u disgynyddion hyd heddiw yn berchen ar diroedd eang yn ardaloedd mwyaf ffyniannus Ceidwadol Bro Morgannwg. Yn y bôn, ac yn y pen draw, fodd bynnag, gellid crynhoi dirywiad Cymru Fydd drwy bwysleisio methiant ei arweinwyr i uniaethu ag anghenion y nifer mawr o weithwyr a symudodd o gefn gwlad i'r cymoedd diwydiannol, cyfnod a welodd boblogaeth Ceredigion yn gostwng o 73,000 yn 1871 i 59,000 erbyn 1911.[38] Yn raddol daeth yn amlwg nad oedd yr elfen radical yng ngwneuthuriad y Mudiad yn ddigon cryf i wrthsefyll safiad mwy chwyldroadol ac eithafol yr undebwyr a'r sosialwyr a daniodd ddychymyg eu cefnogwyr glofaol.

Syml a chadarnhaol, mewn cymhariaeth, oedd polisi Cymru Fydd tuag at y 'Ddynes Newydd'. Yn rhifyn cyntaf *Young Wales*, cylchgrawn Saesneg y Mudiad, fe'i croesawid gan y golygydd J. Hugh Edwards â breichiau agored. 'We trust that the day is not far distant', meddai, 'when Mrs Philipps and other leaders of the Women's Movement in the Principality will be elected to a duly established Welsh National Assembly.'[39] Yn 1895, daeth Cymdeithasau Rhyddfrydol Menywod Cymru yn rhan o'r uniad rhwng Cymru Fydd a Ffederasiwn Rhyddfrydwyr Gogledd Cymru, gan greu Ffederasiwn Cenedlaethol Cymru. Meddai Nora Philipps yn 1896, 'The national organisation has pledged itself to "promote legislation with a view to secure equal rights of citizenship for women with men" as one of its objects.'[40]

Rhyddfreiniad

Gan fod y Blaid Ryddfrydol Gymreig felly'n cefnogi'r alwad am bleidlais i fenywod Cymru, a hefyd yn cefnogi gwerthoedd a breuddwydion y Gymraes dros ddirwest, dros yr iaith, dros grefydd, a mesur o hunanreolaeth, yn hytrach na sefydlu mudiad ar wahân i ymladd dros gynyddu eu hawliau, rhoddodd merched blaengar Cymru eu ffydd yn y blaid honno, gan sianeli eu hymdrechion dros gyfartaledd drwy weithio drwyddi a throsti. Dyma un rheswm, mae'n debyg, sy'n cyfrif am absenoldeb cynrychiolaeth Gymreig yn Birmingham yn 1896 yn y 'Great Conference of delegates of Women's Suffrage Societies throughout the kingdom' a fynychwyd gan fenywod o Loegr, Gogledd Iwerddon, Dulyn a'r Alban.[41] Canolbwyntio ar sefydlu Cymdeithasau Rhyddfrydol lleol a aeth ag amser y Gymraes oleuedig ers dechrau'r 1890au, ac erbyn 1896 – yr un flwyddyn â chyfarfod y swffragyddion yn Birmingham – cyfarfu nifer mawr o aelodau o wahanol rannau o Gymru yng nghyfarfod agoriadol cenedlaethol Undeb Cymdeithas Ryddfrydol Menywod Cymru a gynhaliwyd yn Aberystwyth. Meddai Mrs Wynford [Nora] Philipps yn *Young Wales*, 'Women of all classes and creeds have joined hand in hand and heart with heart with earnest endeavour.'[42] Ar yr un dudalen cyfeirir at anerchiadau gan fenywod ar bynciau llosg y dydd – 'The Repeal of the Corn Law' gan Mrs Williamson yng Nghaerdydd, 'New Woman' gan Mrs Norman yn Aberdâr, a 'Why women should have the vote' gan Ysgrifennydd yr Undeb yn y Bermo. Llawenhawyd wrth weld aelodau a fu'n swyddogion petrusgar yn dod yn ddigon hyderus i annerch cynghorau a chynadleddau blynyddol. 'Gifts scarcely realized at first', meddir, 'are now used to the very utmost.'[43]

Yn 1896 roedd 24 o'r menywod a fynychodd y gynhadledd genedlaethol yn Aberystwyth yn Warcheidwaid Cyfraith y Tlodion, a mwy a mwy ar gynghorau plwyf a chynghorau dosbarth. Meddai Mrs D. M. Richards, '[T]here are many duties in relation to the poor that no-one can fulfil as well as women and wives.'[44] A dysgodd menywod Cymru fod dadlau eu hachos o safbwynt eu galluoedd domestig yn ddull pwerus o gael derbyniad llai rhagfarnllyd ymhlith y cyhoedd wrth iddynt ehangu eu gweithgareddau y tu hwnt i sffêr eu cartrefi. Yn ôl Neil Evans a Kay Cook yn eu herthygl ar y swffragét yng Nghymru: 'Politically alert women saw clearly the advantages of working out from domesticity to a place in the outside world,'[45] dyfyniad a adleisir yn astudiaethau 'Project Grace', cyflwyniad i hanes menywod Cymru, lle dywedir: 'Feminists found that the language of separate spheres could be stretched until it served purposes very different from those which its creators had intended.'[46]

Nid oedd eu harafwch i uniaethu â'r ffeminyddion o Loegr yn golygu nad oeddent yn cefnogi eu hamcanion. Ond nid dyma eu blaenoriaeth. Yn *Young Wales*, 'the Editors of the "Progress of Women" page', meddir, 'think that they can best serve the end in view by studying the various movements which combine to make the woman's movement,' ac ail-bwysleisir yr awydd i weld y Gymraes a'r Cymro'n cydweithio:

> [T]he 'Wales that is to be' will be the better because in it the desires of women as well as of men will have found fulfilment, and because they have served each other with loyalty and sympathy whilst uniting to attain an ideal that all may share.[47]

Ychydig a feddyliodd y merched brwdfrydig, teyrngar a gyfrannodd at y cylchgrawn hwn y byddent yn y pen draw yn cael eu siomi gan y blaid y buont am flynyddoedd yn gweithio mor galed i'w hyrwyddo. Yr ergyd gyntaf heb amheuaeth oedd methiant Cymru Fydd i ennill cefnogaeth Ffederasiwn Rhyddfrydol De Cymru yn 1896, gan ddileu unrhyw obaith o weld plaid Gymreig unedig. Parhaodd *Young Wales* tan 1903, ond yn 1897, rhoddodd Nora Philipps y gorau i olygyddiaeth y golofn 'Progress of Women in Wales', ac fel canlyniad collodd y golofn ei hawch a'i miniogrwydd gwleidyddol. Dirywio a wnaeth gweithgaredd menywod Rhyddfrydol ym mhob rhan o Gymru o hyn hyd ddiwedd y ganrif, ac erbyn 1900 dim ond pymtheg cangen oedd ar ôl. Yn dilyn methiant y Blaid Ryddfrydol i sicrhau pleidlais i fenywod yn 1908 yr oedd merched Cymru wedi gorfod wynebu realiti, a sylweddoli pa mor wan oedd dylanwad 27 o aelodau o Gymru fel rhan o gyfanswm o 377 mewn llywodraeth Brydeinig, waeth pa mor frwdfrydig yr oeddent, fel Cymry, dros ryddid i'w merched.

Y Genhadaeth Dramor

Ddwy flynedd ar ôl i Gymru Fydd gael ei sefydlu yn 1885, gan godi gobeithion y Gymraes am gael cymryd rhan gyfartal yn nyfodol ei chenedl, yr oedd un maes lle'r oedd yn mynd o nerth i nerth. Yn 1887, agorodd Cenhadaeth Dramor Methodistiaid Cymru ei drysau i genadesau sengl, nid er mwyn prysuro cyfartaledd rhwng y rhywiau, ond am i'r Ymneilltuwyr ddod yn ymwybodol o'r angen mawr am Gristnogaeth ymhlith menywod y Senanas, yn India. Nid oedd mynediad i ddynion i'r Senanas, rhannau o'r cartref a neilltuwyd ar gyfer menywod y teulu. Fel canlyniad daeth y syniad o wahodd merched ifainc dibriod o Gymru i weithio yn eu plith yn hynod dderbyniol.

Cyn hyn am flynyddoedd lawer, bu gwragedd y cenhadon yn anfon llythyrau gartref i gylchgronau enwadol Cymru, gyda'r bwriad ò berswadio gwerin dlawd y capeli i gynilo a chyfrannu eu harian prin er lles y 'paganiaid'. Taniwyd dychymyg llawer o ferched ifainc efengylyddol wrth ddarllen yr hanesion cyffrous a brofwyd gan fenywod mewn gwledydd tramor. Daeth awydd ar lawer i ddilyn eu hesiampl, ac o 1887 ymlaen, yn dilyn y cynnydd yn niferoedd cenadesau sengl, atgyfnerthwyd yr ysfa hon drwy ymweliadau cyson y cenadesau â Chymru yn ystod eu cyfnodau 'ffyrlo', pan symudasant o le i le yn ddiflino i hyrwyddo'u hachos.

Telir llawer o sylw i gyfraniad amhrisiadwy menywod i'r Genhadaeth Dramor gan Aled Gruffydd Jones. 'Cenhadaeth fenywaidd oedd,' meddai, '. . . ac efallai y byddai'n gywirach galw cylchgrawn *Y Cenhadwr* yn hytrach *Y Genhades*.'[48] Dyma gyfle i'r Gymraes wireddu breuddwydion na allai fyth fod wedi eu hystyried gartref yng Nghymru, a hynny gyda sêl bendith a chymorth ariannol eu capeli a'u cymunedau. Nid yn aml y rhoddwyd parch ac edmygedd cyfartal i ymdrechion menywod gan arweinwyr gwrywaidd Methodistiaeth. A diddorol nodi fod yr hen ddadleuon am wendid corfforol a meddyliol merch wedi mynd yn angof wrth iddynt annog merched ifainc i wirfoddoli i dreulio blynyddoedd fel cenadesau o dan yr un amgylchiadau'n union â'r cenhadon gwrywaidd. Yng ngeiriau'r ffeminydd Gymraeg Americanaidd o Iowa, Margaret Evans Roberts:

> Nid wyf yn gwybod am un enwad crefyddol sydd wedi gwrthod i'r merched fyned i blith paganiaid ac anwariaid y byd i ddweud am Waredwr wrthynt; yn hytrach ymorfoleddant yn y syniad eu bod yn myned; ond maent yn bur amheus a ydyw merched yn gymwys i wneud hynny gartref.[49]

Wrth ddarllen am eu hymrwymiad a'u dyfalbarhad a'u brwdfrydedd ar adeg pan oedd dylanwadau Diwygiad 1904–5 wedi pylu nôl adre yng Nghymru, gellir deall y modd yr ysbrydolwyd menywod efengylyddol i barhau â'u gwaith drwy ymuno yn ymdrechion eu chwiorydd mewn gwledydd tramor, gan fuddsoddi eu hegni yn yr ymgyrch honno, ac ailgynnau cynnwrf amseroedd cyffrous Diwygiadau'r gorffennol.

Mamau llenyddol y Gymru Gymraeg

Prin fod angen ailadrodd dylanwad di-gwestiwn crefydd ar holl weithgareddau'r Gymraes Gymraeg yn y bedwaredd ganrif ar bymtheg. O'r capel i Fryniau Khasia, o'r neuadd ddirwest i'r llwyfan gwleidyddol, o'r ysgol elfennol i'r brifysgol, ar hyd y daith, ei phrif amcan oedd defnyddio'i gwybodaeth gynyddol er lles ei chymdeithas o dan adain warchodol Ymneilltuaeth. Naturiol felly i lenyddiaeth y Gymraes ddilyn yr un trywydd, o fynegiannau dwys yr emynyddesau cynnar i foeswersi moesol a dirwestol yn dilyn sarhad Brad y Llyfrau Gleision, ac erbyn diwedd y 1890au i hanesion difyr darllenadwy, ac erthyglau athronyddol a gwleidyddol y Ddynes Newydd a ddenodd do o ddarllenwyr wrth i lenorion benywaidd elwa ar ymdrechion eu rhagflaenwyr.

Fel y crybwyllwyd eisoes, ffrwydrodd y wreichionen gyntaf yn dân eirias ar aelwydydd Cymru yn niwedd y ddeunawfed ganrif. Ann Griffiths oedd ceidwad y ffagl, ond yn ei goleuni gwelodd llu o ferched – israddol yng ngolwg dynion – ddelweddau o fywyd tragwyddol gwynfydedig. Daeth Iesu Grist yn ffrind personol iddynt drwy hygyrchedd y ffydd newydd. Er na ddisgwylid i ferch ar droad y ganrif honno droi ei sylw at lenydda, fe'i hysbrydolwyd yn awr i fynegi ei gorfoledd ar gân. Gobaith morynion a gwragedd a mamau oedd diosg eu 'bratiau bydron', lleddfu artaith galar a gormes ac esmwytháu poenau corfforol drwy ddod yn briodferched, mewn gynau gwynion glân, i wrthrych eu serch ar Ei orseddfainc.[50] Yr oedd nifer o ferched yr adeg hon yn cyfansoddi emynau, fel y nodwyd gan Jane Aaron, yn *Pur fel y Dur*: '[Ni] chafwyd erioed mewn unrhyw oes yr un awdures yn cyfansoddi ar ei phen ei hun . . . Tuedd yr elfen wryw-ganolog mewn beirniadaeth lenyddol yw mawrygu un awdures fel y fenyw symbolaidd, a thynnu llen dros y gweddill.'[51]

Gymaint oedd brwdfrydedd rhai o'r emynyddesau hyn fel iddynt fynd ati i ledaenu'r neges o amgylch y wlad. Digwyddiad a ddenai gryn sylw ym mhentrefi Cymru, mae'n siŵr, oedd eu hymweliadau, â'u bwndel o bamffledi o'u gwaith creadigol hwy eu hunain ar werth i'r trigolion. Un o'r rhai mwyaf cofiadwy oedd Jane Hughes, merch Ruth, morwyn Ann Griffiths, y gellid bod wedi 'creu llyfr tra swmpus' o'i gwaith.[52] Petai wedi ei geni'n ddyn, pregethwr fyddai wedi bod, heb amheuaeth. Ond gan nad oedd cyfle i fenyw esgyn i'r pulpud, aeth allan i 'efengylu ar gorneli strydoedd, dwrdio'r boblogaeth yn huawdl a chroch, a mwynhau cetyn wrth drampio o'r naill sasiwn i'r llall'.[53] A phwy a ŵyr faint o ferched eraill swil a aeth ati i'w hefelychu drwy gyfansoddi emynau na welodd erioed olau dydd mewn print.[54] Heblaw am hap a damwain gellid bod wedi colli 'un o gerddi mawreddog barddoniaeth grefyddol Ewrop', chwedl Saunders Lewis am emyn hwyaf Ann Griffiths, 'Rhyfedd, rhyfedd gan angylion'.[55] A phan gyhoeddodd Thomas Charles o'r Bala ei gwaith yn ei gasgliad o emynau yn 1806, 'newidiwyd hanes llên menywod yn y Gymraeg . . . Bu Ann Griffiths yn fam lenyddol ac yn ysbrydoliaeth i lawer awdures a ddaeth ar ei hôl.'[56]

Bu'n rhaid aros am gyfnod hir cyn i'r awduresau hyn ddatblygu, a gwneud eu marc ar lenyddiaeth Cymru, fel y gwelir pan benderfynodd Ieuan Gwynedd sefydlu'r *Gymraes* yn 1850. Ei nod oedd annog merched Cymru i gyfrannu i'w gylchgrawn ac addysgu eu hunain a'i gilydd trwy gyfnewid syniadau. Ond nid oedd y rhan fwyaf o fenywod cyffredin Cymru wedi ennill y cymwysterau â'u galluogai i ddarllen ac ysgrifennu. Eithriadau oedd Jane Ellis y cyhoeddwyd casgliad o'i cherddi yn 1840,[57] ac Elen Egryn, y cyhoeddwyd ei llyfr, *Telyn Egryn*, yn 1850.[58] Caledi oedd nodwedd amlycaf bywyd y Gymraes; ymdrech ddiddiwedd i gadw corff ac enaid ynghyd. Dadrithiwyd breuddwydion Ieuan Gwynedd, golygydd *Y Gymraes*, a bu'n rhaid iddo dderbyn mai breuddwyd gwrach oedd ei freuddwyd ef. Fel y dywedodd O. M. Edwards yn *Cymru* yn 1894:

> Gwelodd eu bod yn fwy ceidwadol a mursenllyd na neb arall. Gwelodd nad oedd neb yn fwy o Sais-addolwyr a chaethion i ffasiynau [. . . a'u haddysg wedi peri] iddynt 'ddirmygu iaith a llenyddiaeth eu gwlad, oherwydd fod ysgolfeistresi Seisnig a Seisnigedig yn gwneyd hynny.[59]

Felly methiant fu'r *Gymraes*. Fel y nodwyd gan Ceridwen Lloyd-Morgan, 'Nid oedd safon llythrennedd merched Cymru wedi cyrraedd y lefel lle y gallai gynnal llenyddiaeth y ferch.'[60]

Ond chwarter canrif yn ddiweddarach gwelwyd datblygiadau cyffrous. Denwyd darpar awduresau Cymru 'allan o'u hogofau, i ddarllen, a meddwl, ac ysgrifennu'.[61] Yn ddeugain oed, penderfynodd Sarah Jane Rees (Cranogwen, 1839–1910) o Langrannog, Ceredigion, gychwyn gyrfa newydd fel golygydd *Y Frythones* (1879–89), yr ail gylchgrawn i fenywod Cymru. Dyma ddynes a fynnodd gael addysg 'er gwaethaf pob gwrthwynebiad',[62] gan lwyddo i ddod yn forwres, ysgolfeistres, darlithydd, pregethwraig a bardd, ac roedd ganddi ddigon o allu a grymuster i herio confensiynau patriarchaidd ei dydd, gan ychwanegu meddylfryd newydd eangfrydig i'w chylchgrawn. Ymatebodd menywod Cymru'n frwdfrydig i'w hanogaeth. Roedd yr ymdrechion i wella addysg y Gymraes wedi dechrau dwyn ffrwyth.[63] Fel canlyniad cynyddwyd ei chyfraniad i lenyddiaeth Cymru gant y cant. Y seren heb amheuaeth oedd Ellen Hughes (1862–1927) o Lanengan a flodeuodd yn awdures athronyddol fawr ei pharch. Cychwynnodd Alice Gray Jones (Ceridwen Peris, 1852–1943) hefyd ei hysgrifennu ar dudalennau'r *Frythones*, gyda'i halegori

'Blodau Pleser' (1879). Yn dilyn ymddangosiad y gyfres 'Claudia, neu Gwnawn ein dyledswydd a daw pob peth yn dda' yn *Y Frythones* (1880), doedd dim tewi ar Mary Oliver Jones (1858–93) gyda'i chyfresi ffuglennol niferus fel 'Pur fel y Dur', 'Nest Merfyn' a'r nofel *Y Fun o Eithinfynydd*. Ac wrth gwrs roedd Cranogwen ei hun yn fardd eisteddfodol, ac yn awdur y gyfres dra ddiddorol 'Esther Judith' a ymddangosodd yn ei chylchgrawn hi ei hun yn 1880–1. Gellir ychwanegu Catherine Jane Prichard (Buddug, 1842–1909), Ann Rees (1859–87) ac Annie Catherine Prichard (Ruth, 1858–1938), a ddaeth wedi hynny yn olygydd colofn merched y *Goleuad*.[64] Datblygodd Ceridwen Peris hefyd yn un o arwresau ei chyfnod, ac fel y crybwyllwyd eisoes, ffynnodd yr ail *Gymraes* o dan ei golygyddiaeth am mai hwn, mewn gwirionedd, oedd cylchgrawn mudiad dirwestol menywod Cymru a aeth ati i sicrhau llwyddiant ei gylchrediad yng nghadarnleoedd yr iaith Gymraeg.

Rhaid cofio, fodd bynnag, bod ysgrifennu ffuglen yn orchwyl newydd yn y Gymru Gymraeg. Ystyrid darllen er mwyn pleser yn hytrach nag er mwyn budd ysbrydol yn bechod.[65] Cyngor mewn erthygl yn y *Frythones* yw mai'r 'dyogelaf ydyw, darllen ac efrydu a aller ar lyfrau diamheuol dda – rhai y gellir dysgwyl bod fesur yn ddoethach a gwell ar ôl eu darllen'.[66] I gyfiawnhau'r fath weithgaredd felly, roedd yn rhaid cael thema a weddai i werthoedd Methodistiaeth. Syrthio i fagl y foeswers fel arfer oedd tynged y llenorion cynnar dibrofiad hyn, a'u harddull yn aml yn anystwyth, a'u cymeriadau heb fod yn taro deuddeg.[67]

Erbyn heddiw, ystyrir culni Ymneilltuaeth gan lawer o feirniaid llenyddol fel elfen negyddol, dylanwad a ataliodd lenorion y Gymru Gymraeg rhag datblygu eu talentau creadigol. O edrych ar y sefyllfa o safbwynt Cymraes cefn gwlad, fodd bynnag, gellid dadlau i'r gwrthwyneb. Fel y crybwyllwyd eisoes, yn niwedd y ddeunawfed ganrif, anogwyd merched i fynegi eu teimladau, ochr yn ochr â bechgyn yn y seiat, a chadarnhaol oedd effaith y penderfyniad i wella cyfleusterau addysg merched cyffredin capeli Cymru yn y ganrif ganlynol. Heb y profiadau cynhyrfus a newidiodd hunanddelwedd y Gymraes adeg y chwyldro Methodistaidd, a'r twf yn ei hunanhyder wrth iddi hawlio'i lle ym mywyd crefyddol ei chymuned, digon tebyg mae byw dan yr un amgylchiadau â Saesnes ddosbarth gweithiol Lloegr yn y bedwaredd ganrif ar bymtheg fyddai ei thynged. Fel arall y bu. Ysgogwyd merched Cymru i roi pin ar bapur – a hynny yn eu mamiaith, iaith na ellid amau ei chywirdeb, gan ei bod yn seiliedig ar gyfieithiad arloesol William Morgan o'r Beibl, ffynhonnell eu hysbrydoliaeth.

Heb golli golwg ar elfennau cyfarwyddol a chyfyngol Ymneilltuaeth, rhoddir blaenoriaeth felly, yn y gyfrol hon, i'r modd y llwyddodd Gwyneth Vaughan ac S.M.S. i fanteisio i'r eithaf ar y cyfleoedd hynny a gyflwynwyd iddynt o fewn amgylchiadau eu bywydau, i weithio er eu lles eu hunain, eu cymdeithas a'u darllenwyr. Rhyngddynt, drwy gadw llygad ar y datblygiadau diweddaraf ym myd crefydd, dirwest, diwylliant, gwleidyddiaeth a ffeminyddiaeth yn eu gwlad eu hun a thu hwnt, roeddent mewn sefyllfa ddelfrydol, fel dwy a fagwyd yn y Gymru wledig, i drosglwyddo'r syniadau diweddaraf yn eu meysydd dewisedig i'w darllenwyr. Roeddent yn adnabod eu cynulleidfa ac yn gwybod sut i'w difyrru – a'u haddysgu ar yr un pryd. Elwasant ar ymdrechion eu 'mamau llenyddol', a llwyddasant i greu storïau difyr a darllenadwy, gan drawsnewid ieithwedd ac arddull anystwyth eu rhagflaenwyr yn llenyddiaeth llawer mwy naturiol a chredadwy. Drwy dorri eu cwysi eu hunain, cyflwynasant i ni ddwy Gymru wahanol, ond cwbl ddilys, gan ychwanegu at theorïau cyfoes am natur gymhleth ac amrywiol hunaniaeth genedlaethol.

2

Gwyneth Vaughan (1852–1910): Athrylith Ardudwy

Plentyndod

Ganed Annie Harriet Jones (Gwyneth Vaughan) ym Mryn y Felin, Talsarnau, Meirionnydd, yn 1852, y cyntaf o bump o blant i Laura a Bennet Jones.[1] Ar gyfer cyfleu ei rhagoriaethau i'r rhai na chlywodd erioed amdani, ni ellir cael gwell dyfyniad na'r un o eiddo 'Vesta' yn *The Christian Commonwealth* lle dywed:

> A distinguished literary man of Wales, a poet and one of the chief officials of Gorsedd Beirdd Ynys Prydain, when questioned as to Gwyneth Vaughan's position in public life said 'Gwyneth Vaughan's position as a Welsh genius stands entirely by itself. We have had, and we have, women possessing bright talents, but we never had, and we have not today, such a many-sided genius, no-one so able on so many points.'[2]

Tystiolaeth o'i henwogrwydd drwy Gymru a thu hwnt oedd y sylw a gafodd gan y wasg yng Nghymru a Lloegr ac Iwerddon yn dilyn ei marwolaeth yn 1910, mewn cyhoeddiadau fel *Y Goleuad*, *Y Glorian*, *Y Genedl*, *Y Brython*, *Dispatch*, *Daily Telegraph*, *Yorkshire Observer*, *Liverpool Post*, *Guardian*, *Standard*, *The Daily News*, *Irish Times* a'r *Western Mail*.

Anodd ymwrthod â'r awydd i ddarganfod mwy am un a ddaeth i amlygrwydd ym mhob rhan o Brydain. Pwy oedd Gwyneth Vaughan? Paham yr oedd mor boblogaidd a gweithgar? Beth oedd ei chymhellion a'i breuddwydion? A phaham yr aeth yn angof? I ddod o hyd i'r atebion i'r cwestiynau hyn, rhaid dechrau o'r dechrau ac ymweld ag aelwyd Bryn y Felin a'r gymuned a fu'n gymaint rhan o'i datblygiad fel oedolyn ymroddgar ac annibynnol ei barn.

1. *Bryn y Felin uwch Talsarnau lle magwyd Gwyneth Vaughan.*

Melinydd a masnachwr oedd ei thad a feddai 'lyfrgell ragorol o ran ansawdd, er yn gyfyngedig bron yn gwbl i'r Gymraeg'.[3] Fel gŵr darllengar yn meddu ar gof eithriadol, er gwaethaf ei ddiffyg addysg ffurfiol, datblygodd yn 'Ysgrythurwr a duwinydd cryf', cymwysterau a sicrhaodd iddo barch blaenoriaid yr Hen Gorff yn Nhalsarnau. Ni ellir amau, ychwaith, grefydd a chadernid nain a mam Gwyneth Vaughan, ei nain Ann Williams, Cefnbifor, Cwmstradllyn, Sir Gaernarfon, yn 'hynod am ei duwioldeb',[4] a'i mam, Laura, 'un o'r merched harddaf o gorph a theccaf o bryd . . . yn byw . . . yn y Beibl'.[5] O dan eu dylanwad hwy, dysgodd Gwyneth Vaughan ddarllen ei Beibl yn dair oed, ac etifeddodd ddaioni, diwydrwydd a moesoldeb ei mamau Methodistaidd, canllawiau gwerthfawr a'i galluogodd i ymdopi â'r anawsterau dirifedi a ddaeth i'w rhan yn ystod ei bywyd.

Trawiadol o wahanol oedd Ellis Williams, ei thaid, cymeriad lliwgar a dreuliai ei oriau hamdden yn yr awyr agored yn arddangos ei ddoniau fel athletwr i'w ffrindiau. Un tro 'mewn helfa lwynog,' medd ei ŵyr, 'rhedodd heibio'r cŵn, a phlannodd ei "dwca" yn ngwddf y cadno . . . Troes cyflymder troed y taid', ychwanegodd, 'yn gyflymder meddwl yn ei ŵyres.'[6]

Bu ei 'meddwl cyflym' o fantais i Gwyneth Vaughan pan gychwynnodd yr ysgol yn Llandecwyn.[7] Mae'n werth talu sylw i ddau ddigwyddiad a ddisgrifir ganddi mewn dwy stori ddramatig yn ei hanesion lled-hunangofiannol 'Bryn Ardudwy a'i Bobl',[8] gan eu bod yn taflu goleuni ar ei hymwybyddiaeth a'i deallusrwydd cynnar o'r pwerau annerbyniol oedd yn rheoli ei bywyd hi a'i chyd-ddisgyblion, profiadau a liwiodd ei safiad, fel oedolyn, yn erbyn gormes y cryf dros y gwan.

Adlewyrchiad o bersonoliaeth Gwyneth Vaughan fel plentyn, mae'n bur debyg, yw'r 'Gwenllian' a ddarlunnir yn y stori am y Welsh Not, neu'r 'Welsh Note' fel y'i gelwid ganddi hi. Yn yr hanesyn 'Ein Hysgolfeistri', mae Gwenllian yn achub cam merch fach eiddil sydd wedi cael ei dal yn siarad Cymraeg rhag blas y gansen, drwy roi'r 'Welsh Note' am ei gwddf ei hun.[9] Roedd gan yr athro, Abel Jones, arferiad o 'blanu pen y fawd dan asennau y plant' gan ailadrodd sawl gwaith gyda phob planiad, 'Nei di eto[?]'[10] Roedd y plant wedi sylwi wrth gwrs 'mai yn Gymraeg y gofynnid y cwestiwn bob amser', ond Gwenllian oedd yr unig un a feiddiodd erioed 'alw yr athraw i gyfrif',[11] 'ac aeth y plant i grynu fel dail yn y gwynt pan alwyd hi i fyny at y ddesc fawr'.[12]

> [W]ele hi yn sefyll yn ymyl Abel Jones, yr hwn yn y cynnwrf oedd wedi dyrysu yn nghylch yr amser . . . 'Nei di eto, tybed [?]', ebai Abel. Cyn iddo gael amser i ofyn y cwestiwn yr ail waith, a rhoddi planiad arall â'i fawd, dyna'r Welsh note yn ei law. 'You are the owner of this now; you spoke Welsh, and it is time to leave school', ebai yr eneth yn fuddugoliaethus, a safai yn syth fel coeden ffawydd ieuanc yn ei ymyl.[13]

Y noson honno mae Abel Jones yn sôn am ei antur wrth yr offeiriad, oedd yn byw ar bwys yr ysgol, gan ddisgrifio fel yr oedd y plant wedi cario Gwenllian, '"fel arwres" ar eu hysgwyddau, "nes troi'r cornel o'm golwg". Chwarddodd Mr Puw, "Peth rhyfedda' erioed, Abel Jones, bach, i chi ddianc heb eich fflangellu . . . fel rheol, fydd Gwenllian byth yn hanner gwneyd un *job.*"'[14] Sefydlir Gwenllian felly, fel merch ddeallus, a dewr, a'i chymeriad di-droi'n-ôl yn wybyddus hyd yn oed ymhlith oedolion pwysicaf y gymuned.

Yr athro a ddilynodd Abel Jones yn y gyfres 'Bryn Ardudwy a'i Bobl', oedd Mr Jenkins, llawer mwy llym ei ddysgeidiaeth, oedd yn hanu, meddir, o Geredigion,[15] seiliedig mae'n debyg ar ysgolfeistr go iawn ysgol Llandecwyn – Mr Edwards, yntau o Aberaeron, Ceredigion. Bu Gwyneth Vaughan yn byw yng nghartref Mr Edwards am gyfnod yn ystod yr wythnos, am fod pellter o ddwy filltir a hanner rhwng yr ysgol honno a Bryn y Felin. Roedd ganddo ddwy ferch, a

Saesneg oedd iaith yr aelwyd. Daeth yn rhugl, felly, yn yr iaith honno yn gynnar yn ei hoes, gan 'ddysgu llawn cymaint, os nad mwy, yn y tŷ ag yn yr ysgol'.[16] Disgrifiwyd Mr Edwards gan J. Bennet Jones, fel 'ysgolfeistr rhagorol, er fod iddo enw fel curwr di-arbed ar bechadur-iaid yr ysgol'.[17]

Mae'n debyg fod peth gwir felly yn yr hanesyn yn 'Bryn Ardudwy a'i Bobl' am gamdriniaeth Mr Jenkins o 'fachgen gof gefail y Dyffryn' pan fu'n rhaid i'r plant ei gario adref 'yn welw fel angeu, ac yn ddiymadferth fel pren wedi syrthio'.[18] Roedd hyn yn mynd yn rhy bell i rieni oedd wedi 'dioddef [hyd yn hyn] yn amyneddgar', a chosbwyd Mr Jenkins yn 'ddidrugaredd'; fe'i gadawyd 'yn adyn noeth yng nghanol gwely o bersli yn yr ardd'. Bu yn ei wely am fis, ond wedyn dychwelodd i'r ysgol, ac 'ni fu yno un gyflafan erchyll mwy'.[19] Wrth gofio am brofiadau cynnar fel y rhain yn hanes plentyndod ei chymeriad 'Gwenllian', gellir deall casineb Gwyneth Vaughan tuag at Saisaddoliaeth, a'i hawydd i amlygu'r modd y ceisiwyd tanseilio hunanhyder plant Cymru a'u troi'n Saeson israddol.[20]

Ceir enghreifftiau o ddigwyddiadau rhyfeddol eraill yn 'Bryn Ardudwy a'i Bobl', ac er na ellir anwybyddu tuedd Gwyneth Vaughan i orliwio er mwyn difyrru ei darllenwyr, mae campau Gwenllian yn rhoi rhyw syniad i ni am unigolyddiaeth Gwyneth Vaughan fel plentyn. Yn y stori am ymweliadau blynyddol y teiliwr a'i wraig â'r Felin yn 'Yr Hen Deiliwr',[21] er enghraifft, amlygir ymwybyddiaeth gynnar Gwenllian o'r anghyfartaledd rhwng y rhywiau. '[D]iwrnod pwysig' oedd hwn i fachgen, pan fedrai '[d]aflu i ffwrdd am byth ddillad geneth gyda dirmyg,' meddai, 'cael gwared y dillad sy'n caethiwo'r corff, a chael dillad sy'n cyfleu'r syniad o ryddid ac annibyniaeth.'[22] Fel y chwaer fawr, byddai Gwyneth Vaughan yn sicr o fod wedi sylwi ar ei brodyr yn cael 'dillad rhyddid', ac wedi cenfigennu. Mynegiant o'r rhwystredigaeth hwn yw'r hanesyn am Gwenllian yn diflannu o'i chartref un noson gan gynhyrfu'r holl ardal. Ymhen hir a hwyr fe'i darganfuwyd yn cysgu o dan lwyn mewn cae cyfagos, am fod y 'craswr', oedd yn gweithio ym melin ei thad, wedi dweud wrthi mai dyna'r unig ffordd i droi ei hunan yn fachgen, un o brif amcanion bywyd Gwenllian.[23]

Arwydd o ddifrifoldeb ac ymrwymiad llwyr Gwenllian i'r uchel-gais hwn yw'r hanesyn am Mr Puw, yr offeiriad lleol, yn dod o hyd iddi 'yn yr eglwys, gerllaw'r ysgol, wedi gwisgo'i fantell wen ef, ac yn arwain cyfarfod crefyddol ar ei phen ei hunan mewn eglwys wag'.[24] Rhyfeddwyd Mr Puw gan ei disgleirdeb, a phan ddaw i ddiwedd ei hanerchiad, ni fedr lai na dweud 'Amen'.[25] Yn dilyn hyn, mewn trafodaeth ddwys rhwng y ddau, cytunodd yr offeiriad, oedd yn credu mewn addysg gyfartal i ferched a bechgyn, i roi gwersi Lladin a Groeg iddi pan fyddai'r merched eraill yn dysgu gwnïo, gan fod nodwydd bron 'yn gymaint o fwgan â doli i Gwenllian'.[26]

Symudodd Gwyneth Vaughan o ysgol yr Eglwys i ysgol Frutanaidd Talsarnau pan agorwyd honno, er mwyn cadw llygad ar ei brawd bach. Disgleiriodd fel disgybl, gan ennill gwobr bob blwyddyn, ac yn wahanol i'w brawd, ni chafodd erioed 'yr un "*slap*"'.[27] Fodd bynnag ni ellir ffoi rhag y ffaith mai addysg elfennol yn unig a gafodd, ac eironig iawn, os ydym i gredu mai teimladau'r awdur a fynegir gan Gwenllian, oedd i Gwyneth Vaughan, er gwaethaf ei hatgasedd o'r 'nodwydd', orfod ei defnyddio am gyfnod i ennill bywoliaeth, gan iddi, ar ôl gadael yr ysgol yn ei harddegau cynnar, gael ei phrentisio 'fel *milliner* gyda Miss Evans . . . yn Llan, Ffestiniog'.[28] Rhaid cofio, fodd bynnag, mai dyma'r swydd orau oedd ar gael yr adeg hon i ferch gyffredin yng nghefn gwlad, a hyn yn arwydd o barodrwydd ei rhieni i'w hannog i ddysgu crefft, yn hytrach na'i gorfodi i aros gartref i helpu ei mam gyda'r plant llai. Ceir cadarnhad o natur gymharol ddiwylliedig aelwyd Bryn y Felin – arwydd o ymwybyddiaeth gynyddol yr Ymneilltuwyr o bwysigrwydd addysg – mewn erthygl yn *Cymru*. Meddir am frawd Gwyneth Vaughan, John Bennet Jones, '[C]afodd bob swcwr i efrydiaeth . . . trwy esiampl, a chyngor a llyfrgell ddetholedig.'[29] Ac ychwanegir am ei deulu, 'Hogent feddyliau ei gilydd drwy ymddiddanion a dadleuon ymchwiliadol.'[30]

I wneud iawn am brinder addysg mewn ysgol, felly, mae'n amlwg i Gwyneth Vaughan ddysgu llawer ar yr aelwyd, a hefyd yn y felin. Yn eu tro byddai pob teulu bron yn ymweld â'r felin i nôl ei blawd, a gan fod Gwyneth Vaughan yn blentyn chwilfrydig, deallus a sylwgar, wrth wrando ar sgwrs y trigolion ar bynciau'r dydd cafodd gyfle i gasglu stôr o hanesion yn ystod ei phlentyndod, ac mae digon o enghreifftiau yn ei llenyddiaeth iddi eu defnyddio wedi hynny i ddiddanu ei darllenwyr.

Elfen arall bwysig yn ei datblygiad, yn sicr, oedd ei gwybodaeth a'i diddordeb yn nhraddodiad llenyddol a diwylliedig ei hardal enedigol. Ar y Morfa islaw Talsarnau mae'r Lasynys, cartref y clerigwr a'r llenor Ellis Wynne (1670–1734), yn dal i sefyll. Yn ei herthyglau, daw edmygedd Gwyneth Vaughan ohono'n amlwg, a gwelir dylanwad ei gampwaith, *Gweledigaethau'r Bardd Cwsc*, ar ei llenyddiaeth hithau. Roedd Ellis Wynne yn un o ddisgynyddion teulu adnabyddus Glyn

Cywarch, y soniai y Bardd Cwsc amdano, a leolir ar y chwith i Fryn y Felin wrth gerdded i lawr y bryn. Plasty arall a leolwyd uwch Talsarnau oedd Maesyneuadd, a'r perchnogion yn medru olrhain eu tras yn ôl i Osbwrn Wyddel, drwy Dafydd ap Ieuan ab Einion, cwnstabl Castell Harlech.[31] 'Rhoes Gwyneth y ddau hen balas a'u hamgylchoedd dan dreth drom yn ei nofelau,'[32] meddai ei brawd. Ac wrth gerdded tua'r Grisiau Rhufeinig, rhyw dair milltir i fyny'r bryn ar y ffordd i Gwm Bychan, ni ellir osgoi Y Gerddi Bluog, cartref yr archddiacon Edmwnd Prys (1543–1623), un arall o hoff awduron Gwyneth Vaughan. Dyma rai enghreifftiau o'r rhwydwaith o deuluoedd dylanwadol Cymreig eu gwaed a'u hanian yr oedd mor ymwybodol ohonynt.

Llundain – blynyddoedd ffurfiannol a dechrau gofidiau

Yn unol â'i natur ddiwylliedig, fentergar, naturiol oedd i Gwyneth Vaughan edrych y tu hwnt i yrfa fel gwneuthurwraig hetiau. Symudodd ymhen rhai blynyddoedd i weithio yn siop Coed Helen House, yng Nghlwt y Bont, Caernarfon,[33] ac yn 1875, yn dilyn marwolaeth ei mam a'i thad yn 1874, priododd John Hughes Jones, mab y siop. Fe'i hanogodd i fynd yn feddyg, ac yn fuan ar ôl eu priodas, cam a'i dyrchafodd i ddosbarth uwch yn dair ar hugain oed, aeth y ddau i fyw i Lundain fel y gallai ef gwblhau ei astudiaethau yn Ysbyty St Bartholomew. 'Gwr galluog, caredig a thyner o galon . . . oedd y Dr. John Hughes Jones,' medd J. Bennet Jones, '. . . ond fel llawer o'r un dymer ac o'r un alwedigaeth ag ef, cymerodd ei lithio at y ddiod a "dechreuad gofidiau" fu hyn iddynt yn Llundain.'[34]

Yn 1876, ar yr union adeg y cychwynnodd 'gofidiau' Gwyneth Vaughan, sefydlwyd y British Women's Temperance Association (BWTA) yn Newcastle yn Lloegr. Yn fuan, lledodd i Lundain gan ddenu diddordeb menywod ffeminyddol, dyngarol fel Lady Henry Somerset a'r Americanes Frances Willard, dwy ddynes a ddaeth yn arwresau i Gwyneth Vaughan. Fel un a arwyddodd yr ardystiad 'yn ymrwymo i ymwrthod â phob math o Ddiodydd Meddwol'[35] yn bedair ar ddeg oed, ac a dyfodd i fyny ar aelwyd lle 'na welwyd erioed feddwyn', ymunodd â'r mudiad hwn. Ni wyddys pa bryd yn union, ond dyma'r cyfnod a'i pharatôdd ar gyfer ei hymgyrch ddiflino dros ddirwest gydol ei hoes.

Yn Llundain hefyd, yn 1879, 1881, ac 1886, ganwyd tri o'i phedwar plentyn, Arthur, Gwilym (Guy), a Laura, ac er nad oes llawer o gyfeiriadau penodol am ei bywyd fel mam a gwraig yn y cyfnod hwn yn ei bywyd, mae'n amlwg na chaniataodd Gwyneth Vaughan i alcoholiaeth John Hughes na'i dyletswyddau yn y cartref ei hatal rhag manteisio ar y cyfleodd addysgol a gynigid gan y brifddinas. Dysgodd Ffrangeg, Eidaleg ac Almaeneg, ac erbyn 1883 yr oedd wedi casglu digon o wybodaeth am faterion cyfoes a digon o hunan-hyder i gynnig erthyglau ar bynciau cymdeithasol a gwleidyddol i'r *Guardian* a'r *Daily Mail*, y *North Wales Chronicle* a'r *North Wales Observer*, fel y nodwyd yn 'The Works of Gwyneth Vaughan' yn Archifdy Caernarfon.[36]

Lluniodd gyfeillgarwch oes â rhai o'i chyfoedion dirwestol, ffeminyddol Llundeinig. Mor hwyr â 1906, bedair blynedd cyn ei marwolaeth, amlygir parch a chynhesrwydd dwy Saesnes aristocrataidd tuag ati yn ei hamgylchiadau dyrys – Margaret Holden Illingworth a Priscilla Bright Mclaren,[37] – a dalasant am driniaeth feddygol arbenigol yn y Swistir i Laura, merch ddisglair Gwyneth Vaughan, oedd wedi colli ei chlyw yn ystod ei blwyddyn olaf yn y brifysgol ym Mangor. Daw parhad ei chysylltiad â Llundain, yn rhinwedd ei hamlygrwydd yn y mudiad dirwest, a'i hiraeth am y cyfnod ffurfiannol hwn yn ei bywyd fel dynes ifanc yn ei hugeiniau i'r brig dro ar ôl tro – yn ddiweddarach, ar ôl iddi ddychwelyd i Gymru, mewn cyfweliadau, erthyglau, ac yn y llythyron a ysgrifennodd gartref at ei phlant adeg ei hymweliadau rheolaidd â'r brifddinas. Mewn cyfweliad â gohebydd o'r enw 'Gwen', meddai, 'I love London. There is such pleasure in bringing forward questions of vital importance to my dear, dear Wales. I shall never forget speaking at the demonstration in Hyde Park on the 10th June.'[38] Mewn toriad yn ei 'Scrap Book', nodir iddi annerch mil o ddynion mewn cyfarfod yn Llundain 'for men only', ac meddir, '[there was] not a single female soul except the doughty Gwyneth.'[39] Ac meddir mewn erthygl yn *Papur Pawb*, ddeuddeng mlynedd ar ôl iddi hi a'i theulu adael Llundain am Dreherbert, 'Mae'r Saeson, efallai, yn gwybod mwy amdani nag hyd yn nod y Cymry eu hunain.'[40]

Nôl i Gymru a sylweddoli ei gwir allu

Nid yw Gwyneth Vaughan yn cyfeirio mewn unrhyw gyfweliad nac mewn unrhyw lythyr at ei theulu, sydd ar gof a chadw, at gaethiwed ei gŵr i'r ddiod feddwol, ond mewn ateb i gwestiwn yn ei gylch gan newyddiadurwraig, meddai, '[M]y husband's health broke down, and country air becoming essential for him, we moved to Treherbert.'[41] A thipyn o syndod yw sylweddoli ei bod, erbyn iddi symud i gymoedd de Cymru yn 1888, wedi casglu digon o wybodaeth am feddygaeth i roi'r argraff i rai mai dyna ei galwedigaeth, er nad oes unrhyw dystiolaeth iddi fod erioed mewn coleg meddygol. Yn 1900, er enghraifft, gofynnir iddi gan 'Vesta', '[M]ay I ask you as to your medical work, would you recommend women to take up this profession?'[42] Yn 1901 crybwyllir y pwnc gan Mallt Williams yn *Young Wales*,[43] ac yn ei cholofn 'Cornel y Ford Gron' i'r *Brython*, mae Gwyneth Vaughan yn aml yn rhoi cyngor meddygol i ddarllenwyr; meddai, mewn ymateb i erthygl olygyddol a gododd ei gwrychyn:

> I'm clust i, fu am flynyddoedd yn gwneud gwaith meddyg ymysg meddygon ein gweithfeydd glo, ac yn derbyn parch a charedigrwydd mawr gan y boneddigion nad oeddynt byth yn tybio eu bod yn gwybod gormod i ymgynghori â mi ynghylch clwyfau ac afiechydon, mae gwawdio gwaith merch fel meddyg yn swnio yn rhyfedd iawn. Os merch yn *nurse*, paham nad merch yn ddoctor hefyd?[44]

Rhaid dyfalu felly, ei bod, gyda'i chof eithriadol a'i gallu naturiol, wedi dysgu am feddygaeth ochr yn ochr â'i gŵr yn ei ddyddiau yn ysbyty St Bartholomew, a phan ddaeth John Hughes Jones yn un o feddygon y 'gweithfeydd glo' yn Nhreherbert, gellid dychymygu Gwyneth Vaughan yn ymddiddori yn y cleifion, a'i hysfa i roi cyngor iddynt yn demtasiwn, heb amheuaeth, i un o'i gallu hi oedd yn berchen ar gymaint o wybodaeth berthnasol.

Yno, lle bu hi a'i theulu'n byw rhwng 1888 a 1891, canolbwyntiodd Gwyneth Vaughan ar gynyddu ei gwybodaeth ymhellach. Dyma'r adeg y darganfu bod ganddi 'lais', gan sylweddoli 'ei gwir allu' a dyma'r adeg, hefyd, medd ei brawd, yr 'astudiodd y Gymraeg â'i holl enaid'.[45] Erbyn 1891, yr oedd yn barod i gychwyn ar ei siwrnai ddiddiwedd, yn gorfforol a meddyliol, dros wella cyflwr ei chenedl, ac wedi hynny ni fu taw ar ei hareithio na'i hysgrifbin tan ei marwolaeth yn 1910.

A'r gwynt yn ei hwyliau, yn 1891, cychwynnodd o ddifri ar ei chrwsâd yn erbyn y ddiod feddwol, gan draddodi ei hanerchiad cyntaf yng Nghapel Wesle Treherbert.[46] Yn fuan daeth yn adnabyddus fel siaradwraig, a mawr oedd y galw am ei gwasanaeth. Yr oedd deng mlynedd wedi mynd heibio ers y Ddeddf Cau'r Tafarnau ar y Sul (1881), ac fel nifer o Gymry eraill, roedd Gwyneth Vaughan yn poeni am ddiffyg effeithiolrwydd y ddeddf honno yn y trefi diwydiannol.[47] Cododd ei llais yn erbyn y dirwyon pitw o £2 a roddwyd i 'shebeens' Caerdydd am dorri'r gyfraith honno.[48] 'I was in real bodily peril many times', meddai, 'when visiting the shebeens with the constables.'[49] 'Gwyneth Vaughan', meddir yn y *Brecon County Times*, 'has recently been engaged in a rather strong controversy with the *Western Mail* as to the failure or otherwise of the Sunday Closing Act.'[50] Ac meddai'r *Western Mail* pan gynyddwyd y ddirwy i £200, 'It was a fine which ought to satisfy even Gwyneth Vaughan!'[51] Yn dilyn ei buddugoliaeth enynnwyd diddordeb y *South Wales Daily News*, ac fe'i gwahoddwyd i eistedd fel Comisiynydd ar ran y papur hwnnw yn yr ymchwiliad ar 'The Seamy side of Cardiff'.[52] Prin fod angen dweud rhagor am ei statws a pharch deallusion ei chyfnod tuag at ei hymroddiad a'i gallu.

Erbyn 1901, roedd wedi sefydlu 162 o ganolfannau dirwest drwy Brydain o dan adain BWTA,[53] nifer a gynyddodd, yn ôl ystadegau'r archifau yng Nghaernarfon i gyfanswm o 243 yn nes ymlaen yn ei bywyd. Am resymau a grybwyllwyd eisoes, naturiol oedd iddi lynu wrth BWTA, er i Undeb Dirwestol Merched Gogledd Cymru (UDMGC)[54] gael ei sefydlu yn 1892, y flwyddyn y symudodd Gwyneth Vaughan a'i theulu i gartref genedigol ei gŵr yng Nghlwt y Bont, yn dilyn genedigaeth eu plentyn olaf, Roy, yn 1891. Ar ôl dweud hynny, gellid datgan gydag arddeliad, petai'r mudiad dirwest Cymraeg wedi ei sefydlu yng ngogledd Cymru pan ddaeth Cranogwen ar ymweliad, pan oedd Gwyneth Vaughan yn 'bur ieuangc', byddai wedi ymuno heb betruso. Pan glywodd Cranogwen yn annerch cynulleidfaoedd, ar adeg pan ystyriwyd y fath hyfdra yn nodwedd annerbyniol annaturiol i ferch, daeth awydd ar Gwyneth Vaughan i'w hefelychu. Medd ei brawd:

> Bu am wythnosau ar ol hyny yn areithio hyd y meusydd, pan y gallai berswadio fy mrodyr a minnau i ddod yn gynulleidfa iddi; ond y mae arnaf ofn mai rhyw 'ddisgyblion y torthau' oeddym; ac yn lle bod y gynulleidfa yn talu i'r darlithydd, hi fyddai yn gorfod talu i ni.[55]

Mae'n amlwg i'r buddsoddiad cynnar hwn dalu ar ei ganfed. Cyfeirir at Gwyneth Vaughan gan Mallt Williams fel 'An orator, [who] can hold thousands spellbound',[56] a cheir enghraifft o'i dawn i swyno'r miloedd mewn adroddiad o gyfarfod a gynhaliwyd ym Merthyr Tudful yn 1893, lle'r oedd yn annerch y gynulleidfa ar ran BWTA:

> Mrs Hughes of London followed and said that the greatest help that could be given to the temperance cause would be the enfranchisement of women (hear hear) . . . and in the course of a capital speech said she had represented Wales at the Memorial Hall some time ago (applause) . . . [Then] it was 'Poor Little Wales' that had done so well. Now that they were able to send up their young men to occupy seats at the front ministerial bench (applause), they had changed their name and now it was 'Gallant little Wales' (cheers). They wanted another addition . . . They wanted to be called 'Sober Little Wales' (applause). [a.y.b.][57]

Rhyddfrydiaeth, Cenedlaetholdeb a Ffeminyddiaeth

Fel yn hanes nifer o fenywod blaengar, talentog Cymru ym mlynyddoedd olaf y bedwaredd ganrif ar bymtheg, ehangodd Gwyneth Vaughan ei gweithgareddau fel ymgyrchydd cyhoeddus dros ddirwest i feysydd eraill cysylltiedig, yn eu plith, Rhyddfrydiaeth, cenedlaetholdeb a ffeminyddiaeth. Tyfodd i fyny ar adeg gyffrous yn hanes gwleidyddiaeth Cymru. Fel merch i'w thad oedd yn Rhyddfrydwr brwd, gwelodd wleidyddiaeth, o'i phlentyndod, fel modd o oresgyn yr anghyfartaledd rhwng y werin Gymreig a'r tirfeddianwyr gormesol Seisnig, thema'i hail nofel, *Plant y Gorthrwm*. Gwelodd y Ddeddf Cau ar y Sul (1881) fel cam a atgyfnerthodd ragoriaethau'r Gymru Ryddfrydol, Anghydffurfiol, a mawr oedd ei hedmygedd o Gladstone, enw cyfarwydd ar aelwydydd Cymru yn niwedd y bedwaredd ganrif ar bymtheg.

Nid diffyg hunanhyder, ond yr anffodusrwydd, yn ei barn, o gael ei 'geni'n ferch' a'i hataliodd rhag sefyll fel Aelod Seneddol i Dŷ'r Cyffredin. Fel y darbwyllodd ei darllenwyr, medrai 'ddeall cwestiynau gwladwriaeth gystal â llawer sydd yno a dweud y lleiaf',[58] ac wrth restru ei gweithgareddau dros y Blaid Ryddfrydol, a luniwyd fel rhan o'i chais am bensiwn sifil ddwy flynedd cyn ei marwolaeth, meddai am y flwyddyn 1891, 'I commenced regular public lecturing on the Temperance question and Liberal Politics.' Pan agorwyd drysau'r Cynghorau Lleol yn 1894 – a hithau erbyn hyn yn byw yng Nghlwt y Bont – neidiodd Gwyneth Vaughan ar ei chyfle, ac o ganol nawdegau'r bedwaredd ganrif ar bymtheg hyd 1901 bu nid yn unig yn aelod o Gyngor Dosbarth Gwyrfai, ond hefyd yn aelod o Gyd-bwyllgor Iechyd Sir Gaernarfon, ac yn aelod o Fwrdd Gwarcheidwaid Undeb Caernarfon, y fenyw gyntaf i eistedd ar y bwrdd hwnnw.

Yn y cyfamser yr oedd Cymdeithasau Merched Rhyddfrydol Cymru, o dan adain y Ffederasiwn Prydeinig, wedi eu sefydlu hyd a lled Cymru, ac erbyn 1895, pan welwyd adfywiad ym mudiad Cymru Fydd, yr oedd aelodau benywaidd y blaid Ryddfrydol mewn sefyllfa gref i ddadlau eu hachos: '[W]omen Liberals in Wales', meddai Ursula Masson, 'negotiated their relationship with the new Cymru Fydd, attempting to bring feminism and nationalism together, and to feminise the discourses of Welsh nationhood.'[59] Fel y gellid disgwyl, cymerodd Gwyneth Vaughan ran flaenllaw yn y gweithgareddau hyn, ac nid yw'n colli'r cyfle mewn erthygl yn *Young Wales* i amlygu goruchafiaeth gwrywod ei gwlad ei hun yn eu safiad dros hawliau cyfartal i'r Gymraes. Meddai:

> It is with a glad heart that I feel that the men of my own land are in the vanguard of reform . . . The men of Wales encourage their mothers, wives, sisters and daughters in their highest aspirations . . . and rejoice with them in all their achievements. We have John Bull as usual lagging behind in his own thick-headed fashion.[60]

Yn yr un flwyddyn ag yr ysgrifennodd y geiriau hyn, ychwanegwyd at ei holl gyfrifoldebau eraill. 'At the request of Mrs Wynford Phillips', meddai, 'I consented to take the Joint Co-Secretaryship of the The Welsh Union of Women's Liberal Associations,' ac ychwanegodd, '[In 1898], I was elected sole Hon. Secretary to the Welsh Union, a position I kept from that time until March 1907.'[61] Mae'r amserlen ddidrugaredd a greodd iddi hi ei hunan drwy'r penodiad hwn yn dod yn amlwg wrth edrych, er enghraifft, ar gofnodion Cymdeithas Ryddfrydol Menywod Aberdâr. Bron yn ddieithriad, ceir brawddeg fel 'Letters were read from Gwyneth Vaughan stating March 6th [1899] would suit her to come and give her Lecture.'[62] neu, 'A letter from Gwyneth Vaughan saying she would call at Aberdare on January 22nd [1900]'.[63] Ac o gadw mewn cof mai dim ond un ardal o Gymru oedd Aberdâr, gellir dychmygu pa mor orwyllt oedd prysurdeb ei bywyd.

Am gyfnod byr, gellir dweud fod mudiad Cymru Fydd wedi cyfuno'r tri maes oedd o brif ddiddordeb i Gwyneth Vaughan – Rhyddfrydiaeth, cenedlaetholdeb a chyfartaledd rhwng y rhywiau.[64] O 1895 ymlaen, fodd bynnag, er iddi barhau i weithio dros ei phlaid, pylu a wnaeth undod Cymru Fydd, a chollodd y Blaid Ryddfrydol Gymreig y grym oedd ei angen i gwrdd â disgwyliadau uchelgeisiol ei chefnogwyr. Hwyrach mai mewn ymateb i'r dirywiad a'r siomedigaeth yma y cynyddodd Gwyneth Vaughan ei gweithgareddau diwylliannol, ac yn awr gwelwn ei hymdrechion i astudio'r Gymraeg 'â'i holl egni' yn dwyn ffrwyth. I ddyfynu Ursula Masson unwaith eto o'i llyfr *For Women, for Wales and for Liberalism*:

> Amongst the leadership, the figure who was most dedicated to both her national and her feminist identities and their expression in political and cultural activities was probably (the novelist) Gwyneth Vaughan. In the period after the collapse of Cymru Fydd, Vaughan was more likely to be feted for her attachment to a purported heritage of bardic and heraldic trappings than for her still active suffragism.[65]

Iaith a Diwylliant

Adlewyrchiad o'r cynnydd parhaus ym malchder a hunaniaeth genedlaethol Gwyneth Vaughan, yn dilyn ei dychweliad i Gymru, oedd iddi newid ei henw yn nechrau'r nawdegau, yn gyntaf o Annie Hughes Jones, i 'Gwyneth', ac wedi hynny i 'Gwyneth Vaughan'. Aeth ati i atgyfnerthu'r ddelwedd genedlaetholgar hon wrth i'r 1890au symud yn eu blaen, drwy olrhain ei gwreiddiau, drwy deulu ei mam, yn ôl i Owain Gwynedd. Un o'i chymhellion yn hyn o beth oedd dangos i'r Saeson dosbarth-canol – nawddoglyd tuag at y Cymry yn ei barn hi – urddas a goruchafiaeth tywysogion Cymru Fu. Fwy nag unwaith, yn ei dicter gwladgarol, cyhoeddodd mai 'disgynyddion puteiniaid Charles yr Ail' oedd '[m]awrion cyfoethog Lloegr heddyw [na fedrent] fyned gam ymhellach yn ôl na hynny yn dduciaid nag iarllod'.[66]

Ar nodyn mwy personol, meddai wrth Vesta, pan ofynnwyd iddi am y wisg a ddyluniodd iddi hi ei hunan pan ddaeth yn aelod o Orsedd Beirdd Ynys Prydain yn Eisteddfod Genedlaethol Llanelli yn 1895:

> It is of a green satin, draped with liberty silk and hand-painted with designs of the oak leaves, the acorn, the mistletoe and the leek. The coat of arms, a white stag walking in a black field, is that of that noble Prince of North Wales, Owain Gwynedd, one of whose descendants I am. The clasps on the throat are old heirlooms taken from one of the princely ancestors' shields.[67]

Er bod Elenna Hughes, un o ddisgynyddion y teulu, wedi honni iddi hithau 'olrhain yr hanes yn ôl i Owain Gwynedd',[68] heb roi rhagor o brawf na manylion, nid oedd ei brawd, John Bennet Jones, yn swnio mor sicr ynglŷn â'r honiad yma. 'Credai Gwyneth ei bod yn disgyn o'r hen dywysogion Cymreig,' meddai. 'Sut bynnag am hyny, yr oedd ei hysbryd mor uchelfrydig ag eiddo unrhyw dywysog a anwyd erioed.'[69]

Gwireddiad un o freuddwydion pennaf Gwyneth Vaughan oedd cael ei derbyn i'r Orsedd yn 1895, a phum mlynedd yn ddiweddarach, yr un oedd ei balchder pan wnaeth anerchiad o'r Maen Llog yn seremoni gyhoeddi Eisteddfod Lerpwl yn 1900, y fenyw gyntaf i gael y fraint honno. Ar ôl gwrando ar ei chyflwyniad, dywedodd 'bardd o fri na fu yn gwrandaw erioed ar un yn cael y fath ddylanwad ar y gynulleidfa . . . roedd yn ysgubo'r cyfan o'i blaen'.[70] Y flwyddyn ganlynol yn 1901, enillodd gadair Eisteddfod Bwlch-gwyn, Caernarfon, am ei phryddest 'Cyfeillgarwch' lle curodd bymtheg cystadleuydd arall.

Cwbl esgeulus fyddai rhoi portread o Gwyneth Vaughan, felly, heb sôn am ei diddordeb brwd yn yr Eisteddfod Genedlaethol a'i syniadau pendant a gwybodus am gyflwr yr ŵyl. I'r perwyl hwn, yng Ngorffennaf 1900 mewn erthygl i'r *Geninen*, er enghraifft, awgryma sut y gellid 'datblygu a pherffeithio' talentau 'Pwyllgor yr Eisteddfod nesaf' a'u galluogi i oresgyn 'aflwyddiant ariannol' nifer fawr o'r Eisteddfodau diweddar. Rhydd iddynt gyngor ymarferol (un amserol i ni heddiw) i beidio gwastraffu arian ar y Babell. Cadarnheir y ddelwedd ohoni fel dynes o flaen ei hoes pan awgrymodd y dylid ailgylchu deunydd y Babell fawr drwy beidio 'dirisglio' y coed, fel y gellid eu gwerthu wedyn i'r glofeydd 'heb golli odid ddim yn eu pris'. A gellid gwneud yr un modd meddai 'gyda llafnau o wydr a zinc'. Fel canlyniad ni ddylai y Babell 'fod yn achlysur profedigaeth i neb'.[71]

Arferiad arall a gododd ei gwrychyn oedd yr awydd i 'amgylchynu' yr Eisteddfod â phethau 'aneisteddfodol', a thrwy hynny ei gyrru i ddyled, a hyd yn oed ei rhoi mewn perygl o gael ei lladd. Ond yr elfen a achosodd y pryder mwyaf iddi oedd 'yr arferiad o Seisnigeiddio cynifer o gyfarfodydd yr Eisteddfod'.[72] Roedd hyn yn cadw nid yn unig y werin Gymraeg eu hiaith oddi yno, ond hefyd y Saeson oedd yn dod i'r ŵyl 'i glywed a gweled pethau fel y dylent fod – yn Gymreig'.[73]

Roedd ganddi hefyd syniadau pendant am y 'gadair' a'r 'goron', fel y gwelir yn ei hymateb i David Adams (Hawen). 'Chwala daeargryn cyffroad lawer adail hardd ddylasai gael aros yn addurn i'r byd,'[74] meddai, wrth i'r Orsedd, o dan arweiniad y pregethwr enwog hwnnw, anghytuno â phenderfyniad y pwyllgor priodol i lynu wrth yr hen arfer o roi'r Gadair yn unig am Awdl. Yn ei barn hi nid oedd y gynghanedd yn haeddu cael ei 'chollfarnu fel hyn'. Byddai rhoi'r fath gyfle i feirdd nad oeddynt hyd yn oed yn medru 'cadw at unrhyw reol eisoes, hyd yn nod rheolau y Bryddest,' yn arwain at y 'tryblith a gaem yn enw Barddoniaeth pe caniateid urddas uchaf yr Eisteddfod i fympwy ac anrhefn'.[75]

Â yn ei blaen i ddilorni'r anwybodaeth a'r anghysondebau yn y dadleuon ar y pwnc llosg hwn, 'gwrthddywediadau [oedd] yn deilwng o'r amgyffrediad o *logic* a briodolir gan y meibion yn gyffredin i gyrhaeddiadau ymenydd merch!'[76] Ac i brofi cyraeddiadau ei hymennydd hi ei hunan, sonia mewn dull dysgedig am y Gynghanedd Braidd-gyffwrdd; cyfeiria at Tysilio o'r wythfed ganrif y priodolir iddo, meddai, y llinell, 'Heb ffydd, heb grefydd, heb gred',[77] cyn mynd yn ei blaen i enwi Geraint Fardd Glas a Dafydd ab Edmwnd, a'u cyfraniad hwythau yn y maes.

Teimlai'n gryf na ddylid newid rheolau yn unig er mwyn rhoi cyfle i'r rhai nad oeddent yn gymwys i ddefnyddio'r mesurau caeth. 'Os yw y beirdd', dwrdiai, 'yn methu dod i fyny â'r *safon*, yn sicr nid eisieu gostwng y *safon* sydd ond yn hytrach eu codi *hwy*.'[78] Ac yn ei hanerchiad i'r Orsedd ym Merthyr Tudful, mae'n mentro i ffau y llewod eu hunain, gan feiddio beirniadu safon ieithyddol eu pryddestau,[79] a roddodd orfodaeth arni i 'dreulio oriau meithion yn crwydro anialdiroedd niwliog cynnyrchion rhai o'n beirdd diweddar, mewn "tywyllwch y gellir ei deimlo"'. 'Na ddigied neb,' ychwanega, 'nid myfi yw y gyntaf i ddweyd brined yw ysgrifenwyr Cymraeg da y dyddiau hyn.'[80] A heb amheuaeth ei theimladau hi a drosglwyddir i ddarllenwyr *Papur Pawb*, pan ddywed, o dan y ffugenw Artaxerxes, y byddai'n ddigon hapus i roi 'holl gyfansoddiadau yr hanner can mlynedd diweddaf ar dân yn llawn, pe trwy hynny y gallaswn achub un o gywyddau Goronwy Owen. Y bechgyn gwan eu meddyliau. Gwrtaith da yw symlrwydd'.[81]

2. *Gwyneth Vaughan gyda'r Archdderwydd Hwfa Môn yng Nghyngres Geltaidd Caernarfon, 1904.*

3. *Gwyneth Vaughan yng nghwmni Maggie Jones, 'Telynores Arfon', Mrs Gruffydd Richards, 'Pencerddes Mynwy', David Roberts, 'Telynor Dall Mawddwy', Pedr James, Emile Hamonic, Lena a Theodore Botrel, a'r Athro Paul Barbier.*

Ni wnaeth ei theimladau negyddol tuag at rai agweddau o'r Eisteddfod, fodd bynnag, bylu ei brwdfrydedd drosti, na'i hatal rhag mwynhau holl weithgareddau'r Orsedd. Yn wir, yn sgil ei haelodaeth o'r Orsedd y cynyddwyd ei diddordeb yn y gwledydd Celtaidd, a gellid teimlo'n ddigon hyderus fod disgrifiad yr *Irish Times* o rifyn cyntaf y cylchgrawn *Celtia* yn Ionawr 1901, yn crynhoi i'r dim ei theimladau hithau: 'A Pan-Celtic monthly magazine . . . the organ of militant Celticism, directed mainly against the deadening and demoralising influences of modern Anglo-Saxondom, and working to raise the self-respect and to strengthen the cohesion of the Celtic Race.'[82]

Ymhlith y cyfarchion yn y rhifyn cyntaf, ymddengys un gan Gwyneth Vaughan. 'From the Mountains of Eryri a daughter of Meirion sends *CELTIA* a warm greeting,' meddai. 'May you inspire with courage the old Celtic spirit that has slept so long with Arthur in the Isle of Avalon.'[83] Ac mewn rhifyn o *Celtia*, ym Medi 1904, ceir adroddiad ar y Gyngres Geltaidd a gynhaliwyd yng Nghaernarfon y flwyddyn honno; ymhlith dros 300 o westeion hyddysg a wahoddwyd gan y Maer, y Cynghorydd W. G. Thomas a'i wraig i dderbyniad yn y Castell, gwelid Gwyneth Vaughan. Dyma'r math o gwmni a roddai iddi wir foddhad: 'diverse, yet united; cosmopolitan, yet one in idea, united in fealty to the Celtic conception of race'.[84] 'Gymaint yn well', meddai, 'na'r hen ddull o fyned i yfed te, a thynnu cymeriadau eu cymdogion yn garpiau wrth fwynhau y grempog.'[85]

Goresgyn Rhagrith a Rhagfarn

Yng ngoleuni'r holl gyfrifoldebau a'r holl weithgareddau hyn, cymaint oedd y galw ar ei hamser fel y bu'n rhaid i Gwyneth Vaughan, wrth reswm, dreulio cyfnodau oddi cartref. Dyna'i phrif reswm, mae'n siŵr, dros symud yn ôl i Glwt y Bont. Yno roedd ganddi berthnasau ar ochr ei gŵr, a fyddai, mae'n debyg, wrth law i gadw llygad ar ei phlant.[86] Yn ei llythyrau gartref mae bob amser mewn brys gwyllt, ond er hynny nid oedd yn rhan o'i natur i esgeuluso'r ddyletswydd o gadw mewn cysylltiad â'i phlant, a hynny bron yn ddyddiol. Nid oes dyddiad ar y rhan fwyaf o'r llythyron ond mae un wedi ei anfon at Guy o Lundain â'r dyddiad 'March 25, '93' sy'n werth ei ddyfynnu ac sy'n siarad cyfrolau:

My dear Guy,

Many thanks for your note. I had made up my mind to write to you all last night but it was after 11 before I got back and very tired from the Portman Brooks after a splendid meeting in which I had the honour of standing or sitting rather on the same platform as Miss Willard, Dr Kate Whitehall, Mrs Wynford Phylipps, Canon Leigh, Lady Hope, Dr Macgregor and by the side of Antron. Pa will tell you who she is. I was representing South Wales at Miss Dowen's request. I am better today than I have been for a long time, more like the old Mamma of other days. I hope to be at St James's Hall next Tuesday on the same mission, that is because of my letter to Morris Morgan of the House of Commons. I hope you help Arthur,

Love from dear Mammy.[87]

Adeg ysgrifennu'r llythyr yma roedd Roy yn flwydd oed, Laura'n saith, Guy yn ddeuddeg ac Arthur yn bymtheg. Daw'n hysbys fod mam-yng-nghyfraith Gwyneth Vaughan naill ai'n byw yn yr un tŷ, neu'n agos, ac yn ôl pob golwg, yr oedd ei gŵr yn bresennol yn y cartref hefyd, a sonnir fwy nag unwaith am forwyn. Wrth gwrs, petai Gwyneth Vaughan yn ddyn, ni fyddai unrhyw un yn meddwl ddwywaith am ei hawl i fod oddi cartref mewn cyfarfodydd di-ri. Ond yr adeg honno, heb amheuaeth, gwgu a wnâi cymdeithas ar fam oedd yn ymddangos mor esgeulus o'i phlant, agwedd a ddatguddir mewn llythyr arall lle dywed wrth Guy:

You see I like to go about with these meetings and things. They make me feel so unlike the woman that those people about there look down upon.

I am loving Mummy.[88]

Mae'r ddau lythyr hyn, hwyrach, yn helpu i egluro'r nodyn negyddol yn y golofn 'Newyddion Pwllheli', gan Evan Roberts, gohebydd lleol y *Goleuad*, oedd, mae'n debyg yn adnabod Gwyneth Vaughan, ac yn gwybod o brofiad personol ei bod yn 'un a gamesbonid yn aml', ac ychwanega, 'yn un a gasâi ragrith a chenfigen â chasineb perffaith'.[89] Gellid yn hawdd ddeall cenfigen rhai o fenywod Pwllheli – a gwawd eu gwŷr – wrth weld 'Annie'r Siop' neu 'Annie merch y melinydd', fel yr oedd iddynt hwy, yn codi yn y byd gan greu bywyd annibynnol, llwyddiannus iddi hi ei hunan heb orfod dibynnu'n gyfan gwbl ar gynhaliaeth ei gŵr.[90] A phwy a ŵyr nad oedd pobl leol o bosib yn taeru mai ffordd ei wraig o fyw oedd yn gyfrifol am alcoholiaeth John Hughes, drwgdybiaeth sydd efallai'n gyfrifol am y dicter a ddaw i'r wyneb yn awr ac yn y man yn ysgrifennu Gwyneth Vaughan, a'i sbarduno i roi rhaff i'w dirmyg mewn datganiadau cyhyrog.[91] A heb enwi neb, pan ofynnir iddi gan Vesta, a oedd erioed wedi dioddef erledigaeth, meddai, 'If being spoken of falsely means persecution I have had to follow my Master's path through much suffering. Even these last days, I had a message straight from heaven when I was sore distressed.'[92]

Enghraifft drawiadol o elyniaeth rhai dynion tuag at fenywod fel Gwyneth Vaughan, a fentrai ymuno mewn dadleuon a neilltuwyd ar hyd yr oesoedd iddynt hwy, oedd ymateb pregethwr o'r enw 'Dewi' i lythyr a anfonodd Gwyneth Vaughan i'r *Genedl Gymreig*, yn galw ar bregethwyr i 'dd'od lawr o'r cymylau i ymaflyd mewn problemau bywyd beunyddiol' gan gyfeirio, fel enghraifft, at yr arferiad anfoesol ymhlith y glowyr o ddod adre ac ymolchi'n noethlymun yn y gegin o flaen y plant. Dylid ymwneud llai, yn ei barn, 'a'r byd ar ôl hwn', a chanolbwyntio mwy ar 'wella y byd sydd yr awrhon'.[93]

Tân ar groen 'Dewi' oedd gweld dynes yn meiddio 'taflu y pregethwyr i'r bwystfilod', ac mae'n ymateb, nid drwy drafod y pwnc, ond drwy ymosodiad personol yn y *Goleuad*. 'Yr hen syniad oedd, mai gartref oedd y lle cymhwysaf i'r merched i ddangos eu doniau'; meddai:

> Ond yn awr y mae golygiadau mwy 'advanced' i'w cael ar bethau. Nid wyf heb ofni y dyddiau hyn rhag i esiampl rhai o safle uchel, megis Lady Henry Sommerset, ac eraill llai amlwg yn y byd, ddysgu ein merched i adael eu gwyr ac esgeuluso eu cartrefi.

'Credwn hefyd', meddai wrth gloi, 'fod eisiau i'r esiampl gyd-lefaru a'r tafod,'[94] datganiad heb unrhyw gysylltiad â'r llythyr yr ysgrifennodd i gwyno amdano, gan awgrymu nad oedd gweithrediadau Gwyneth Vaughan ei hunan yn cyfateb i'w sylwadau (mewn erthyglau eraill mae'n debyg) am bwysigrwydd dylanwad yr aelwyd. Ond os cafodd Gwyneth Vaughan ei brifo, ni ddangosodd hynny i'r cyhoedd. Yn hytrach, ymatebodd heb flewyn ar ei thafod. Meddai:

> Syr, Gwelaf fod gwr o'r enw Dewi wedi tramgwyddo wrth ychydig eiriau o'm heiddo yn y Genedl ac wedi methu dyfod o hyd i un ffordd i dalu y pwyth yn ôl i mi ond trwy wneuthur ymosodiad personol arnaf.

> Nid ydyw yn deilwng o'm sylw, yr ydwyf yn gwybod, ond dymunaf ofyn i'r brawd os oes gydag ef gynllun mwy ymarferol na'r un wyf fi yn gario allan i ofalu am fy nheulu a'm cartref? Nid wyf fi yn gwybod am un, a meiddiaf ddweyd yn ddifloesgni nad oes un ferch trwy Gymru ben-baladr yn gweithio yn galetach er mwyn ei theulu nag ydwyf fi. Gwell i'r brawd Dewi ymestyn at rywbeth mwy dyrchafedig na gwneuthur ymosodiadau iselwael fel hyn. 'Y neb a gloddia bwll a syrth iddo,' ys dywed yr Ysgrythur, a chofied Dewi nad all ef byth fyned i fyny ar draul darostwng ei gyd-ddynion.[95]

Ond eithriad oedd ymosodiadau fel un Dewi, a chyfeiriadau negyddol fel yr un a nodwyd gan Evan Roberts. Yn sicr ni ellir amau diffuantrwydd a chariad ei mab Arthur tuag at ei fam. 'Ni bu mam neb erioed yn fwy iddo nag a fu fy mam i mi,' meddai yn ei henaint, mewn teyrnged dwymgalon: 'Yng nghanol y nos, yn yr haf, a minnau yn effro ac yn codi allan, y mae fel rhyw awel dyner yn mynd heibio, a dychmygaf mai cusan o burdeb a thynerwch ydyw a enfyn fy mam imi o'r nefoedd.'[96] Yn wir, o ystyried yr holl deyrngedau cadarnhaol sy'n adlewyrchu edmygedd cyffredinol o ddoniau Gwyneth Vaughan a'i chyfraniad i fywyd ei chenedl, tybed a ellid cyhuddo pobl Pwllheli o fethu anrhydeddu proffwydes yn ei gwlad ei hun? Arwydd o gryfder personoliaeth Gwyneth Vaughan oedd iddi ddal ymlaen i ymgyrchu er gwaethaf ei hymwybyddiaeth o farn negyddol rhai cymdogion tuag ati. Nid yw'n ildio; yn hytrach mae'n dilorni eu beirniaid, gan bwysleisio'r rheidrwydd i edrych 'tu hwnt i bedwar mur ystafelloedd sgwâr y cartref, ar anghenion y byd tu allan'.[97]

Er iddi honni, fwy nag unwaith, iddi fagu ei phlant heb help neb, pan fu ei gŵr John Hughes Jones farw yn 1902 mae'n amlwg i hyn effeithio ar ei hamgylchiadau, ac fel canlyniad, ei sefyllfa ariannol, fel y cofnodwyd yn y *Liverpool Daily Post*, pan ddywedwyd: 'Following this, Gwyneth Vaughan commenced her gallant struggle for a livelihood, and in order to better educate her children she moved to Bangor.'[98] Fel gwraig weddw a mam sengl o dan bwysau difrifol, felly, dyblodd Gwyneth Vaughan ei hymdrechion fel awdur, a rhwng 1902 a'i marwolaeth yn 1910 cyfrannodd nifer anhygoel o erthyglau, storïau unigol a storïau cyfres i gylchgronau Cymru yn cynnwys 'Hunangofiant Blodau' i *Perl y Plant* yn fisol, 1902–5; 'Bryn Ardudwy a'i Bobl' yn fisol i'r *Haul*, 1903–5; 'O Gorlannau y Defaid' i'r *Cymro* yn wythnosol, 1903–4; 'Syniadau Hen Gymro' i'r *Cymro*, 1903–4; 'Plant y Gorthrwm' i'r *Cymro* yn wythnosol, 1905–6; 'Cysgodau y Blynyddoedd Gynt' i'r *Brython* yn wythnosol, 1907–8, a 'Troad y

Rhod' i'r *Brython* yn wythnosol yn 1909 tan ei marwolaeth y flwyddyn ganlynol. Bu hefyd yn golygu 'Colofn y Merched' i'r *Cymro* yn 1906–7, a cholofn 'Merched Cymru Fu' yn *Y Brython* yn wythnosol yn 1908. Ar ben hyn i gyd, rhwng 1902 a 1907 cyfrannodd storiau i'r *Celtic Revue*, *Celtia*, a *Cymru*, ynghyd â nifer o gerddi ac erthyglau i wahanol gyhoeddiadau.

Erbyn 1908 yr oedd wedi ymlâdd, a'i sefyllfa ariannol yn drychinebus, yn bennaf oherwydd salwch dau o'i phlant – Arthur yn dioddef oddi wrth lesgedd a'i hataliodd rhag ennill bywoliaeth, a Laura, fel y crybwyllwyd, wedi mynd yn fyddar yn ugain oed. Rhaid mai profiad anodd i un o gymeriad awdurdodol ac annibynnol fel Gwyneth Vaughan oedd dod yn wrthrych trueni ac elusengarwch ymhlith ei chyfoedion a drefnodd gais am bensiwn sifil ar ei rhan, apêl a lofnodwyd gan lu mawr o oreugwyr Cymru a Lloegr gan gynnwys George Meredith y nofelydd. Ond yn anffodus, bu anrhefn yng ngweithrediad y blwydd-dal, a dim ond un swm o ganpunt a drosglwyddwyd i Gwyneth Vaughan. Prysurwyd ei marwolaeth, yn ôl ei brawd, oherwydd y gamweinyddiaeth yma, a bu farw mewn tŷ o'r enw Leedsonia, ym Mhwllheli, yn 1910. Meddai'r *Glorian*, 'Wedi ymladd brwydyr na ddaeth ei chyffelyb i ran ond ychydig o blant dynion, cwympodd Gwyneth Vaughan yn ei gwaed.'[99] Ac yn y *Dispatch*, sonnir am 'A gallant struggle against adversity'.[100]

Dengys yr holl deyrngedau o bob rhan o Brydain a'r tu hwnt yn dilyn ei marwolaeth, ei bod, yn ei dydd, heb amheuaeth yn adnabyddus ac yn fawr ei pharch. Ond ni ellir gwadu'r ffaith ei bod, ochr yn ochr â llawer o Gymraësau blaengar eraill, erbyn hyn, wedi ei hanghofio. Rydym yn dal i aros am werthfawrogiad a dadansoddiad trylwyr o gyfraniad a dylanwad un 'â'i hymroddiad di-dor ymhlaid ei rhyw ac ymhlaid llenyddiaeth a gwleidyddiaeth y Dywysogaeth', yn ôl y *Brython* yn 1908, 'yn haeddu cydnabyddiaeth gyhoeddus Cymru gyfan'.[101]

3

Sara Maria Saunders: Merch y Methodistiaid

Cefndir teuluol

Heb amheuaeth byddai Gwyneth Vaughan wedi ymhyfrydu yn ei statws cymdeithasol petai wedi bod yn ddigon ffodus i gael ei magu mewn plasty bychan yng nghefn gwlad Cymru. Cafodd Sara Maria Saunders (S.M.S.) y fraint honno pan y'i ganed yn 1864 i Frances Humphreys (1836–1918), a Robert Joseph Davies (1839–92) yng Nghwrt Mawr, Llangeitho, Ceredigion, yr hynaf o ddeg o blant – ond ar aelwyd a brofodd dristwch a galar pan fu farw ei brodyr: Edward yn ddwy oed yn 1869; George yn faban yn 1877, a Bertie'n bedair ar ddeg oed yn 1879, pan oedd S.M.S. yn bump, yn dair ar ddeg ac yn bymtheg oed.

Mae T. I. Ellis, nai i S.M.S., yn olrhain achau'r teulu ar ochr ei thad yn ôl i 1753 pan symudodd Samuel Levi (1730–1812), Iddew Almaeneg, o Lundain i Hwlffordd. Mabwysiadodd gyfenw ei noddwr, gŵr o'r enw Phillips,[1] gan ddod yn Samuel Levi Phillips, ac wedi hynny yn fancwr llwyddiannus; gwyddom ei fod erbyn ei farwolaeth yn 1812 yn ddyn cyfoethog, gan iddo adael eiddo yn Llundain, tiroedd yn Prendergast ger Hwlffordd, tŷ ym Milffwrd, a swm mawr o arian i'w blant.[2] Mae'n werth rhoi sylw arbennig i un o ddisgynyddion benywaidd y teulu, sef Ann Phillips (1823–99), plentyn siawns i ŵyr Samuel Levi Phillips. Priododd hi â Dr John Hughes, Caerfyrddin. Roedd yn wraig eithriadol: '[U]nique in Carmarthen Society, as much alien to it as if she had dropped from the clouds . . . She was an aristocrat . . . every bit of her. She didn't like travelling anything but first class and always the best of everything. I never saw any woman like her.'[3] Diddorol nodi mai ei merch hi, Elizabeth Phillips Hughes (1851–1925), oedd 'prifathrawes gyntaf Coleg Hyfforddi'r Merched yng Nghaergrawnt',[4] a gan fod S.M.S. yn or-wyres i Sarah

Phillips (1757–1817), merch hynaf Samuel Phillips a'i wraig gyntaf, Dorothy Hood, yr oedd hi ac Elizabeth Phillips Hughes, yn rhannu'r un hen-hen-fam-gu a thad-cu.

Sarah Phillips, felly, sydd o brif ddiddordeb i ni. Ei gŵr oedd David Charles, Caerfyrddin (1762–1834), brawd iau Thomas Charles o'r Bala, 'gwneuthurwr rhaffau'[5] cyn iddo fagu enwogrwydd fel emynydd, oedd hefyd yn berchen 'melin bapyr'.[6] Fel masnachwr praff mae'n amlwg iddo fanteisio ar yr elw y gellid ei wneud o werthu papur ar adeg pan oedd cylchrediad da i Feiblau a chylchgronau yng Nghymru. Etifeddwyd y busnes gan ei fab David Charles (1803–80) yr ieuengaf, hen ewythr i S.M.S. – ac yr oedd hwnnw 'yn ei sefyllfa fasnachol . . . y dyn mwyaf hyddysg yn ei dref enedigol'.[7] Ond er gwaethaf cyfoeth yr etifedd, David Charles yr ieuengaf, yn ôl John Lewis mewn erthygl yn *Y Drysorfa* (ymgais mae'n siŵr i bwysleisio na roddai Ymneilltuwyr blaengar flaenoriaeth i gyfoeth materol), 'ni oddefodd i unrhyw fuddiant bydol, pa mor bwysig bynnag y byddai, i dorri ar ffordd ei ddyletswyddau crefyddol.'[8]

Dyma ddatganiad a adlewyrchir yng nghymeriad ei chwaer, Eliza Charles (1798–1876), yr ieuengaf o chwe phlentyn David Charles a Sarah Phillips.[9] Hon oedd mam-gu S.M.S., dynes grefyddol iawn, ac 'athrawes fedrus a llwyddiannus yn yr Ysgol Sabbothol'. Ni chollodd ddim o'i 'llymder meddyliol' wrth fynd yn hen, 'ac yr oedd yn llawn o'r urddas sydd yn gweddu mewn boneddiges Gristionogol.'[10] Bu cryfder ei phersonoliaeth o fudd iddi pan fu farw ei gŵr, Robert Davies (1789–1841) – masnachwr arall llwyddiannus a 'redai fusnes fel dilledydd, groser a masnachwr haearn' gyda'i chwaer Mary, yn Aberystwyth – a'i gadael i fagu pedwar o blant, yr 'ieuengaf dan ddwyflwydd oed'.[11] Yr oedd fodd bynnag 'yn gwbl alluog i ddwyn ymlaen lywyddiaeth ei thŷ a dygiad i fyny ei phlant' oherwydd yr oedd ganddi 'feddwl annibynnol ac ewyllys benderfynol'.[12]

Fel merch i David Charles, a gwraig i Robert Davies, gadawyd Eliza mewn sefyllfa ariannol ddigon cyfforddus, ac yn gynnar yn yr 1850au prynwyd Cwrt Mawr ganddi hi a'i mab David Charles Davies (1826–91).[13] Nid oedd apêl Llangeitho fodd bynnag yn ddigon deniadol i gadw David gartref. Erbyn 1859 yr oedd yn weinidog capel y Methodistiaid yn Jewin Crescent, Llundain, un o'r tri chapel a oedd gan yr enwad hwnnw yn y brifddinas yr adeg honno.[14] Ac yn 1888, daeth yn Brifathro Coleg Trefeca.

Y plentyn 'ieuengaf o dan ddwyflwydd oed' a grybwyllwyd uchod oedd Robert Joseph, tad S.M.S. Llwyddodd Eliza Charles a'i mab

4. *Cwrt Mawr Llangeitho, lle magwyd Sara Maria Saunders.*

hynaf David Charles Davies (oedd dair mlynedd ar ddeg yn hŷn na Robert) i ddwyn perswâd ar y brawd bach, yn erbyn ei ewyllys, i roi'r gorau i astudio'r gyfraith yn Llundain, a dilyn cwrs amaethyddol yng Ngholeg Cirencester. Yn ôl T. I. Ellis, mae 'lle i amau a elwodd ryw lawer ar yr hyfforddiant a gafodd yno',[15] ond er gwaethaf hynny, o 1863 ymlaen, pan briododd ef a Frances Humphreys, ac yntau'n bedair ar hugain mlwydd oed, daethant yn gyfrifol am Gwrt Mawr, a dyfodd gydag amser yn ystâd o ddwy fil o aceri.

Mae'n ddigon amlwg fod Eliza Charles â'i bys ar bŷls ei chymdeithas, oherwydd wrth brynu Cwrt Mawr, dyrchafodd ei theulu i statws tirfeddianwyr, ac fe aned S.M.S. a'i brodyr a'i chwiorydd yn aelodau o'r dosbarth canol newydd oedd yn graddol ymddangos yng nghefn gwlad Cymru. Twf Ymneilltuaeth fel yr ideoleg ddominyddol, ac yn eu hachos hwy, ddatblygiad a lledaeniad Methodistiaeth, a roddodd y cyfle iddynt ddringo'r ysgol a llunio cysylltiadau â theuluoedd eraill da eu byd o'r un enwad, fel y disgrifir yng ngherdd wenieithus Iolo Caernarfon i'w gyfaill, Robert Davies, Cwrt Mawr, sy'n ei bortreadu fel arwr a 'fwynhai gymdeithas uchel pendefigion,/ A theimlai gartref mewn palasau gwychion.'[16]

Nid ar ochr ei thad yn unig, fodd bynnag, y gellid olrhain cysylltiadau S.M.S. â Methodistiaeth gynnar, ac nid Eliza Charles oedd yr unig bresenoldeb benywaidd eithriadol ar aelwyd Cwrt

Mawr. Yn gynnar yn y ddeunawfed ganrif, roedd un fam benderfynol wedi gweld ymhell. Pan oedd ei mab yn fachgen bach pump neu chwe blwydd oed 'ai ag ef ar ei cheffyl i wrando y gŵr enwog hwnnw, Griffith Jones, Llanddowror . . . credai hi ei fod wedi ei eni i ryw ddiben pwysig, a chwenychai iddo fyned i'r weinidogaeth.'[17] Y mab oedd neb llai na Peter Williams (1722–96), y clerigwr a'r esboniwr Beiblaidd o fri. Gor-wyres i Peter Williams oedd Frances Humphreys, mam S.M.S., oedd 'wedi cael magwraeth dda a magu cymeriad hunan-ddibynnol'.[18]

Plentyndod yng Nghwrt Mawr

Bu personoliaethau 'urddasol' a 'hunan ddibynnol' menywod Cwrt Mawr heb amheuaeth yn ddylanwad ffurfiannol ar y genhedlaeth nesaf o ferched a fagwyd o dan eu goruchwyliaeth. Daw beidd-garwch Frances Humphreys fel un a fedrai 'fod yn fanwl heb fod yn finiog, ac yn gref heb dra-awdurdodi', un oedd yn 'drefnydd tan gamp, yn medru rheoli pawb a phopeth', yn amlwg pan anwybydd-odd argymhelliad arbenigwyr Ysbyty St Bartholomew yn Llundain, achlysur a arhosodd yn fyw yng nghof ei merch fach Annie. Yn hytrach na chaniatáu iddynt dorri coes ei mab David 'i ffwrdd uwchben y pen-glin' pan aeth yn chwyddedig a phoenus, daeth ag ef adre i Gwrt Mawr:

> Bob nos a dydd bu'n rhoi *compress* dŵr oer ar ei goes. Ar ôl chwe wythnos gwelai ysmotyn bach gwyn ar y ffêr; rhoddodd y *compress* ar y fan hon a chyn hir daeth draenen ddu fawr allan; yna gwelwyd y goes yn holliach ar fyrder . . . Pan glywodd y llawfeddyg . . . nid bychan mo'i syndod . . . Byddai galw am ei gwasanaeth ar gyfer y cleifion drwy'r ardal, a phe byddai modd, atebai'r galwadau bob tro.[19]

Natur allblyg a chymdeithasol ei mam-gu a'i mam a etifeddwyd gan ferch hynaf Cwrt Mawr, nid nodweddion ei thad, oedd, yn wahanol i'w wraig a'i fam, yn 'cymryd pethau'n ara' deg'.[20] Daeth ffraethineb a nwyd eu merch hynaf yn amlwg yn gynnar yn ei bywyd. 'O'i mebyd yr oedd Sara, fy chwaer hynaf,' meddai Annie 'yn adroddreg storïau tan gamp . . . Gallai daflu rhyw hud a lledrith drosom am oriau cyfain,'[21] talent a ategwyd gan ei merch Mair genhedlaeth yn ddiweddarach pan ddywedodd mewn llythyr at Mari

Ellis, 'Mother was a marvellous raconteur and could really hold audiences of children or adults quite spellbound.'[22]

Un o brif ffynonellau 'hud a lledrith' S.M.S. oedd llyfrgell Cwrt Mawr â'i hamrywiaeth o lyfrau diwinyddol, llyfrau teithio a chyhoedd-iadau a ddewiswyd gan eu rhieni ar gyfer eu plant, teitlau fel *The Boys' Own Paper*, *The Girls' Own Paper*, *The Wide Wide World*, *A Peep Behind the Scenes*, *The Arabian Nights*, *Uncle Tom's Cabin*, *Robinson Crusoe*, ac yn eu plith un cylchgrawn Cymraeg i blant, sef *Trysorfa'r Plant*.[23] O'r rhain i gyd, yr olaf a daniodd ddychymyg Sara. Fe'i swynwyd yn arbennig gan hanesion cyffrous am genhadon yn gweithio ymysg bechgyn a merched mewn gwledydd tramor. Datgelir ei hawydd cynnar hithau i fod yn genhades yn stori Annie amdani'n ceisio dwyn goleuni'r efengyl i blant Llangeitho. Roedd ei thad yn cerdded adref i Gwrt Mawr pan ddenwyd ei sylw gan leisiau'n dod o'r ochr arall i'r clawdd. Edrychodd i mewn i'r cae a gwelodd dwr o blant, yn eistedd mewn rhes, a'i ferch hynaf yn eu hannerch:

> Galwodd Sara ato a gofyn beth yr oedd yn ei wneuthur. 'Wel', meddai hi, 'chawn i ddim mynd allan yn genhades gennych chi, ond mi deimlais y gallwn gymryd arna'i mod i, ac mi ges gan y plant yma adael i mi dduo'u hwynebau a'u gneud nhw'n Indiaid bach.'[24]

Ni wireddwyd breuddwyd S.M.S. ond mae stori fel hon nid yn unig yn dangos ei huchelgais cynnar fel unigolyn, ond hefyd ei hymwybyddiaeth o'i chyfrifoldeb fel arweinydd ei chymuned. Fel y dywed Mari Ellis: 'Edrychid ar deulu Cwrt Mawr fel math o ysweiniaid y plwyf, a rhoddai'r merched cyrtsi pan ddeuent heibio yn eu cerbyd. Ond yn wahanol i'r ysweiniaid arferol,' ychwanegodd, 'siaradai'r rhain Gymraeg.'[25]

Er hynny, yn Saesneg y cyfathrebai'r rhieni â'r plant, a'r plant â'i gilydd, a thrwy gyfrwng y Saesneg y'u haddysgwyd – gartref ar yr aelwyd yng ngofal 'governess', ac wedi hynny mewn ysgolion bonedd. Yr oedd siarad Saesneg yn arferiad cyffredin ymhlith y dosbarth canol newydd Cymreig, fel y nodir gan yr hanesydd D. W. Bebbington. 'In the second half of the nineteenth century,' meddai, 'there was . . . a tendency for families to encourage the use of English, for it seemed the key to advancement in education, commerce and the professions.'[26] Ond yr oedd un elfen hollbwysig yng ngwneuthuriad teulu Cwrt Mawr nad oedd yn ymwneud ag addysg na masnach na'r proffesiynau, a hwnnw oedd eu crefydd.

Eu hymroddiad i ddatblygiad a pharhad Methodistiaeth a sicrhaodd eu Cymreictod a'u cariad at eu gwlad. Cymysgent yn wythnosol, os nad yn ddyddiol ag aelodau capel Gwynfil, Llangeitho. Yno roedd tad S.M.S., Robert Joseph Davies (ustus heddwch), yn ben-blaenor, a phan aeth ei fam Eliza yn rhy hen a ffaeledig i fynychu'r gwasanaethau, ar ei hymweliadau cyson o'i chartref newydd yn Aberystwyth, trefnodd i'r Ysgol Sul gael ei chynnal yn nwy gegin fawr Cwrt Mawr, o dan ei harolygiaeth hi.[27] Felly, er nad oedd hen-fam-gu S.M.S., Sarah Phillips, merch Samuel Levi Phillips, yn medru'r iaith Gymraeg, oherwydd iddi briodi i mewn i gymuned Fethodistaidd Gymraeg, mae'n amlwg bod Eliza, ei merch, yn ddwy-ieithog, cymhwyster hanfodol ar gyfer trwytho plant capel Gwynfil ym Meibl Cymraeg William Morgan.

Gartref ar yr aelwyd, fel y plentyn cyntaf, cyn i'w brawd John 'ein harweinydd ni oll',[28] chwedl Annie, gael ei eni, a chyn i blant niferus Cwrt Mawr dreulio'u hamser gyda'i gilydd allan yn chwarae ac yn cynllunio pob math o ddireidi, gellir dyfalu bod S.M.S. wedi cymysgu mwy na'i brodyr a'i chwiorydd â'r morynion a'r gweision a'r cymdogion uniaith Gymraeg, gan ei bod yn chwech oed cyn i'r 'governess' gyntaf gyrraedd yr aelwyd. Dyna sut y 'daeth Sara'n gynefin â'r dafodiaith, yr idiomau a'r troeon ymadrodd pert sy'n gwneud ei llyfrau mor ddifyr i'w darllen',[29] medd Mari Ellis, ffaith efallai sy'n egluro ei rhagoriaeth, yn hyn o beth, ar ei thad, ei brawd John, a'i chwaer Annie. Yn ôl T. I. Ellis, ym marn rhai, 'pur glonciog' oedd Cymraeg John (J. H. Davies, a fu'n Brifathro Prifysgol Aberystwyth am gyfnod), a Chymraeg llafar yn unig a feistrolwyd gan ei thad, ond a gyfrifid yn ddigon safonol i wrando ar y plant a'r bobl ifainc yn y capel yn adrodd eu hadnodau. A diddorol nodi fod mam Dr John Davies, yr hanesydd, yn cofio Annie'n mynd i siarad ym mhentref Bwlch-llan, a'i bod wedi dewis siarad yn Saesneg, am nad oedd yn teimlo'n ddigon hyderus i annerch cynulleidfa drwy gyfrwng y Gymraeg.[30] Dyna paham y synnodd Mari Ellis wrthi sylwi fel yr oedd S.M.S. 'wedi dysgu ysgrifennu mor rhugl yn yr iaith honno', gan ryfeddu 'at naturioldeb ei mynegiant'.[31]

Priodi a gadael cartref

Pan gwblhaodd S.M.S. ei haddysg ffurfiol yng Nghaerwrangon a Ladies' College, Lerpwl, aeth yn ôl i fyw i Gwrt Mawr, hyd y gwyddys, i ganol nythaid o blant iau. Nid agorodd Coleg Prifysgol

Aberystwyth ei ddrysau i ferched ar gyfer cyrsiau cyffredin y coleg tan 1884.[32] Ni chafodd y cyfle, felly, fel ei chwaer Annie, i fwynhau cwmpeini criw o bobl ifanic ddisglair o'r un oed. 'Y mae'n anodd i ferched heddiw ddirnad pa mor gaeth oedd bywyd merched yn byw gartref,'[33] meddai Mari Ellis, ac i ddeall y rhwystredigaeth yma mae'n werth dyfynnu ymateb Margaret Haig (Lady Rhondda), yn dilyn ei haddysg hithau mewn ysgol fonedd yn yr Alban:

> I had been allowed, – nay, I had actually been taught – to think. Instincts and desires had come alight for which the life I was to be offered allowed no scope . . . 'Why have women passion, intellect, moral activity – these three – and a place in society where not one of the three can be exercised,' wrote Florence Nightingale in 1852. It was still true fifty years later.[34]

Yn 1854, darganfu Florence Nightingale ei galwedigaeth fel nyrs yn y Crimea; sbardunwyd Margaret Haig gan gyffro'r ymgyrch dros bleidlais i fenywod ac ymunodd â'r swffragetiaid. A heb amheuaeth byddai merch ddeallus fel S.M.S., oedd hefyd wedi cael ei 'dysgu i feddwl', wedi bod yn awyddus iawn i chwilio am ryw weithgaredd a roddai ystyr i'w bywyd.

Trodd ei sylw at y digwyddiadau ar garreg ei drws. Cynyddodd ei hymwybyddiaeth o bwysigrwydd ei phentre genedigol yn hanes Methodistiaeth Gymreig. Gwyddai mae'n siŵr mai yn y fan hon y gwelodd George Whitfield 'At seven in the morning . . . ten thousand from different parts, in the midst of a sermon crying *Gogoniant, bendigedig (blessed)* ready to leap for joy'.[35] A byddai wedi gwirioni mae'n debyg ar eiriau'r Parchedig Edward Morgan pan ddywedodd: 'It was at Llangeitho the Sun of Righteousness seemed filled with the glory of the Most High. Many a herald appointed by God to call sinners from darkness to light, was there converted.'[36] Uniaethodd â'r ysfa ymhlith efengylyddion Cymru, llawer ohonynt yn fenywod, i achub cymdeithas drwy dröedigaeth. Er na wnaeth enwi'r efengyles enwog, Rosina Davies, er enghraifft, a ddaeth i ymweld â Ceredigion ar fwy nag un achlysur,[37] rhaid ei bod yn ymwybodol o'i hymroddiad llwyr i'w hachos. Pa beth bynnag â'i hysbrydolodd, taniwyd dychymyg S.M.S. yn gynnar yn ei bywyd. Esblygodd ei nwyd crefyddol plentynnaidd yn egni efengylaidd, ac o'r adeg honno ymlaen, am weddill ei hoes, gwelodd hithau hefyd ei hunan fel un a 'benodwyd gan Dduw i alw pechaduriaid o'r tywyllwch i'r goleuni'.

Cam tyngedfennol yn y siwrnai hon oedd ei phriodas yn 1887, yn dair ar hugain oed, â'r pregethwr Methodist, John Saunders, achlysur a unodd 'ddau deulu adnabyddus iawn yn holl gylchoedd crefyddol y Methodistiaid trwy Gymru, a thu hwnt'.[38] Ei thad a'i mam-yng-nghyfraith oedd yr enwog Dr D. D. Saunders, a'i wraig, oedd yn chwaer i'r efengylydd a'r bardd, David Howell (Llawdden), Deon Tyddewi. Fel arwydd o'u parch at y briodferch, addurnwyd tai a strydoedd y pentref gan drigolion Llangeitho – aelodau o gapel Gwynfil mae'n debyg – a daeth tyrfa fawr i wylio'r seremoni. Ond criw dethol aeth yn ôl i'r brecwast priodas yng Nghwrt Mawr, yn cynnwys y teulu, cyfeillion y teulu o'r tu allan i'r pentref, cysylltiadau busnes, a phum pregethwr – yn eu plith, y gwas priodas, Lodwig Lewis (tad Saunders Lewis)[39] – teuluoedd gwasgaredig, na ellid cymysgu â hwynt bob dydd o'r flwyddyn, ond y gellid eu gweld, ar achlysuron pwysig, yn casglu at ei gilydd gan ddangos y gagendor rhyngddynt hwy a'r werin gyffredin a'u hamgylchynai.

Arwydd pellach o'u statws breintiedig oedd iddynt dreulio'u mis mêl yn yr Unol Daleithiau, gan gychwyn eu taith ar drên llaeth Pont Llanio – eu cyntaf o nifer o ymweliadau â'r cyfandir hwnnw.[40] Gan i John Saunders dreulio cyfnod yn America ar ôl gorffen ei astudiaethau yn y brifysgol, gellir deall apêl y cyfandir eang iddo ef, ac yn dilyn ei phrofiadau newydd a chyffrous fel gwraig ifanc, magodd S.M.S. hefyd awydd anniwall i weld y byd. Ar eu dychweliad, aethant i fyw am gyfnod i Lanymddyfri, ac yn Awst 1890 ordeiniwyd John Saunders yn Sasiwn Tregaron.

Aeddfedu fel Efengylydd

Nid cyd-ddigwyddiad a ddenodd S.M.S. a'i gŵr o Lanymddyfri i Benarth yn 1891, y flwyddyn y sefydlwyd y Symudiad Ymosodol (neu fel y'i gelwid yn wreiddiol –The Forward Movement) o dan arweiniad John Pugh.[41] 'Braich genhadol enwad y Methodistiaid Calfinaidd' oedd y Symudiad Ymosodol a'i brif faes cenhadol oedd 'ardaloedd trefol a diwydiannol Morgannwg a Mynwy'.[42] Ymateb i'r teimlad ymhlith llawer o aelodau'r enwad fod yr eglwys yn ymbellhau oddi wrth y bobl gyffredin yng nghanol y bedwaredd ganrif ar bymtheg a symbylodd John Pugh i'w sefydlu, wrth i'r dosbarth canol ddatblygu, fel y gwelsom uchod, gan greu bwlch rhwng y tlawd a'r cyfoethog. O ddiddordeb arbennig i S.M.S. oedd y croeso a'r amlygrwydd a roddwyd i fenywod yn rhengoedd y Symudiad Ymosodol:

> Ymhlith pethau eraill, agorwyd llochesau ar gyfer gwragedd, merched a babanod; crewyd rhwydwaith o gyfarfodydd yn arbennig ar gyfer merched; hyfforddwyd nyrsys ar gyfer trin cleifion tlawd a ffurfiwyd urdd o ferched, 'Chwiorydd y Bobl', i gynorthwyo'n llawn amser yng ngwaith cenhadol a bugeiliol y Symudiad. Golygai hynny fod gan ferched swyddogaethau arwain a phregethu yn neuaddau efengylu'r Symudiad Ymosodol nad oedd ar gael iddynt yn eglwysi 'prif ffrwd' yr enwad, er nad aethpwyd mor bell â'u hordeinio'n ffurfiol.[43]

5. *S.M.S., ei gŵr a'i dwy ferch, Mair ac Olwen.*

Rhoddwyd ffocws newydd i fywyd S.M.S. pan gafodd y cyfle i ymuno yng ngweithgareddau menywod y Symudiad Ymosodol, gan ymarfer ei dawn i annerch cynulleidfaoedd ac i drefnu a chodi arian. Ac fel rhan o'i hymgyrch, rhwng 1893 ac 1896 ysgrifennodd ei chyfres gyntaf o hanesion i'r *Drysorfa* am hen gymeriadau ei phlentyndod, y trawsnewidiwyd eu bywydau pan brofasant dröedigaethau yn ystod Diwygiad 1859, casgliad a gyhoeddwyd o dan y teitl *Llon a Lleddf* yn 1897.[44] Yn 1898 aeth hi a John Saunders i fyw i Abertawe, yn agos at fam John Saunders, oedd yn wraig weddw ers 1892. Yno yn niwedd 1901 ganed Mair, ac yn 1903 ym Mhen-coed, ganed Olwen, a gan fod eu mam 'yn ddigon ffodus i fedru cyflogi help yn y tŷ'[45] – a gellid hefyd ddychmygu parodrwydd ei mam-yng-nghyfraith i helpu gyda'r plant dros achos oedd mor agos at ei chalon – ni rwystrwyd S.M.S. rhag parhau â'i chenhadaeth. Yn 1903, ffurfiwyd Adran y Merched o'r Symudiad Ymosodol, yn Llandrindod, 'cam pwysig [i'r Symudiad Ymososol] ac elfen gref yn ei fywyd',[46] ac yn yr un flwyddyn, bu S.M.S. yn gyfrifol am sefydlu cangen o'r adran yn Abertawe ar gyfer trefnu gweithgareddau Methodistiaid benywaidd y ddinas honno.

Cred ddi-sigl yr efengylwyr oedd bod diwygiad arall ar y ffordd a fyddai'n adennill y llawenydd a'r brwdfrydedd a fodolai yn y dyddiau gynt, fel y mynegir gan S.M.S. mewn erthygl i'r *Traethodydd* yn 1903 ar ymweliad yr efengylydd carismataidd Gipsy Smith ag Abertawe, gŵr a dreuliai fwy o'i amser yn America nag ym Mhrydain. 'Gwn fod llawer o bobl dda yn credu na welwn ni byth mwyach ddiwygiadau mawr megys cynt,' meddai: 'honant fod cymdeithas wedi newid, a bod yr Arglwydd yn y dyddiau hyn yn gweithio mewn ffyrdd gwahanol. Anhawdd iawn ydyw derbyn yr athrawiaeth hon ar ôl gweled effeithiau grymus gweinidogaeth Gipsy Smith.'[47]

Grymus hefyd oedd dyfalbarhad nifer o efengylwyr brwd yr adeg hon, a aeth ati i drefnu a chynnal cyfarfodydd di-ri i ddwyn yr achos yn ei flaen. Yn dilyn Cyfarfod Misol Abermeurig ym mis Hydref, er enghraifft, sefydlwyd pwyllgor arbennig ar gais Joseph Jenkins i fod yn gyfrifol am wella 'stad ysbrydol Eglwysi [Ceredigion]', crud Diwygiadau Daniel Rowland a Dafydd Morgan. Ac ar y diwrnod olaf o fis Rhagfyr 1903, a diwrnod cyntaf Ionawr 1904, cynhaliwyd cynhadledd yn y Tabernacl, Ceinewydd, ac 'yr oedd yn wahoddedig y Parchn. W. W. Lewis, Caerfyrddin, J. M. Saunders, M.A. a Mrs Saunders'.[48] Ddeng mis yn ddiweddarach tynnwyd sylw'r byd at y cyfarfod bythgofiadwy ym Mlaenannerch, 'when a twenty six year old collier fell poleaxed to his knees, his face streaming with sweat',[49] gan gychwyn Diwygiad 1904–5, digwyddiad a ddisgrifiwyd gan yr haneswyr Prys Morgan a David Thomas fel 'the result of a decade of increasing zeal on the part of the evangelical wing of church and chapel'.[50] Yn dilyn dychweliad Evan Roberts i efengylu yn ei fro enedigol yng Nghasllwchwr, parhau wnaeth sêl yr ymgyrchwyr yma, a gwyddom fod S.M.S. ymhlith y rhai a lywiodd gyfres o gyfarfodydd pwerus yn Heol Dŵr, Caerfyrddin, yn ystod Tachwedd 1904, mewn ymdrech i gadw'r momentwm.[51]

Dyblodd S.M.S. ei hymdrechion llenyddol hefyd gan gofnodi dylanwadau pwerus y diwygiad mewn dwy gyfres o hanesion i'r

Ymwelydd Misol rhwng 1906 a 1908 a gyhoeddwyd o dan y teitlau *Y Diwygiad ym Mhentre Alun* (1907) a *Llithiau o Bentre Alun* (1908).[52] Yng ngwres y fflam ddiwygiadol, cymerodd ran flaenllaw yn ymgyrch y Symudiad Ymosodol i sicrhau cartref i fenywod anghenus, breuddwyd a wireddwyd yn 1908 pan lansiwyd y 'Kingswood-Treborth Home', wedi ei leoli yn Nhreganna, Caerdydd. 'Mrs J. M. Saunders', meddir, 'collected £750 to meet Mr John Cory's offer of £250.'[53] Ac ym mis Gorffennaf o'r un flwyddyn cynhaliwyd 'the General Assembly' yn Lerpwl lle dywedir: 'Mrs J. M. Saunders spoke at Princes Road and Ceridwen Peris and Sister Lloyd at Parkfield, Birkenhead . . . We believe that we shall reap much from these meetings.'[54] A meddir yn *y Monthly Treasury* wrth ddathlu diwedd blwyddyn gyntaf y cartref:

> Treborth Home was a direct result of the Revival. Subsequently a fierce light was brought to bear upon the terrible state of immorality in Cardiff, and mainly through the efforts of some of the women of our Movement, led by Mrs J. M. Saunders . . . we decided to purchase more commodious premises at 'Kingswood [Treborth]', Canton, where we might carry on Rescue as well as Preventive Work.[55]

1912–19 Auckland, Seland Newydd

Yn y flwyddyn 1912, cynghorwyd S.M.S. gan ei meddyg i aros yn y tŷ o hyn ymlaen, rhwng mis Hydref a mis Mawrth. Ond fel y dywedodd Mair yn ei llythyr at Mari Ellis, byddai'n amhosib i'w mam gydymffurfio â'r fath gyfarwyddyd. Pan wahoddwyd John Saunders i fynd yn weinidog i Eglwys Bresbyteraidd St David's yn Auckland, felly, atebasant y gwahoddiad yn frwdfrydig gan yr ystyriwyd hinsawdd y wlad honno yn llai niweidiol i iechyd S.M.S. Meddai cyfaill John Saunders, R. R. Roberts mewn teyrnged i'w ffrind, '[his] Missionary spirit, helped by a strain of Bohemian in his blood, enabled him to fold his tent with an Arab-like facility, and change Continents more easily than most of us change counties.'[56] A gan fod teithio hefyd yng ngwaed ei wraig, gellid teimlo'n ddigon hyderus eu bod ill dau uwchben eu digon â'r fenter a'u hwynebai.

Pan glywsant am fwriad S.M.S. i adael Cymru mynegodd y 'Foreign Mission of the Welsh Presbyterian Church' eu tristwch. 'Your departure will be a very great loss to our Foreign Missions', meddir, 'at a time when we are in much need of your help.'[57] Ond er bod Cymru ar ei cholled gwelwyd yn fuan fod Auckland ar ei hennill. Drwy ymdrechion personol S.M.S., yn 1914, neidiodd y swm a gasglwyd yn flynyddol gan St David's i'r genhadaeth dramor o £198 i £441.[58] O dan ei gofal, cynyddodd y nifer o ferched a fynychai'r dosbarth Beiblaidd i hanner cant, ac yn y cylchgrawn *The Harvest Field Presbyterian Women's Missionary Union (PWMU)*, a'r *Outlook*, cyhoeddiad Presbyteriaid Seland Newydd, cyfeirir yn gyson at ei chyfraniad fel areithwraig, cadeirydd neu drefnydd. Cymerai ddiddordeb arbennig mewn pobl ifainc: 'the hospitality of the manse knew no bounds,' meddai D. J. Albert am y croeso a estynnid i ymwelwyr, ac â yn ei flaen i sôn am nodweddion carismataidd S.M.S. yn ei bennod ar John Saunders yn ei lyfr ar hanes yr eglwys. Meddai:

> If space permitted a chapter should be devoted to Mrs Saunders. There were those who thought Mrs Saunders the stronger personality, the more highly gifted, but comparisons are odious. Let it suffice if we say that [she] was highly educated, splendidly gifted and deeply consecrated . . . if he [Mr Saunders] needed a scholarly advocate with a silver tongue, then Mrs Saunders was perhaps the most convincing and charming speaker in Auckland.[59]

Erbyn 1918, oherwydd problemau iechyd John Saunders, fe'u gorfodwyd i adael Seland Newydd, ac yn awr aethant i fyw i dde California, gan gadarnhau unwaith eto apêl America i'r ddau. Yn y wlad honno, ym mis Medi 1919, bu farw John Saunders yn sydyn. Yn dilyn ei phrofedigaeth gwyddom fod S.M.S. wedi aros yn America o leiaf hyd fis Mehefin 1920, gan iddi anfon cyfres o hanesion i'r *Treasury* o Los Angeles. Ond erbyn Awst 1920 roedd wedi symud i Gaerdydd. Ymhen rhai blynyddoedd symudodd i Lerpwl, a bu'n byw yno hyd ei marwolaeth yn 1939.

Cenhades yn ei gwlad ei hun

Ni ellir gwneud cyfiawnhad â bywyd a gwaith S.M.S. heb roi sylw manylach i'w hymrwymiad dwfn a dwys i Genhadaeth Dramor Methodistiaid Calfinaidd Cymru. Gwelsom eisoes ei hawydd cynnar fel merch ifanc i fod yn genhades yn hanesyn Annie, ei chwaer, uchelgais a ailadroddir gan y Parch. R. J. Williams flynyddoedd yn

MRS. SAUNDERS A'I DWY FERCH.

Mrs. J. M. Saunders.

GAN Y PARCH. R. J. WILLIAMS, LIVERPOOL.

WYR darllenwyr Y CENHADWR fod Mrs. Saunders yn un o'r "caredigion oblegid y tadau." Ar du ei thad y mae yn or-wyres i David Charles, Caerfyrddin, brawd Thomas Charles y Bala; ar du ei mam y mae yn or-wyres i Peter Williams yr Esboniwr. Yr oedd ei thaid, Robert Davies, Aberystwyth, yn nhŷ yr hwn y ffurfiwyd y Cyffes Ffydd, yn gefnder i Owen Jones y Gelli.

Yn fuan wedi ymbriodi â'r diweddar Barch. J. M. Saunders, M.A., mab Dr. David Saunders, dechreuodd arfer ei dawn drwy y wasg ac ar y llwyfan, heb fod ganddi ond un amcan, sef hyrwyddo Teyrnas ein Harglwydd Iesu Grist. Danghosai yn ysgrifau "S.M.S." yn "Y Drysorfa" fod ganddi fedr eithriadol i ddisgrifio cymeriadau Cymreig, gwledig, crefyddol, gyda naturioldeb a swyn. Fel gwraig i weinidog ar eglwysi Saesneg daeth i adnabod dosbarth arall o gymeriadau, yn perthyn i haenau is cymdeithas, yn y wlad hon ac yn New Zealand, lle yr aethai yn 1911 gyda'i hannwyl briod oherwydd sefyllfa ei iechyd. Gwelwyd yno, fel y gwelsid yma, bod ganddi'r doniau naturiol ac ysbrydol sydd yn deffro cydwybod ac yn cyffwrdd calon y cymeriadau gwaethaf, ac yn creu ynddynt hyder ymwared. Enillodd rai ohonynt i Grist trwy rym cyfeillgarwch. Darllener ei hysgrifau tyner a byw, a ymddanghosodd yn y "Treasury," fel y gweler y modd y mae Duw yn gweithio trwy addfwynder a chariad.

6. *S.M.S., Mair ac Olwen yn y* Cenhadwr, *Ionawr 1924.*

ddiweddarach yn y *Cenhadwr*: 'O'i hieuenctid, teimlai ddiddordeb dwfn yn y Genhadaeth,' meddai, 'a bu yn awyddus i fyned yn genhades pan nad oedd y Cyfundeb eto wedi dechreu anfon merched sengl i'r India.'[60] Yn nhraethawd PhD Gwennan Schiavone, 'Y Genhadaeth Dramor a'r Diwylliant Cenhadol yng Nghymru, 1887–1930',[61] sonnir am y modd y sefydlodd S.M.S. gasgliad blynyddol i gynnal athro ym mhentre Paham yng ngwlad y Bhoi. Gellir darllen y stori ddifyr a'i hysbrydolodd i ymgymryd â'r fenter hon mewn cyfieithiad o lythyr y cenhadwr Dhorka, o Fryniau Khasia, oedd bron â thorri ei galon am na fedrent fforddio cyflogi athro ym mhentref Paham, lle'r oedd y trigolion wedi deall neges Cristnogaeth, ac wedi llosgi eu holl ddelwau. '[P]an glywaf fod Duw wedi cyffwrdd calon y foneddiges dduwiol y dywedwch amdani,' meddai am S.M.S., 'fel ag iddi ymgymeryd a rhan o gyfrifoldeb gwaith Duw yn y wlad dywell hon, yr wyf yn teimlo yn llon a gwrol i fyned ymlaen i orchfygu teyrnas Satan.'[62] Rhaid bod llwyddiant fel hwn yn galondid mawr i S.M.S. a'i chyd-weithwyr, a gellir deall ei hawydd i ddyfalbarhau ac amlhau ei chyfraniadau – gweithgaredd ac egni sy'n egluro'r golled ar ei hôl, pan adawodd Gymru yn 1912.

Gwnaeth casgliad gwerthfawr S.M.S. o lyfrau am y Genhadaeth Dramor argraff fawr ar D. J. Albert: '[I]n this interest Mrs Saunders must be given the premier place,' meddai yn 1921, wrth sôn amdani hi a John Saunders; '[she] possessed a large library of Foreign Mission books, and was conversant with every detail of the subject,'[63] datganiad a ategid yn y *Cenhadwr* yn 1924, lle dywedir, 'Ganddi hi, ond odid, y mae'r llyfrgell genhadol oreu yng Nghymru.'[64] Fel un â'r holl wybodaeth o fewn ei chyrraedd, yn 1919, pan oedd yn byw yn ne California, cafodd amser i ysgrifennu llyfr ar y Genhadaeth Dramor, sef *A Bird's Eye View of Our Foreign Fields*, a gyhoeddwyd yng Nghaernarfon yn 1919, ac a gyfieithwyd yn 1924 gan W. T. Ellis, o dan y teitl *Rhamant ein Cenhadaeth Dramor*.[65] Mae'n enwi ugain o fenywod sengl a aeth allan i'r Senanau, nifer ohonynt yn benaethiaid ysgolion yn Shillong, Silchar, Karimganj a Sylhet,[66] swyddi llawer mwy pwerus a chyfrifol nag y byddent fyth wedi dringo iddynt gartref yng Nghymru.

Heb amheuaeth byddai S.M.S. wedi bod yn bennaeth nodedig mewn ysgol ar Fryniau Khasia, ond mantais enfawr i'r rhai a 'aeth allan' oedd ei gwaith caled drostynt nôl gartref yng Nghymru. Dewisodd fynd i fyw i Lerpwl – dinas yr oedd yn ei hadnabod yn dda o'i dyddiau ysgol – am mai oddi yno yr oedd gweithgareddau menywod Cymru yn y genhadaeth dramor yn cael eu trefnu a'u gweinyddu. Yno hefyd rhoddwyd cyfle i fenywod gyflawni eu potensial mewn eglwysi oedd yn arwain y maes yn eu cefnogaeth i'r genhadaeth dramor.

Rhoddir manylion gan Gwennan Schiavone am nifer o gyfarfodydd allweddol a fynychwyd gan S.M.S., megis yr un yn y Fflint gyda'r cenhadwr y Parch Roberts Jones o Khasia, lle gwnaeth apêl ar ran y cenhadon yn Llydaw. Mynychodd Gynhadledd Flynyddol Chwiorydd Lerpwl yn 1922 fel siaradwraig wadd gan rannu'r un llwyfan â'r cenadesau Aranwen Evans a Hetty Evans. Cyfeiriwyd ati fwy nag unwaith fel un oedd yn gydradd gyfartal â chenhades go iawn wedi dod adre am gyfnod 'ffyrlo'. Treuliai wythnos o bob mis yn teithio a darlithio heb unrhyw gydnabyddiaeth ariannol, ac meddai Watcyn Price amdani mewn adroddiad i'r Cyfeisteddfod Gweithiol ym Mehefin 1923: 'Mrs Saunders is the life and soul of this movement. She gives of her gifts and time and we can never estimate the amount of good she does in this way, without thinking of her strenuous activities in other directions.'[67] Yn 1932, yn wyth a thrigain mlwydd oed, gwyddom ei bod yn un o bedair aelod benywaidd ar y Cyfeisteddfod. I S.M.S. rhaid bod y gweithgareddau hyn, yn hwyr yn ei bywyd, yn dwyn i gof gynnwrf tröedigaethau Diwygiad 1904–5 wrth iddi drosglwyddo'i hasbri efengylyddol, ugain mlynedd yn ddiweddarach, i ymgyrch arall lawn o ryfeddodau a disgwyliadau cyffelyb.

Cefnogaeth S.M.S. i ymgyrchoedd eraill y Ddynes Newydd

Dengys S.M.S. yn rhinwedd ei phersonoliaeth hyderus a'i nodweddion fel arweinydd pobl na wnaeth ei rhyw ei rhwystro rhag cyflawni gorchestion, ac yn hyn o beth cynrychiolai'r criw o fenywod a ymddangosodd yng Nghymru yn chwarter olaf y bedwaredd ganrif ar bymtheg oedd ar dân yn eu hawydd i weld menywod yn cydio yn yr awenau fel arweinwyr eu cymunedau. Meddai colofn y menywod yn *The Torch* yn 1908, 'This is a time for women's demonstrations . . . The Temperance women and the Suffragettes are having their say. Let these meetings in Llandrindod [Cyfarfod Cyffredinol Blynyddol menywod y Symudiad Ymosodol] be a record demonstration that we mean to have the world for Christ.'[68] I'r efengylyddion, arf yn llaw Duw oedd y ferch, a thrwy dröedigaeth y gellid ennill y cryfder a'r awdurdod a fedrai ddileu anghyfartaledd rhwng y rhywiau. Dyna'r sbardun a'u gyrrodd i weithio'n ddiflino i godi'r Gymraes uwchlaw dadleuon daearol, a chanolbwyntio ar Grist y Priodfab ar ei Orsedd, presenoldeb a wnâi bopeth yn bosibl.

Nid oedd gan S.M.S. yr amser na'r anian i weithio drwy'r mudiadau dirwest swyddogol a sefydlwyd gan y Gymraes yn nawdegau'r ganrif, nac ychwaith i ymuno â'i chwiorydd oedd yn brwydro dros hawliau menywod. Ac er bod ei thad yn Rhyddfrydwr, a'i chwaer, Annie, wedi priodi Tom Ellis, un o arweinyddion amlycaf Cymru Fydd, nid ymunodd erioed mewn ymgyrchoedd cyhoeddus gwleidyddol, nac ychwaith yn ymdrechion ymarferol nifer o Gymraësau i hyrwyddo'r iaith Gymraeg a diwylliant Cymru drwy gyfrwng sefydliadau fel Undeb y Ddraig Goch, neu'r Mudiad Celtaidd.

Er hynny yr oedd yn gwbl gefnogol i'r oll o'u hamcanion; rhannodd lwyfan â Cheridwen Peris, un o ymgyrchwragedd dirwestol mwyaf brwd ei chyfnod, a dangosodd ei chefnogaeth drwy ysgrifennu dwy gyfres ddirwestol i'w chylchgrawn, y *Gymraes*, yn 1903 a 1910, storïau a lwyddodd i osgoi'r foeswers arferol – eu traethyddion yn ddwy efengyles wreiddiol ac annibynnol, a'r merched a achubir o grafangau'r ddiod feddwol yn tyfu'n gryf drwy eu crefydd.

Yn yr un modd, mynegodd ei syniadau ar bleidlais i fenywod. Er ei bod hi ei hun, fel y gwyddom, wedi ei magu mewn awyrgylch breintiedig a manteisiol, aeth ei gwaith efengylyddol â hi i ganol merched o bob dosbarth, a gwelodd eu potensial, a'u diffyg hunan-hyder, fel a fynegir yn 'Llythyr Agored at Ferched Ieuainc Cymru' mewn neges â'i llwyddiant yn dibynnu ar ufuddhau i ddameg Iesu Grist, 'Y Samariad Trugarog'. Meddai:

> Y mae'r adeg yn neshâu pan y bydd raid i chwi gymeryd eich safleoedd. A gaiff byddin Rhyddid ei gwneud i fyny o adgyfnerth egwan a phlentynnaidd, neu ynte a wnewch chwi yn nerth eich ieuenctid roddi eich hunain dan ddisgyblaeth fanwl ac egniol?
>
> Os yw merch i gael ei chydnabod yn allu yn y dyfodol rhaid iddi fod yn un 'yn meddwl fel gwyddon ac yn gweithredu fel Samaritan'.[69]

Rhoddodd sêl ei bendith ar fudiad Cymru Fydd a'i amcanion drwy ysgrifennu, rhwng 1896 a 1899, gyfres o hanesion o dan y teitl 'Welsh Rural Sketches' i'r cylchgrawn *Young Wales*, yn eu plith hanesyn cofiadwy am aelod benywaidd o'i chapel Methodistaidd yn llwyddo, drwy ei daliadau cadarn Cristnogol, i lorio dadleuon siofinistaidd blaenor pwerus. Arwydd o'i dymuniad i gyfleu ei gwladgarwch i'w darllenwyr oedd iddi gyflwyno'i llyfr cyntaf i'w thad, gyda'r geiriau, 'Canys ef a garodd ein Cenedl ni.'[70] Ac er ei bod yn cydnabod manteision 'addysg a gwyddoniaeth' nid yw'n cuddio'i siom wrth weld gwreiddioldeb trigolion pentref ei phlentyndod yn prysur ddiflannu; '[C]yn bo hir,' meddai, 'coeliaf mai anmhosibl fydd cwrdd âg un Cymro, heb fod mor hyddysg yn yr iaith Saesoneg ag yn iaith ei fam!'[71] Ac os ydyw'r darllenydd yn chwilio am enghraifft brin, annodweddiadol, o ramantu hiraethus yng nghymeriad S.M.S. gellir dod o hyd iddo yn ei phortreadau yn niwedd y nawdegau o hen gymeriadau hoffus ei phlentyndod, a brofodd wefr Diwygiad 1859, ac a gofnodwyd ganddi fel enghraifft o'r Gymru dduwiol wledig a fodolai yn y gorffennol, ac y gellid gydag amser ac egni ei hail-greu.

Cyn bwrw 'mlaen i hoelio'n sylw ar statws Gwyneth Vaughan ac S.M.S. fel awduron benywaidd adnabyddus, mae'r hyn a ddaeth i'r amlwg eisoes am eu cyfraniadau a'u cyfrifoldeb tuag at eu cymdeithas a'u cenedl yn ddigon i gyfiawnhau'r ymgais i dynnu sylw at eu bodolaeth. Wrth ddilyn trywydd y ddwy arwres gofiadwy hyn, fe'u gwelsom yn torri eu cwysi eu hunain gan symud ymhellach ac ymhellach oddi wrth ei gilydd ar y ffordd. Yr hyn sy'n drawiadol, fodd bynnag, yw i'r ddwy fel canlyniad gyflwyno i ni ddau ddarlun cwbl wahanol o'r Gymru a'u magodd, ond sydd eto'n gwbl gynrychiadol o'r gymdeithas a brofwyd ac a luniwyd ganddynt hwy a'u cyd-Gymraësau.

4

Llenyddiaeth Gwyneth Vaughan

'Y Ferch â'r Pin Bendigaid'[1]

Ymhell cyn i Ddeddf 1889 sicrhau addysg ganolraddol gyfartal i ferched a bechgyn Cymru, yr oedd Gwyneth Vaughan, merch y melinydd a disgybl disgleiriaf ysgol elfennol Frutanaidd Talsarnau yn chwedegau'r ganrif honno, wedi llwyddo i'w haddysgu ei hunan i safon uwchraddol, ac erbyn 1884, yn 32 mlwydd oed, fel newyddiadurwraig yn Llundain, yn 'derbyn gwerth ei llafur gan John Bull yn rheolaidd a chyflawn'.[2] Yn ei thaflen 'Works of Gwyneth Vaughan', a luniodd yn 1908 fel rhan o'i chais am 'bensiwn sifil', nid yw'n manylu ar yr erthyglau a ysgrifennodd yn nechrau'r 1880au, gan gyfeirio atynt yn unig fel 'A very large number of contributions on social and political subjects to many newspapers', yn cynnwys y *Manchester Guardian* a'r *Daily Mail*.[3]

Gwerth yr wybodaeth hon i ni yw ei bod yn dangos ei diddordeb cynnar mewn materion cyfoes, yn arwydd o'i hyder yn ei gallu a'i barn ei hunan, ac yn dystiolaeth amlwg o'i hawydd cryf i ysgrifennu. Cyfeiria Thomas Parry yn y papur a gyflwynodd amdani i Gymdeithas Hanes Meirionnydd yn 1978 at 'y nwyd neu'r ysfa sy'n gyrru ambell un i ymdreulio'n faith ac yn gyson heb allu peidio ag ysgrifennu. Y mae ysgrifennu'n elfen gwbl anhepgor', meddai, 'ym mywyd person felly.'[4] 'Person felly' heb amheuaeth oedd Gwyneth Vaughan.

Gellir dadlau bod y cyfnod a dreuliodd yn Llundain rhwng 1876 ac 1888 – adeg bwysig yn ei datblygiad deallusol a phersonol – wedi creu gagendor rhyngddi â'i chyfoedion yn y Gymru Gymraeg lle'i magwyd, bwlch, yn wir, na lwyddodd fyth i'w gau. Ni fu erioed yn rhan o'r rhwydwaith o awduron benywaidd a gychwynnodd ysgrifennu'n Gymraeg i'r *Frythones* yn nechrau'r 1880au 'oedd yn adnabod ei gilydd, yn ysgrifennu at, ac am, ei gilydd, ac yn derbyn ysbrydoliaeth a chalondid oddi wrth ei gilydd'.[5] Yn wahanol i'r awduresau petrusgar hynny a ddenwyd 'allan o'u hogofau' i ysgrifennu gan Granogwen, roedd Gwyneth Vaughan eisoes, fel y nodwyd, wrthi'n meddiannu'r tir agored yng ngholofnau papurau dyddiol Lloegr.

Codi uwchlaw y foeswers

Nid annisgwyl, o gofio'i hamlygrwydd fel ymgyrchydd yn erbyn y ddiod feddwol, oedd i Gwyneth Vaughan gychwyn ei gyrfa lenyddol yng Nghymru drwy ysgrifennu stori ddirwest i'r *Christian Standard: The Monthly Magazine of the Cardiff Evangelistic Movement*, a sefydlwyd yng Nghaerdydd yn 1891. Roedd cysylltiad agos rhwng y misolyn hwn â'r Symudiad Ymosodol, a'i nod oedd mynd i'r afael â'r 'benighted condition of the majority of the inhabitants of Cardiff',[6] cyflwr y gellid ei ddatrys yn unig, yn eu barn, drwy dröedigaeth Gristnogol.

'Women and Temperance'[7] yw'r teitl, ac fe'i hysgrifennwyd o dan yr enw 'Annie Hughes Jones, Treherbert', stori am ferch ifanc a ddinistriwyd gan ei gŵr meddw. Yn anad dim, dengys yr hanesyn hwn argyhoeddiad cynnar Gwyneth Vaughan na ellid ennill y frwydr ddirwestol heb ymgyfraniad menywod, a daw'r cysylltiad annatod rhwng crefydd a dirwest a ffeminyddiaeth, sydd mor nodweddiadol o'i holl weithiau, yn amlwg o'r cychwyn cyntaf. 'Where is the man to be found', meddai, 'that would marry the woman he knew was in the habit of drinking? The time has come for the women to pay the men the same compliment.'[8] Ac mae'n gorffen ar nodyn Beiblaidd herfeiddiol:

> We want an Army of Christian Temperance Women to come forward of whom it can be said, in the words of that beautiful poem of Solomon's, 'Who is she that looketh forth as the morning, fair as the moon, clear as the sun, and terrible as an army with banners?'[9]

Fel un oedd yn Gristion cwbl ymroddedig, ni fyddai'n syndod i neb petai Gwyneth Vaughan wedi ymuno â'r Symudiad Ymosodol, oedd yn croesawu cyfraniad menywod â breichiau agored. Ond gan iddi symud i Bwllheli yn 1892, ac o gofio'i hymdrechion i'w thrwytho'i hunan yn llenyddiaeth a iaith a hanes ei chenedl tra'n byw yn Nhreherbert, gellir deall apêl arbennig y cyhoeddiad newydd a ymddangosodd yn 1892 – eto yng Nghaerdydd – sef y *Welsh Weekly*

(Friday 8 January – Friday 4 August 1892),[10] papur crefyddol arall a chysylltiad agos rhyngddo â'r Symudiad Ymosodol, ond yn un a ysbrydolwyd gan y deffroad cenedlaethol Cymreig, 'an Independent Journal of Religion and Social Life in Wales'. Nod yr wythnosolyn oedd herio sectyddiaeth, uno pwerau enwadau Cymru, a llenwi bwlch drwy wasanaethu 'the cause of evangelical religion in its bearing on the national awakening'.[11] Sicrhaodd Gwyneth Vaughan droedle fel un o gyd-olygyddion y *Welsh Weekly*, a manteisiodd ar ei chyfle i arbrofi ym myd ffuglen drwy gyhoeddi ynddo ddwy stori fer a stori gyfres pedair pennod, a diddorol nodi iddi, yn awr, fabwysiadu'r enw llenyddol 'Gwyneth'. Fel yn y *Christian Standard*, mae'n glynu wrth themâu crefyddol a dirwestol, ond yn unol â chanllawiau'r *Welsh Weekly*, mae'r hanesion hyn wedi eu lleoli yng Nghymru.

Yn ei stori gyntaf, hunan-gofiannol, 'Our Bob: A Story of the North Wales Coast',[12] mae Francis a Margaret Vaughan, brawd a chwaer, ef yn feddyg uchelgeisiol a hithau'n egin-awdures, yn cyfarfod â thri chymeriad lleol ar eu hymweliad â gogledd Cymru. Cornelius yw'r cyntaf, yn cerdded ar hyd y cei yn siarad â'i hunan yn ddi-baid, fel gwallgofddyn. Yr ail yw Bob, yr arwr, dyn tal golygus ag un fraich. Adroddir y stori drist gan y trydydd, a hynny'n egluro hynodrwydd y ddau arall.

Yr oedd Bob, meddai, wedi colli ei fraich mewn ymgais aflwyddiannus i achub Gwen yr oedd mewn cariad â hi, sef merch y storïwr. Achos y drychineb oedd penderfyniad y morwr meddw, Cornelius, i hwylio nôl adre gyda'i griw o siopwyr mewn dyfroedd stormus. 'My tears were falling fast as our old friend finished his sad little story, and he saw them,' medd y traethydd, Margaret Vaughan. Ond datgelir gan yr hen ŵr fod Gwen, cyn ei marwolaeth, yn bwriadu priodi morwr ifanc, yntau hefyd yn ddiotwr, ac meddai: '"Maybe 'twas all for the best, Miss. Gwen's sailor was not a very good sort; he was fond o' his little drop. Perhaps it is better as it is . . . 'Tis hard sometimes; she was all we had, but she's in God's hands."'[13] Ysgrifennwyd y stori hon yn yr un flwyddyn ag y sefydlwyd Cymdeithas Ddirwestol Merched Gogledd Cymru (CDMGC), ac wrth i ni sylweddoli bod colli Gwen i'r môr yn llai trychinebus yng ngolwg ei rhieni crefyddol na'i cholli i ddyn meddw, amlygir difrifoldeb effeithiau dinistriol y ddiod feddwol ar y gymdeithas.

Pentref arfordirol yng nghefn gwlad Cymru yw lleoliad y gyfres bedair pennod hefyd, o'r enw 'How the Poacher Paid his Debt',[14] stori ddirwest yn y bôn, ond a ddefnyddir gan 'Gwyneth' i roi darlun o'r tirfeddianwyr anfoesol, siofinistaidd, Seisnig a gormesol, thema a ddatblygir yn y nofel *Plant y Gorthrwm* bymtheng mlynedd yn ddiweddarach.Yma, mae Tim Morris, gŵr i Betsy a thad Bet, wedi cael ei ddal yn herwhela – er mwyn bwydo'i deulu – ar ôl noson yn y dafarn. Ond gan fod y Sgweiar Wynne oddi cartref, nid yw Tim yn cael ei garcharu ar unwaith, ac yn y cyfamser mae Nest, merch garedig y sgweiar, yn rhoi arian iddo i ffoi i wlad dramor, ar yr amod na fydd yn cyffwrdd â diferyn o ddiod feddwol fyth eto.

Yn fuan wedyn, mae rhieni Nest yn marw a'i gadael heb ddim, sefyllfa echrydus â'i gyrrodd i briodi'r Capten John Meredydd, diotwr a feddwai bob nos yng nghwmni ei ffrindiau yn eu plasty. Mae Nest yn colli cysylltiad â phawb, ac meddai'r traethydd, a fedrai, mae'n siŵr, uniaethu â'i hiselder, 'she could not parade her broken heart before the world'.[15] Yn y cyfamser mae hen ffrindiau i rieni Nest yn dod nôl adre o wlad dramor, sef Mrs Trevor a'i mab Roy ac un noson pan daena newyddion fel tân gwyllt drwy'r ardal am longddrylliad yn y bae, â Nest a Bet – ei morwyn erbyn hyn – i weld a fedrant helpu. Yno hefyd mae Roy, sydd heb weld Nest ers i'r ddau arfer chwarae gyda'i gilydd yn blant. Ond y cyd-ddigwyddiad mwyaf yw mai un o'r morwyr a ddaw i'r lan yw Tim Morris. Cyn gynted ag y cyrhaedda dir sych, mae'n dyst i'r ymosodiad ar Nest gan y Capten Meredydd oedd wedi ei gynddeiriogi wrth ddarganfod fod ei wraig wedi mentro allan i'r traeth heb ei ganiatâd.

Y funud honno mae Tim Morris yn penderfynu dial ar John Meredydd. Pan gyll hwnnw'i holl arian y noson ganlynol yn hap-chwarae, gwêl Tim ei gyfle a chynigia swm mawr iddo am ei blasty, ar yr amod ei fod yn diflannu o'r wlad am bum mlynedd. Nid yw'r Capten mewn sefyllfa i wrthod, a gan ei fod ar frys i gael ei frandi, sy'n aros amdano, medd Tim Morris, ar fwrdd y llong, mae'n mynd ar unwaith, ond ar ôl cyrraedd yn yfed paraffin yn ddamweiniol ac yn marw.

Wedi dod yn ddyn cyfoethog drwy gadw ei addewid i Nest, mae Tim yn awr yn troi'n noddwr cymdeithasol. 'I vowed out there', meddai, 'that if I came back with a full pocket I'd try and do good with it.'[16] Mae'n trosglwyddo'r ystâd yn ôl i Nest, ac yn agor ysgol i'r trigolion lleol, un arall o hoff themâu Gwyneth Vaughan, lle mae aelod o'r werin, drwy weithgaredd a sobreiddiwch yn dringo i ddosbarth uwch, a'i holl gymdeithas yn elwa drwy ei ymdrechion – arwydd o ragoriaeth yr Anghydffurfwyr cyfrifol ar y meistri tir gwastrafflyd, trahaus.

Gellid bod wedi disgwyl diweddglo rhamantus mewn glân briodas rhwng Nest a Roy Trevor, ond yn hyn o beth mae Gwyneth Vaughan yn ymbellhau oddi wrth arferion llenyddol confensiynol ei dydd ac yn gwrthbrofi honiad Thomas Parry mai 'uchafbwynt' ei storïau 'yw bod y bachgen iawn yn priodi'r ferch iawn'.[17] I'r gwrthwyneb, dynes â'i thraed ar y ddaear yw Betsy, gwraig Tim, a hi gaiff y gair olaf, wrth i Tim ddyfynnu un o'i doethinebau: 'The women whose first matrimonial venture has proved such a shipwreck are in no hurry to speak away their freedom a second time.'[18]

Try 'Gwyneth' ei chefn ar y thema ddirwestol yn ei stori fer arall i'r *Welsh Weekly*, 'A Day at Llandrindod', wrth i Margaret Vaughan a'i brawd ymweld â'r 'Queen of the Spas', yn Llandrindod, lle mae nifer o bregethwyr sefydledig, Aelod Seneddol (seiliedig ar Tom Ellis, mae'n debyg), meddyg ac awdures yn mwynhau eu hunain mewn canolfan sy'n denu pwysigion y Gymru Anghydffurfiol, criw bach breintiedig a aeth gyda'i gilydd i gongl i adrodd eu chwedlau. Y stori a ailadroddir yn yr hanesyn yma gan y traethydd yw'r un am John Elias yn ddyn ifanc yn mynd i bregethu mewn pentref gwledig a chael ei anwybyddu wrth gyrraedd y Tŷ Capel yn oer a gwlyb diferol. Ond yr eiliad yr ymddengys y pregethwr oedrannus, adnabyddus: 'Immediately every chair was empty, and the newcomer welcomed with great effusion.'[19] Ond mae John Elias yn troi'r drol ac er gwaethaf ymdrechion yr hen bregethwr i'w ddrysu gyda'i ebychiadau dilornus yn gwefreiddio'r gynulleidfa. Nôl yn y Tŷ Capel: 'The old minister', meddir, 'pointing to the young one, electrified the company by saying "We have not known him; he is a man of God; make much of him, make much of him!"'[20]

Mewn stori fel hon mae Gwyneth Vaughan yn dyrchafu Ymneilltuaeth Gymreig drwy sôn am ei phregethwyr carismataidd – pwnc a fyddai wrth fodd golygydd y *Welsh Weekly* – ac yn cadarnhau delwedd annibynnol Cymraes ddibriod fel aelod cyfartal o'r cwmni gwrywaidd. Ond yn fwy arwyddocaol, mae'n torri un o'r rheolau a fu'n ganllaw i awduron benywaidd Methodistaidd y Gymru Gymraeg hyd yn hyn, ac yn mentro diddanu ei darllenwyr yn hytrach na meithrin eu budd ysbrydol, cam a gymerwyd eisoes gan Daniel Owen a rhai awduron eraill gwrywaidd.

Nid oes unrhyw gysylltiad rhwng ail ran y stori â'r hanner gyntaf, heblaw ei bod yn digwydd yn yr un lleoliad. Ynghanol y nos yn y 'Queen of the Spas', tarfwyd ar gwsg un o'r gwesteion, dirgelwch a gaiff ei ddatrys gan Margaret pan ddarganfu bod dwy ferch ifanc wedi rhoi rilen o edau yn ystafell hen lanc o bregethwr, a'i ddirwyn i'w hystafell hwy, a chael y sbri ryfeddaf wrth dynnu'r edau a chodi braw ar y cysgwr yn oriau mân y bore. Unwaith eto ceir delwedd gadarnhaol o'r ferch – dwy gyfeilles ifanc yn mwynhau chwarae triciau, a Margaret, yr unig un o blith yr holl westeion oedd yn ddigon dewr i godi yng nghanol y nos i herio'r 'ysbryd' yn y tywyllwch. Ymddengys mai stori stoc yw hon gan i Winnie Parry (1870–1953) ei hailadrodd yn ei chyfrol *Sioned*, lle mae'r arwres ifanc yn chwarae'r un tric ar bregethwr a ddaw i aros yn ei chartref.[21] Er mai dwy flynedd sy'n gwahanu'r ddau hanesyn, ganed Winnie Parry ddeunaw mlynedd ar ôl Gwyneth Vaughan, a gellir gweld fel yr oedd ymdrechion un genhedlaeth o fenywod llengar wedi hwyluso llwybr y genhedlaeth nesaf a'u gosod, drwy fraenaru'r tir, ar ben y ffordd tuag at waith llenyddol rhagorach, mwy hyderus. Yn yr hanesion Saesneg hyn yn y *Welsh Weekly* ceir rhagflas o nifer o'r elfennau a ddatblygir gan Gwyneth Vaughan yn ddiweddarach yn ei gyrfa lenyddol ac maent yn gwrthbrofi unwaith eto un o honiadau Thomas Parry a ddywedodd nad oedd Gwyneth Vaughan wedi cychwyn ysgrifennu ffuglen tan 1903, pan ymddangosodd *O Gorlannau y Defaid* yn *Y Cymro*.

Erbyn 1893, drwy ei hamlygrwydd fel newyddiadurwraig ac areithwraig dros ei phlaid wleidyddol, gwahoddwyd Gwyneth Vaughan i gyfrannu i'r *Dowlais Weekly Gazette*.[22] Er mai dim ond un rhifyn sydd ar gael i ni erbyn heddiw, yn ffodus iawn yn yr union rifyn hwnnw, rhoddir sylw canolog i Gwyneth Vaughan fel awdur ac ymgyrchydd. 'To the English and bilingual readers we have a most important announcement to make,' medd y golygydd (erbyn hyn, sylwer fod 'Gwyneth' wedi mynd yn 'Gwyneth Vaughan'):[23]

> We give it as a plain unvarnished fact, that Gwyneth Vaughan with her usual readiness to help forward a deserving literary venture – has promised to become a weekly contributor to the *Dowlais Weekly Gazette*. Gwyneth Vaughan requires no introduction to the reading public of South Wales, her dazzling reputation has already travelled throughout the land and vain indeed would it be for us to try and add to the very flattering comments so recently made upon this lady's literary talents, and lecturing powers, by the leading South Wales newspapers.[24]

Tair Colofn Holi ac Ateb

Ni fedrir ymhelaethu ar ei chyfraniadau i'r *Dowlais Weekly Gazette*, ond gwyddom iddi rhwng 1893 a 1895 ysgrifennu erthyglau blaen a hefyd olygu'r 'Enquiry Column', y gellid bod yn weddol sicr ei bod yn tebygu, i raddau helaeth, o ran ffurf a chynnwys, i dair colofn arall a olygwyd gan Gwyneth Vaughan, sef y 'Ladies Column' yn y *Welsh Weekly* (1892), Colofn y Merched yn yr *Eryr* (1894–5) a 'Cornel y Ford Gron' yn y *Cymro* (1907–8). Efelychiad yw'r rhain o'r golofn 'holi ac ateb' a welid yn y *Frythones* rhwng 1879 ac 1889 o dan olygyddiaeth Cranogwen, un o rôl-fodelau cynnar Gwyneth Vaughan, dynes a fentrodd 'ddadlau dros ryddid ei rhyw cyn i unrhyw ferch arall yn ein gwlad feiddio sibrwd ei hanfodlonrwydd'.[25] Dyma fformat a foderneiddiwyd gan Gwyneth Vaughan i gwmpasu pob pwnc o dan haul – gwleidyddiaeth a chenedlaetholdeb, crefydd, sectyddiaeth ac enwadaeth, llenyddiaeth, athroniaeth, moesoldeb, hanes, hen arferion Cymru, yr iaith Gymraeg, cyfarwyddiadau ar y dull gorau o goginio a chyngor ar bob math o afiechydon, sut i addurno'r cartref, pa ddillad i wisgo, ble i ddod o hyd i foddion a llyfrau, dillad a deunydd addas ar gyfer unrhyw achlysur, a pha feddygon a barnwyr ac Aelodau Seneddol oedd yn gwybod eu gwaith. Ond yn bennaf oll, ac o brif berthnasedd i'r gyfrol hon, defnyddiodd ei cholofnau holi ac ateb i annog y Gymraes i herio'r system batriarchaidd ac i ddal ei thir yn ddi-ildio – fel y gwnaeth hi ei hunan mewn cyfnod lle gwelwyd un genhedlaeth ansicr ac ystyfnig yn ymroi i wrthsefyll dyfodiad anochel 'Dynes Newydd' y genhedlaeth nesaf.

O ystyried y diddordebau dirifedi a restrwyd uchod, mae'n ddigon amlwg fod Thomas Parry ymhell ohoni pan ddywedodd mai prif amcan 'Cornel y Ford Gron' oedd 'cynghori'n ddoeth ynghylch beth i'w wisgo a beth i'w fwyta . . . y pynciau sydd o barhaol bwys i ferched'.[26] Yn sicr, nid oedd dim ymhellach o feddwl Gwyneth Vaughan na chreu 'Angylion yr Aelwyd' o'i darllenwyr. I'r gwrthwyneb, yn ei hymateb i lythyrwraig o'r enw 'Pupil Teacher', er enghraifft, mae'n achub y cyfle i roi ergyd i Gymraësau â'u bryd ar efelychu merched segur dosbarth-canol Lloegr drwy ddyfynnu bancwr cyfoethog o Efrog Newydd. Manteisia ar y cyfle i ladd dau aderyn ag un garreg drwy anelu ei sylwadau at ddarllenwyr gwrywaidd y *Welsh Weekly* hefyd, oedd hwyrach yn y mwyafrif. 'I am determined', meddai'r Americanwr, 'that all my family shall know how to earn money if anything happens to me. After all, labour is above wealth.' Ac ychwanega Gwyneth Vaughan, gyda chryn arddeliad, 'How much suffering would have been avoided if many parents in our country had been of the banker's opinion instead of bringing up their daughters to look upon being able to earn their own living as something little short of a disgrace.'[27] Gyda'r un pendantrwydd nodweddiadol, rhydd ei holl gefnogaeth i'r ohebwraig 'Medica': 'No,' meddai, 'we do not think "going for a degree unsexes a woman". By all means go on as you have begun, and pay no attention to narrow-minded critics.'[28]

Arwydd o boblogrwydd y fformat yma oedd i Gwyneth Vaughan ei hailadrodd rhwng 1894 a 1896 yn *Yr Eryr: Cofnodydd Wythnosol at Wasanaeth Cymru* (1892–8),[29] cyfnodolyn sy'n nodi trobwynt yn ei gyrfa lenyddol. Hyd yn hyn gwnaeth yn fawr o'r Saesneg a ddysgodd fel plentyn yn yr ysgol ac a berffeithiodd fel oedolyn. Ond yn dilyn ei hastudiaeth drylwyr o lenyddiaeth draddodiadol a chyfoes ei chenedl, teimlodd erbyn 1894 yn ddigon hyderus i ysgrifennu yn ei mamiaith, a darllenwyr yr *Eryr* fu'r cyntaf i gael eu targedu â'i syniadau ffeminyddol di-flewyn ar dafod drwy gyfrwng y Gymraeg.

Unwaith eto, mae'r modd y sonnir am ddillad gan Gwyneth Vaughan, yn unig er mwyn gwneud pwynt ffeminyddol, yn tanseilio dyfyniad arwynebol Thomas Parry. 'Yn sicr,' meddai, 'ni wnawn fawr o gamrau yn mlaen gyda rhyddid merch hyd nes y caiff ei rhyddhau o gaethiwed ei dillad . . . y mae dillad mab yn meddwl rhyddid, tra y mae dillad merch yn ddarlun byw o gaethiwed.'[30] Ac meddai cyn gorffen ei llith ar ddiffyg ymarferoldeb gwisg merched ei hoes: 'I'r meibion hynny sydd yn crynu rhag unrhyw gyfnewidiad, rhoddaf y cyngor o roddi gwisg merch am danynt am unwaith, ac wedi hynny, wneud ymgais i gario baban a "phowliad" o laeth i fyny y grisiau.'[31]

Dynes â'r dadleuon dros gyfartaledd i ferched ar flaen ei bysedd yw golygydd y colofnau hyn, a fedr gysylltu cyflwr truenus y gymdeithas bron yn ddieithriad â'r diffyg cyfle a roddwyd i fenywod ymarfer eu dylanwadau cadarnhaol fel dinasyddion.[32] Gweddai ei dychan deifiol i'r dim fel dull dilys o ymosod ar gamweddau patriarchaeth, wrth iddi egluro wrth y lythyrwraig Modryb Catrin nad yw menywod priod yn talu treth yn uniongyrchol. 'Fel y gwyddoch,' meddai, 'y mae gŵr a gwraig yn cael eu hystyried yn un, ac hyd yn hyn yr un hwnnw yw y gŵr.'[33] A'r wythnos ganlynol, manteisia ar y cyfle i wneud cyff gwawd o Dywysog Cymru. Yn ei thyb hi, petai gan fenywod fwy o ddylanwad, ni fyddid wedi rhoi diwrnod o wyliau i chwarelwyr gogledd Cymru i'w dreulio yn y dafarn pan freintiwyd yr Eisteddfod Genedlaethol â phresenoldeb 'y dyn bychan tew a adnabyddir wrth yr enw Tywysog Cymru', nad oedd 'yn deilwng i ddatod carai esgid llawer o ddeiliaid teyrnas ei fam'. Yn y 'Gymru fechan dlawd', llawer gwell, ychwanegodd, fyddai bod wedi dathlu'r achlysur 'trwy ostwng ychydig ar renti tai y chwarelwyr'.[34]

Y gwleidydd a'r genedlaetholwraig ffeminyddol sy'n siarad yn yr *Eryr*. Fel y soniwyd eisoes, mewn ymateb i'r gefnogaeth a gawsant gan arweinyddion Cymru Fydd, yng nghanol nawdegau'r bedwaredd ganrif ar bymtheg ysbrydolwyd menywod mwyaf blaengar y Gymru Ryddfrydol i gydweithio ag aelodau gwrywaidd y mudiad. Yn awr yn 1894 mae Gwyneth Vaughan yn annog 'pob Cymro a Chymraes wladgarol drwy yr holl fyd' i ddarllen llyfr o'r enw *Cymru Fydd, Cymru Rydd* gan Celt, a thrwy hynny 'gael golwg newydd ar ei wlad, ei iaith, a'i genedl . . . Y mae yn dangos yn ei liw ei hunan', meddai wrth ddyfynnu Celt, 'peth mor gywilyddus yw ein gwaseidd-dra fel cenedl i'r Sais uniaith sydd wedi ein dirmygu er's oesoedd bellach,'[35] a cheir y teimlad fod Tywysog Cymru yn enghraifft o'r math o Sais oedd ganddi mewn golwg.

Dros ddeng mlynedd yn ddiweddarach, yn 1906–7, yn ei cholofn 'Cornel y Ford Gron', nid dylanwad andwyol y Sais ar Gymru sy'n cael y prif sylw, ond y blaid Ryddfrydol y bu'n gweithio'n galed drosti'n ddi-dâl am nifer o flynyddoedd. Fe'i dadrithiwyd hi, a llawer o aelodau benywaidd y blaid, gan ei hamharodrwydd i gynnwys pleidlais i fenywod yn eu maniffesto, polisi a arweiniodd at ddulliau mwy mentrus ac uniongyrchol o du'r menywod eofn yr oedd ganddi gymaint o barch tuag atynt. Er nad oedd mewn gwirionedd yn credu yn nulliau ymosodol, uniongyrchol arweinwragedd y swffragetiaid, medrai ddeall eu rhwystredigaeth, fel y dywedodd wrth y gohebydd 'Cymrawd':

> Er i rai o ferched doethaf y deyrnas, boneddigesau yng ngwir ystyr y gair, ofyn am ganiatâd i ymddangos o flaen 'bar' Tŷ y Cyffredin i gyflwyno eu deiseb, gwrthododd y Prif Weinidog eu cais. Dyna y driniaeth gaiff ymddygiadau teilwng, a pherffaith foneddigeiddrwydd oddiar law gweinidogion y Llywodraeth yr ydym ni yn cael ein trethu i'w cadw.[36]

Yr un yw ei theimladau yn ei hymateb i lythyrwraig o'r enw Ruth, a dynnodd ei sylw at rai dynion oedd yn beirniadu ymddygiad yr ymgyrchwyr benywaidd. Yn ôl ei harfer, llwydda Gwyneth Vaughan i droi'r ddadl ar ei phen. 'Mae'r merched yn ymddangos yn rhy enbyd eu hymddygiadau i'r dynion eu hunan', meddai, 'a rhyfedd iawn nis gall y meibion edmygu y dull y maent hwy yn ddigon cynefin ag ef ynddynt eu hunain.'[37] Er ei bod yn uniaethu â'r Blaid Ryddfrydol Gymreig yn ei hymgyrch dros Ddatgysylltiad yr Eglwys a'i brwydr yn erbyn y ddiod feddwol, yn hyn o beth, safbwynt y menywod a orfu: 'Nis gallaf lai na'u hedmygu o eigion fy nghalon', meddai, 'maent yn medru aberthu mwy nag allwn i, ac o gymaint â hynny yn uwch o'u hysgwyddau i fyny.'[38]

Llenyddiaeth genedlaetholgar a'r Mudiad Pan-Geltaidd

Yn dilyn methiant mudiad Cymru Fydd i gyflawni gobeithion ei gefnogwyr, yn genedlaetholwyr a ffeminyddion, gwelwyd cynnydd cyffredinol yn ymdrechion arweinwyr y Gymru Gymraeg i atgyfnerthu Cymreictod eu cenedl. Ni ellid gwahanu'r newid yn naws a chynnwys ysgrifennu Gwyneth Vaughan ar droad y ganrif oddi wrth ymateb ei chyfoedion i ddylanwadau Seisnig, wrth i'r Ymherodraeth bwerus drws nesa gadarnhau ei goruchafiaeth, ac o'r herwydd, ei hapêl i'w chymydog agosaf.

O dan y ffugenw John Artaxerxes, nid yw Gwyneth Vaughan yn ymatal rhag mynegi ei theimladau dilornus. 'Os ydyw ysbryd Dic Sion Dafydd i lywodraethu, melltith i Gymru fydd eu hysgolion,' meddai. '[O]s cyll [y Cymro] ei genedlaetholdeb . . . disgyn o fod yn Gymro cywir i fod yn Sais israddol a wna.'[39] Ac mewn erthygl i *Celtia* yn 1902 meddai, o dan ei henw ei hunan, '[I]f we keep our nationality, our language, our Celtic and Iberian characteristics, we may be a great and strong power in the development of the world's history.'[40]

Yng ngoleuni'r fath ddatganiadau, tipyn o syndod yw i Thomas Parry amau cenedlaetholdeb Gwyneth Vaughan. 'Yn holl ysgrifeniadau Gwyneth Vaughan,' meddai:

> ychydig iawn o sôn am Gymru fel cenedl a welais i . . . ni sylweddolodd hunaniaeth y genedl . . . Bu'n gweithio gyda mudiad Cymru Fydd am fod hwnnw'n gymeradwy gan y Blaid Ryddfrydol, yn debyg iawn i'r fel y mae llawer un yng Nghymru heddiw yn cefnogi datganoli am mai dyna bolisi swyddogol y blaid Lafur.[41]

Gellir dadlau mai taro'r post i'r pared glywed a wna Thomas Parry yn y dyfyniad hwn, gan wneud erthyglau Gwyneth Vaughan yn hoelion y gellid hongian arnynt ei deimladau negyddol tuag at ddiffyg ymrwymiad a diffuantrwydd aelodau Cymreig y Blaid Lafur yn y cyfnod yn arwain at Refferendwm 1979. Mae'n wir i Gwyneth Vaughan barhau yn ei swydd fel trefnydd adran menywod y Blaid Ryddfrydol yng Nghymru am flynyddoedd ar ôl i Gymru Fydd fethu yn ei hamcanion. Ond ni roes y gorau i'w hymdrechion dros ei hiaith a'i chenedl. Yn hytrach, darganfu ddull amgen o gynnal gwerthoedd a diwylliant ei gwlad, megis sefydlu 'Undeb y Ddraig Goch' yn 1901, ar y cyd â'r genedlaetholwraig flaengar Mallt Williams, er mwyn hybu'r Gymraeg fel iaith yr aelwyd. Hyrwyddodd gysylltiadau Cymru a thraddodiadau llenyddol y mudiad Pan-Geltaidd drwy gyfrannu i *Celtia* a'r *Celtic Review*, a chyfrwng er cynyddu ymwybyddiaeth Cymry o'u diwylliant unigryw a hynafol oedd wrth wraidd yr holl erthyglau a ysgrifennodd am yr Eisteddfod y soniwyd amdanynt yn yr ail bennod.[42]

Rhwng 1902 a 1908 drwy gyfrwng nifer o 'weledigaethau' a 'breuddwydion' ac alegorïau, mynega Gwyneth Vaughan ei chefnogaeth i'r adfywiad llenyddol Cymraeg a'i hymrwymiad i'r mudiad Pan-Geltaidd mewn cyfres o storïau – tair i'r cylchgrawn *Cymru* yn 1902, 1905 a 1907, un i'r *Celtic Review* yn 1907, un arall yn yr un flwyddyn i *Am Bolg Solair* (Glasgow), a'r olaf i *Celtia* yn 1908. Ei chariad tuag at ddiwylliant a thraddodiadau llenyddol hynafol y gwledydd Celtaidd oedd ei hysbrydoliaeth. Fe'n tywysir i fyd ffantasi, ac er ei bod yn glynu wrth ei harferiad o bortreadu menywod fel arwresau, nid oes sôn yn y chwe stori yma am grefydd na dirwest, elfennau na ellir eu hosgoi yn gyfan-gwbl mewn unrhyw ffuglen arall o'i heiddo. Dyma storïau na welir eu tebyg ymhlith ysgrifennu gan awduron benywaidd eraill yn nechrau'r ugeinfed ganrif yng Nghymru.

Breuddwyd-weledigaeth am yr Eisteddfod Genedlaethol yw'r gyntaf, ac er i Gwyneth Vaughan gysuro'i darllenwyr yn y *Geninen* yn 1900 pan ddywedodd, '[N]a chyffroer chwi! Nid yw yr Eisteddfod yn myned i farw,'[43] yn ei stori 'Gweledigaeth y Babell Wag',[44] mae'r babell yn wag a phawb oedd yn ymwneud â'r Eisteddfod mewn gwahanol gelloedd o dan y ddaear yn llyfu eu briwiau ac yn gwrthod cyd-dynnu. Oherwydd ariangarwch y trefnwyr, mae achlysur a ddylai fod yn symbol o ragoriaethau diwylliant ac arwyr Cymru Fu wedi ei lygru gan Seisnigrwydd. Ond caiff y freuddwydwraig ei chysuro i ryw raddau gan ei thywysydd. 'Oni wyddost ti fod yn rhaid marw i gael adgyfodiad gwell?'[45] gofynnir iddi, a hyn yn adlewyrchiad o'r angen i ddiwygio'r Eisteddfod – pwnc y byddai'r darllenwyr, mae'n debyg, yn ymwybodol iawn ohono.

Nid ei chynnwys, fodd bynnag, yw prif ddiddordeb y stori i ni, gan ein bod erbyn hyn yn hen gyfarwydd â'r problemau a wyntyllid ganddi am yr Eisteddfod. Ond o gadw mewn cof syniadau pendant Gwyneth Vaughan ar 'pa beth ddylasai arddull a chystrawen wir Gymreig fod', a gan iddi gollfarnu'r 'mwyafrif' am 'orlwytho yr iaith Gymraeg â phriod-ddulliau estronol na pherthyn iddi' gan beri iddi 'golli ei harddunedd cysefin',[46] mae'n werth ystyried techneg ac arddull 'Gweledigaeth y Babell Wag'. Gwelsom eisoes yn ei chyfeiriadau at draddodiad llenyddol cyfoethog ei hardal enedigol fod Ellis Wynne o'r Lasynys yn un o'i harwyr. Pa well campwaith i droi ato felly am ysbrydoliaeth na *Gweledigaethau y Bardd Cwsc*, gan gychwyn drwy efelychu teitl y llyfr enwog hwnnw? Ac wrth ddarllen ymlaen, trawiadol yw'r tebygrwydd, ar adegau, rhwng naws a rhithm ysgrifennu Gwyneth Vaughan a'r Bardd Cwsc. Yn ei freuddwyd, arswydodd Ellis Wynne wrth glywed dau o'r Tylwyth Teg yn dadlau am yr hyn y dylid ei wneud ag ef:

> 'Awn ag e'n anrheg i'r castell', ebr un.
>
> 'Nage, crogyn ystyfnig, taflwn ef i'r llyn; ni thâl mo'i ddangos i'n t'wysog mawr ni,' meddai'r llall.
>
> 'A ddywed e ei weddi cyn cysgu?' ebr y trydydd.
>
> Wrth iddynt sôn am weddi mi a riddfenais ryw ochenaid tuag i fyny am faddeuant a help; a chynted y meddyliais, gwelwn ryw oleuni o hirbell yn torri allan – o mor brydferth! . . . Ar hyn gollyngasant eu gafel, ac ar eu hymadawiad troesant ata'i guwch uffernol, ac oni basai i'r Angel fy nghynnal, baswn digon mân er gwneud pastai cyn cael daear.[47]

Ac meddai Gwyneth Vaughan:

> Yn sŵn y miwsig, syrthiais innau i gysgu. A breuddwydio a wnaethum. Tra yn synfyfyrio tybygwn i mi glywed ochenaid yn esgyn o rywle oddi tan y llwyfan . . . wylai rhai ohonynt yn hidl, curai eraill eu dwyfronnau mewn gofid, gan ollwng ambell ochenaid drom lwythog allan o'u mynwesau . . . A mi yn petruso beth a wnawn, safodd yn fy ymyl ŵr ieuanc mewn gwisg o liain main gwyn a glân, a chyfarchodd well i mi. Ymgrymais innau yn foesgar, ond nis gallwn lefaru un gair. Ai angel ydoedd? Nis gwyddwn i.[48]

Cyhoeddwyd y 'Weledigaeth' hon yn y cyfnod rhwng y Gyngres Ban-Geltaidd yn Nulyn yn 1901 a'r un olynol a gynhaliwyd yng Nghaernarfon yn 1904. A thra oedd y Mudiad Celtaidd yn dal yn ei fri, yn 1905,[49] ysgrifennodd Gwyneth Vaughan ei halegori 'Breuddwyd Nos Nadolig',[50] ymgais bellach i filwrio yn erbyn 'the deadening and demoralising influences of modern Ango-Saxondom', chwedl yr *Irish Times*.[51] Unwaith eto mae'n efelychu arddull meistri rhyddiaith glasurol Gymraeg, a gan fod dylanwad Beiblaidd yn gryf ar yr arddull yma, roedd yn gweddu i'r dim i Gwyneth Vaughan. Amlygir rhagoroldeb 'Breuddwyd Nos Nadolig' nid yn unig ym mhenderfyniad y Golygydd i'w gosod ar dudalen flaen y cylchgrawn *Cymru*, ond hefyd yn yr englyn canlynol gan Cybi:

> Breuddwyd! Ond gwir bob brawddeg, – a'i grebwyll
> Yn gerubaidd goeth deg;
> Wych Wyneth! Moes ychwaneg
> O glod i iaith Gwalia deg.[52]

Mae hon yn alegori ddramatig, a'i ffurf yn seiliedig ar ddameg y Samariad Trugarog. Yr iaith Gymraeg oedd y 'truan', yn gorwedd ar ben craig uwch bae Ceredigion, ar lun corff merch anferth, ddiymadferth, oedd yn amlwg mewn poen. Megis yn y ddameg, ni ddaeth cymorth ar unwaith; aeth nifer y ffordd arall heibio, gan fynegi eu dirmyg. Ond ymhen hir a hwyr, daeth teithwyr caredicach, a rhoddodd rhai anrhegion iddi – ar ffurf dyfyniadau o gerddi Cymraeg. Wrth i ddillad carpiog y truan drawsnewid yng ngwres y cariad a ddangosir tuag ati, daw'r stori i ben ar nodyn gorfoleddus wrth iddi gael ei thrawsnewid yn frenhines, gan sicrhau dyfodol yr iaith.[53] Testun llawenydd i Gwyneth Vaughan, mae'n siŵr, oedd yr amlygrwydd a roddwyd i'r stori hon, a heb amheuaeth mae'n rhagori ar 'Gweledigaeth y Babell Wag', yn llifo'n well, yn symlach, ac yn fwy cryno.

Yn Ionawr oer 1907, cyhoeddwyd ei 'breuddwyd' olaf yn y cylchgrawn *Cymru*, 'Y Waedd yn y Fonllech'.[54] Yma mae'r awdur yn ôl yn ei hardal enedigol, ym more oes, a wedi mynd ar daith na fyddai unrhyw un yn ei hiawn bwyll yn ei hystyried – i'r ucheldir uwch Harlech ar noson o 'luwchfeydd eira yn codi fel bryniau o'm cwmpas, a'r plu yn fy nallu, y gwynt a'i sŵn fel oernadau enaid colledig yn fy nghlustiau'.[55] Mae'n taro mewn i ddau offeiriad, sy'n amlwg wedi colli eu ffordd. Wrth weld merch ifanc yn y fath le annisgwyl, meddai'r gŵr ieuengach, '"Pwy wyt ti? A ddaethost ti yma i'n harwain ni i wlad hud? Ai ti yw duwies yr eira?"' Caiff stŵr gan ei gyfaill: '"Theo, Theo, taw, distawa,"' meddai, '"oni adnabyddi di angylion?"'[56]

I ddod i wybod pwy yw 'Theo' a'i gyd-deithiwr, rhaid i ddarllenwyr chwilfrydig fod yn amyneddgar. Y cam nesaf oedd chwilio am le diogel i gysgodi. Y 'feinir' angylaidd sy'n achub y dydd gyda'i gallu i aros yn bwyllog mewn argyfwng, a hyn yn gyferbyniad trawiadol i ymddygiad y ddau ddyn, sydd erbyn hyn yn eu dagrau. Trwy fenthyca ffyn y ddau offeiriad, mae'r ferch ifanc yn dyfalbarhau, ac yn darganfod 'clawdd y Fonllech', sef darn adnabyddus o'r tirlun a fyddai'n ei helpu i asesu eu lleoliad. Gyda hyn, ysbrydolir yr hynaf o'r ddau offeiriad i gyfansoddi llinell o farddoniaeth. '"Y waedd ar y Fonllech glybuwyd yn Harlech,"' sisialodd, ac yn awr tro'r llall yw dweud y drefn. '"Ust, taw"', meddai, '"nid amser i brydyddu, ond amser i weithio yw yr awr bresennol . . . tyred, ni a ddilynwn y feinir."'[57]

Cyn hir maent yn gweld golau ac yn cyrraedd 'ty annedd', ac yn clywed 'canu nefolaidd oddi mewn'. Cânt groeso a lluniaeth a dillad sych, ac ar ôl iddynt 'gasglu eu meddyliau gwasgaredig ynghyd', maent yn edrych o'u cwmpas ac yn gweld 'yr hen gloc a welsai dau o honom o'r blaen fwy nag unwaith, yn parhau i gadw amser fel yn nyddiau yr un a gysegrodd y gronglwyd'.[58] Erbyn hyn byddai mwyafrif o'r darllenwyr yn sicr o fod wedi dyfalu mai'r tŷ hwn oedd Y Gerddi Bluog, hen gartref Edmwnd Prys, ac mai'r ddau offeiriad oedd Elis Wyn o Lasynys a Theophilus Evans, dau o arwyr Gwyneth Vaughan o'i hieuenctid.

Gan fod Gwyneth Vaughan wedi ysgrifennu'r tair breuddwyd-weledigaeth yma yn ysbeidiol rhwng 1902 a 1907, hawdd credu na fyddai darllenwyr *Cymru* wedi cofio, neu sylwi ar y tebygrwydd rhyngddynt mewn arddull, a ffurf. Ond wrth ddarllen y tair, y naill ar ôl y llall, gwelir eu hynodrwydd, a diddorol sylwi ar y cynnydd disgyblaethol yn ei dawn i greu stori. Yn y gyntaf, neidia ei meddwl chwim o'r naill le i'r llall, a'r dull cymharol drwsgwl o drafod un o bynciau llosg y dydd yn amharu ar rediad y stori, gan nad oedd digon o ofod i gwmpasu'r holl gymeriadau a'r holl ddigwyddiadau a ddewisodd eu cynnwys. Yn yr ail a'r drydedd mae'n dewis un digwyddiad a'i ddatblygu heb grwydro oddi wrth y brif thema, a hyn yn gwneud y darllen yn fwy boddhaol.

Yn 1906, 1907 a 1908, ysgrifennodd Gwyneth Vaughan dair stori Geltaidd, ac eironig iddi orfod eu cyhoeddi yn yr iaith Saesneg, yr union iaith y sefydlwyd y cylchgronau Celtaidd i'w gwrthsefyll. Mae cynnwys y tair, fodd bynnag, yn hynod genedlaetholgar, a'r elfen ramantus yn yr ysgrifennu'n rhoi darlun clodwiw o'r Celtiaid, ond un cwbl gondemniol o'r goresgynwyr a ddaeth i'w disodli.

Hanesyn am uniad rhwng dau lwyth yw'r gyntaf, 'An Old Cymric Legend',[59] lle daw un o benaethiaid yr Iberiaid i hela gyda'i ddeiliaid yn y mynyddoedd, ymhell oddi cartref, gan benderfynu gwersylla dros nos. Wrth ddeffro drannoeth, gwêl y ferch harddaf a welodd erioed yn sefyll o'i flaen: 'The bloom on the petals of the blush-rose was not more fair than that on the cheek of the maiden.'[60] Hi oedd merch trigolion bach yr ogofeydd, ac o'r cychwyn cyntaf mae'n sefydlu ei chyfartaledd fel merch, a'i balchder yn ei llwyth. Pan ofynnir iddi gan y pennaeth pwy oedd hi ac o ble y daeth, meddai, '"Tell me, who art thou, and from whence thou camest. Me thinks it would be meeter that I should ask thee from whence thou camest to my home in these mountains."'[61] Ymhen oriau, heb ragor o lol na phetruso maent yn penderfynu priodi.

Ganwyd merch iddynt, Yngharad, a dyfodd yn forwyn landeg, ond un o natur gref ac afreolus. Ond un dydd fe'i gwelwyd yn cerdded yn y goedwig gan bennaeth un o lwythi'r Goideliaid, a daeth gofidiau ei rhieni amdani i ben pan syrthiasant mewn cariad a phriodi. Drwy eu priodas, unwyd holl lwythi'r Celtiaid, a buont yn hapus iawn hyd nes i'r estron yn y stori nesaf ddod i feddiannu eu rhagorfraint.

Yn yr ail stori, 'The Old Song and the New',[62] mae meibion a merched Ynys y Cedyrn yn mwynhau gwledd o dan hen goeden dderwen ar lan afon. Gyda dyfodiad nifer o ddynion 'clad in white robes reaching their feet',[63] cynhaliwyd seremoni debyg i seremoni'r Orsedd. Wrth nesáu at y dyrfa afieithus, rhydd y Pennaeth, â'i goron aur wedi ei haddurno â dail y dderwen, ei gleddyf yn y wain, gan ddymuno heddwch iddynt. Mewn ymateb mae rhai o'r bechgyn ifainc yn canu'r corn gwlad, a hwythau yn eu tro yn galw am heddwch.

Ond amharwyd ar eu bodlonrwydd pan welsant long yn rhwyfo'n gyflym i fyny'r afon tuag atynt. Daw merch o'r enw Sunder i'w cyfarch a'u rhybuddio o'u dyfodol ansicr. Roedd lluoedd estron ar eu ffordd ag arfau nas gwelwyd erioed eu bath ar Ynys y Cedyrn. Yng ngweddill y stori, mae gwahanol gymeriadau, benywaidd a gwrywaidd, yn ymateb mewn gwahanol ffyrdd, rhai yn penderfynu ffoi gyda Sunder i Ynys ddiogelach (sef Iwerddon), ond eraill yn penderfynu aros i wynebu'r gelyn. Wrth ffarwelio â'i gilydd, daw nodyn o dristwch i'w cân, 'for the eyes of the singers were wet with unshed tears and a cadance of sorrow entered into their song.'[64]

Ymhen blynyddoedd lawer, daw un o feibion cryf y gogledd (h.y. yr Alban), i chwilio am wraig yn y gorllewin (sef Cymru). 'Hope' oedd yr un a ddewisodd, ond nid oedd hi mewn sefyllfa i adael eto. Roedd yn rhaid iddi aros i gael caniatâd y brenin Arthur ar ôl iddo ddeffro o'i hirgwsg, ac aros am ei gyfarwyddiadau ar y dull o ledaenu newyddion ei ddeffroad i'r holl lwythi Celtaidd. Y funud yr ymetyb y gŵr ifanc yn gadarnhaol i ddatganiadau Hope, mae Arthur yn deffro. Clywsant arfau'n atseinio a llais yn dweud wrthynt: '"Go thou my Knight of Union, with my faithful maiden Hope and call my kindred from all lands, for it is my pleasure to see them united once more – the strong sons and fair daughters of the Land of the Mighty."'[65] Ac yn sŵn y geiriau hyn i ffwrdd â nhw i gasglu trigolion yr holl wledydd Celtaidd at ei gilydd, a chynhaliwyd achlysur tebyg iawn i Gyngres Geltaidd, pan ganwyd cân newydd obeithiol yn mynegi'r gobeithion a grynhowyd mewn dyfyniad o'r *Irish Daily Independent and Nation*: 'The power of the Celtic race, when unified and brought into play, will exert a great and beneficial influence in the advancement of mankind.'[66]

Yn 1908, ymddangosodd ei stori olaf yn *Celtia*, 'A Vision for Today',[67] sef efelychiad Saesneg o'i breuddwyd-weledigaethau Cymraeg. Mae naws gyfoes iawn i'r llith ragymadroddol lle mae'n sôn am ei hymweliad â Thyddewi, a chael ei thywys o amgylch y Gadeirlan gan neb llai na David Howell, oedd yn ddeon yno o 1897 hyd ei farwolaeth yn 1903. Er nad yw'n ei enwi, rhydd ddigon o dystiolaeth i'r darllenydd i gadarnhau mai hwn yn wir yw 'Llawdden' – enwog mewn cylchoedd efengylyddol a barddonol. Wrth adael y Gadeirlan, teifl y traethydd olwg hiraethus i gyfeiriad y Palas, ond eglura'i chyfaill mai yng ngolau leuad y dylid gweld yr adeilad hwnnw am y tro cyntaf. Felly'r noson honno, ânt yn ôl i'r Gadeirlan. 'I beheld a scene of incomparable loveliness,' meddai, ac wrth adael â ymlaen i ryfeddu at 'the enchanted palace where the spirits of the past had their dwelling place, where we also had had a glimpse of the lost, the mysterious, but so beautiful ancient world.'[68]

Er mai hybu'r mudiad Pan-Geltaidd oedd prif fwriad Gwyneth Vaughan yn y cyfraniadau yma i *Cymru*, y *Celtic Review*, *Celtia* ac *Am Bolg Solair*, mae'n werth ailadrodd ei bod, hyd yn oed yn y cyd-destun hwn, yn cyflwyno delweddau benywaidd cadarnhaol. Merch, er enghraifft, sy'n cael ei thywys o gwmpas 'Y Babell Wag' gan y 'gwr ieuanc'. Merch sy'n cynrychioli iaith a diwylliant Cymru yn 'Breuddwyd Nos Nadolig' ac 'angyles' ddyfeisgar yw prif gymeriad 'Y Waedd yn y Fonllech'. Hefyd, yn yr hanesion Saesneg, yn 'An Old Cymric Legend', drwy gaethiwo un o benaethiaid yr Iberiaid â'i swyn carismataidd, gweithredodd y cyntaf-anedig benywaidd fel llysgennad, gan dynhau'r cwlwm rhwng dau lwyth. Ac Yngharad fywiog a phenderfynol, o dras pobl bach yr ogof a'r Iberiaid, sy'n uno'r llwythi Celtaidd drwy ddod yn un o famau 'hil nobl' y Goideliaid. Merch sy'n dod â'r newyddion drwg o'r cwch rhwyfo yn 'The Old Song and the New', a Hope a ddewiswyd i aros am gyfarwyddiadau oddi wrth y Brenin Arthur. Ac yn y stori olaf 'A Vision for Today', mae cariad Gwyneth Vaughan at hen hanes ei gwlad a'i gwybodaeth o'i diwylliant, a'i pherthynas ddeallusol â'r Deon Howell yn sefydlu ei chydraddoldeb ag aelodau blaengar ei chenedl, fel ffigwr y gallai awduron benywaidd Cymru fod yn falch i'w hefelychu.

Cyn troi ein cefn ar ei llenyddiaeth Geltaidd dylid tynnu sylw at y gyfres 'Merched Cymru Fu' a ysgrifennodd Gwyneth Vaughan i'r *Brython*, yn yr un flwyddyn â'i chwedl olaf i *Celtia*. Ymdrech bellach oedd hon i godi ymwybyddiaeth y Gymraes o arwresau ei gorffennol, mewn cyfnod cyn i'r Saeson ddod â'u 'llyffetheiriau i lesteirio datblygiad cyneddfau gorau merched Ynys Prydain' a chyn i'r Normaniaid orffen 'y budrwaith'.[69] 'Pwy ŵyr', ychwanegodd, 'na fydd darllen tipyn am ddewrder mamau eu cenedl yn symbyliad i wroldeb ambell i Gymraes ieuanc yn ein hoes ni . . . merched dewr nas ofnent wynebu neb, na wisgent iau'r estron, ond a fyddent bob amser i'w cael yn y lle yr oedd mwyaf o angen amdanynt.'[70] Cyfaddefa Gwyneth Vaughan nad ffeithiau cywir hanesyddol a rydd am ferched fel Elen Luyddog, Bronwen a Claudia, Nest a Gwenffrewi, ond eu bod yn werthfawr er hynny am 'iddynt dyfu rywfodd nes dyfod yn rhan hanfodol ym mywyd ein cenedl ni, fel y bu i dduwiau a duwiesau Groeg gynt gymhlethu â'i hanes'.[71] Mae'n llawer mwy hyderus wrth sôn am Buddug, a chyfnod goresgyniad y Rhufeiniaid. Yn awr, meddai, 'gadewir chwedlau o'n hôl', ac mae'n symud ymlaen i dir diogelach lle gall ddibynnu ar ysgolheictod llu o academyddion, yn eu plith 'Syr John Rhys'. 'Gellir bob amser ddibynnu', meddai, 'ar gywirdeb llyfrau y gwr enwog hwnnw.'[72]

Disgrifir y gyfres gan Thomas Parry, heb ymhelaethu, fel 'cymysgfa ryfedd o gymeriadau hanesyddol, chwedlonol a llenyddol'.[73] Yn ôl tystiolaeth Gwyneth Vaughan ei hunan, fodd bynnag, roedd yr ysgrifau hyn yn hynod boblogaidd, ac wrth ystyried y gwaith ymchwil y bu'n rhaid iddi ei gyflawni, a'r modd y llwyddodd i gyflwyno'r holl wybodaeth a gasglodd mewn dull mor gryno, ni ellir llai nag uniaethu â'r gohebydd a ddywedodd yn yr un papur, ar yr un adeg: 'Does neb darllengar yn gofyn heddyw "Pwy yw Gwyneth Vaughan?" canys y mae ei henw'n hysbys led led y byd Cymreig.'[74]

'Bryn Ardudwy a'i Bobl' (1903–5)[75]

Er bod ei gwaith llenyddol mor adnabyddus, ni wnaeth un o'r gweisg Cymraeg Anghydffurfiol gyhoeddi cyfres led-hunangofiannol Gwyneth Vaughan, 'Bryn Ardudwy a'i Bobl' (1903–5), a hyn ar adeg pan oedd llawer o fynd ar lyfrau'n clodfori'r pentref gwledig mewn ymgais i 'godi'r hen wlad yn ei hôl'. Gellir dadlau yn wir bod ei chymeriadau lliwgar a'i deialog nwyfus yn nhafodiaith Meirionnydd yn yr hanesion hyn wedi cadw eu ffresni hyd heddiw, gan gymharu'n ffafriol ag arddull gymharol ddifflach llawer o'i chyfoedion. Ond mynd yn angof a wnaeth ei 'disgrifiadau byw o drigolion gwreiddiol ei hardal enedigol' hyd nes i Thomas Parry sôn am y gyfres yn ei ddarlith yn 1978, ac i Mari Ellis, wedi hynny, ddiolch iddo mewn sgwrs ar y radio am dynnu ei sylw atynt.

Soniwyd eisoes, yn yr ail bennod, am rai o ddigwyddiadau a chymeriadau 'Bryn Ardudwy a'i Bobl', a gwelwyd bod y gyfres hon, yn wahanol i'r mwyafrif o gyhoeddiadau Cymraeg y cyfnod, yn rhoi lle blaenllaw i gymeriadau benywaidd, naill ai fel prif gymeriadau neu aelodau cyfartal o'u cymdeithas. Dau bentref sy'n werth eu cymharu yn y cyd-destun yma yw Bryn Ardudwy a Phentre Gwyn Anthropos.[76] Os gwir honiad Hugh Evans fod plant y Pentre Gwyn yn 'gymdeithas ddemocrataidd',[77] gellir anghofio am fodolaeth hanner y boblogaeth. Os oedd merched yn byw yn y Pentre Gwyn yr unig beth a wyddom amdanynt oedd eu bod yn ''nôl dŵr . . . gyda'r nos' ar ôl dod adref o'r ysgol. 'Byddai y bechgyn a'r genethod yn ymuno a'u gilydd yn y gorchwyl hwn,' ac meddai'r awdur, '. . . nid arwydd dda, yn ôl barn y pentrefwyr, fyddai gweld bachgen wedi mynd yn "rhy falch" i gyrchu dŵr o'r ffynnon.'[78] Gallwn dderbyn felly nad oedd merched byth yn cael y rhyddid i 'fynd yn "rhy falch"' i roi'r gorau i'r fath dasg a'u bod yn parhau i wneud hynny weddill eu hoes heb gwyno. Yn wir, nid ydym yn cwrdd ag unrhyw un o ferched y Pentre Gwyn wrth ei henw, ac mae pob gweithgaredd ffurfiannol, addysgiadol arall sy'n digwydd yno'n cael ei gyflawni gan fechgyn, o dan arweiniad dynion amlycaf y gymuned. Ailadroddir absenoldeb merched gan absenoldeb eu mamau. Ymddangos yn ysbeidiol, yn awr ac yn y man, er enghraifft, a wna Catrin, gwraig Tomos Olifyr, hen filwr sy'n cael llawer o sylw am ei fod wedi ymladd yn rhyfel Waterloo. Gan fod ei wraig yn dipyn o gymeriad ac yn uchel ei chloch, mae'r awdur fwy nag unwaith yn cael ei gwared, er mwyn rhoi cyfle i'r bechgyn siarad â'i gŵr heb ymyrraeth.

Chwa o awyr iach felly yw cwrdd â chymeriadau benywaidd gwreiddiol a phenderfynol yn 'Bryn Ardudwy a'i Bobl' – delweddau cadarnhaol o hen wragedd gwreiddiol, Begi Shon, Doli, a Nain Wm, ill tair yn ennill eu bywoliaeth drwy wneud canhwyllau, gwau gardysau a gwerthu ffrwythau o'u gerddi. Eu crefydd yn anad dim yw eu cryfder, a'u magwraeth mewn cymdeithas Feiblaidd wedi rhoi'r wybodaeth a'r hyder iddynt hawlio sylw a lleisio barn ar bynciau o bwys i'w cymunedau.

Ond rhaid cofio mai cylchgrawn yr Eglwys Wladol oedd yr *Haul*, lle'r ymddangosodd 'Bryn Ardudwy a'i Bobl'; cyfrannodd Gwyneth Vaughan hefyd y gyfres 'Hunangofiant Blodau' i *Perl y Plant*, cylchgrawn Eglwysig i'r genhedlaeth iau, rhwng 1904–5.[79] Peth anarferol oedd i ferched llengar y Gymru Gymraeg yr adeg honno grwydro i gylchgronau enwadau amgen. Dyma'r rheswm, efallai, pam na chyhoeddwyd 'Bryn Ardudwy' yn gyfrol; tipyn o syndod fyddai gweld gweisg Anghydffurfiol yn hyrwyddo teitlau sefydliad â'u holl ethos yn wrthun i'w credoau hwy. Anodd gwybod p'un ai er mwyn cynnal ei theulu ar adeg o galedi a barodd i un a fagwyd ar aelwyd amlwg Fethodistaidd fwrw'i rhwyd yn ehangach, ac ysgrifennu i gyfnodolion Eglwysig, neu ai gwneud safiad yr oedd, yn erbyn sectyddiaeth, yn nhraddodiad y *Welsh Weekly*. Gwyddom ei bod yn gwgu ar enwadaeth, fel y mynegwyd gan ei chymeriad Artaxerxes. 'Nid pwy yw y dyn goreu yw y cwestiwn a ofynnir" ', medd y pregethwr hwnnw, ' "O nage [ond] "Pwy enwad e?" . . . Pa waeth yn mha gapel yr addola yr oll ohonom os ydym yn addoli, ac yn ceisio byw ein proffes yn ein bywyd? Dyna'r peth sydd yn bwysig." '[80]

Un ffaith ddigamsyniol, nad oes angen pendroni yn ei chylch, yw bod Gwyneth Vaughan, ar ôl 1903, yn dilyn marwolaeth ei gŵr, er gwaethaf yr holl alwadau eraill ar ei hamser, wedi ysgrifennu'n wythnosol a misol i brif gylchgronau llenyddol Cymru hyd ei marwolaeth yn 1910. Neilltuir gweddill y bennod hon i'r amlycaf o'r gweithiau a gyhoeddodd yn y cyfnod yma, sef ei dwy nofel, *O Gorlannau y Defaid* (1905) a *Plant y Gorthrwm* (1907), ei stori gyfres,

'Cysgodau y Blynyddoedd Gynt' (1907–8), a'i chyfres anorffenedig 'Troad y Rhod' (1909). Cyhuddodd Thomas Parry Gwyneth Vaughan o greu cymeriadau benywaidd gor-berffaith, anghredadwy. Gwneir ymgais arbennig felly i ateb y cyhuddiadau hyn drwy ddangos fod Gwyneth Vaughan wedi cyfoethogi llenyddiaeth Gymraeg ei chyfnod drwy amlygu gwreiddioldeb y merched a'r menywod oedd yn byw yng nghefn gwlad Cymru ym mlynyddoedd cyffrous y bedwaredd ganrif ar bymtheg.

O Gorlannau y Defaid (1905)

Roedd cyhoeddi nofel gyntaf Gwyneth Vaughan, *O Gorlannau y Defaid*,[81] heb amheuaeth yn garreg filltir yn hanes ffuglen y Gymraes, a chafodd groeso digymysg gan feirniaid llenyddol cyfoes cydnabyddedig. Yn awr, dyrchafwyd un oedd eisoes yn enwog yn y byd cyhoeddus i statws llenor cydnabyddedig cenedlaethol, gan ddangos i'r byd fod llenyddiaeth menywod Cymru, yn dilyn cyfnod cychwynnol ansicr, yn symud yn ei blaen ac yn magu stêm.

Cychwynna'r nofel ym mlwyddyn Diwygiad 1859. Gwyneth Vaughan yr addysgydd sy'n ysgrifennu, a'i bwriad oedd rhoi i'r genhedlaeth iau 'ddrychfeddwl' o un o ddigwyddiadau hanesyddol Cymreig mwyaf arwyddocaol y bedwaredd ganrif ar bymtheg, heb feddwl am funud y byddai Diwygiad 1904–5 yn cychwyn dri mis ar ôl iddi orffen ei phennod olaf. Nid yw hyn, fodd bynnag, yn tynnu oddi ar werth y darlun o oruchafiaeth Ymneilltuaeth Gymreig y gorffennol, wrth i nifer o anffyddwyr a gwrthgilwyr Bro Dawel ddarganfod yr hyn a welwyd fel nod pob efengylydd – achubiaeth a gweledigaeth o fywyd tragwyddol. Ynddi fe'n cyflwynir i deulu ffermdy'r Foty. Dyma gartref Luned a Robert Fychan, rhieni Angharad a'i dau frawd bach Cynan ac Idwal, ond sydd hefyd wedi ysgwyddo'r cyfrifoldeb am Dewi, nai Luned Fychan, a Bob, a ddaeth yno'n blentyn amddifad i un o gyfeillion Robert Fychan.

Yn ôl brawd Gwyneth Vaughan, 'darlun paentiedig' o'u rhieni oedd Luned a Robert Fychan. 'Pe buasent hwy yn yr amgylchiadau a ddarlunir ganddi hi', meddai, 'gwn mai fel Robert a Luned Fychan y buasent yn ymddwyn. Yn wir, mae llawer o'r digwyddiadau a nodir ganddi, yn llythyrenol gywir.'[82] A chadarnheir hyn gan Gwyneth Vaughan pan ddisgrifia ei 'stori seml', fel portread 'lled gywir o fywyd duwiol y rhai anwyl y bu eu cartref yn "borth y nefoedd" i bawb a drigent ynddo'.[83]

Canolbwynt 'porth y nefoedd' yn y stori hon oedd y 'fam' ac fel y gellid disgwyl, fe'i portreadir mewn dull ffafriol a chadarnhaol. Magwyd Luned Fychan mewn plasty bychan a gipiwyd, wedi hynny, oddi ar ei brawd, tad Dewi, drwy anfadwaith 'Cymro o waed', dirgelwch a ymgorfforir yn ddigon hwylus fel is-blot o fewn fframwaith y stori, ac sy'n rhoi cyfle i Gwyneth Vaughan ddangos, drwy ddatganiad un o'i chymeriadau, pa fath greaduriaid ysgeler oedd y Sais-Gymry – 'bradychwyr eu hiaith a'u cenedl'.[84] Ystyriwyd Luned Fychan gan drigolion Bro Dawel yn 'ormod o "ledi"' i fod yn wraig fferm, ond 'yn fuan iawn dangosodd . . . fod addysg a dygiad i fyny da yn help ac nid rhwystr i wraig reoli ei thŷ a'i thylwyth.'[85] Cyn bod sôn am 'Frad y Llyfrau Gleision', felly, nac am gylchgrawn hyfforddiadol Ieuan Gwynedd i ferched Cymru, roedd meistres y Foty ers yn ferch ifanc iawn wedi cydymffurfio i'r dim â'i ddelwedd ef o'r Gymraes ddelfrydol, ac erbyn 1859 yr oedd nid yn unig yn ferch 'rinweddol', ond hefyd yn wraig 'ddarbodus' ac yn fam 'ddeall-gar'. Ond ni olygai hyn ei bod yn or-ddifrifol nac yn sych dduwiol. Yn wir, yr oedd Bob y traethydd, ar ôl treulio orig yn ei chwmni, bob amser yn teimlo'n 'iach a hoenus'. '[P]arodd i mi chwerthin yn uchel lawer gwaith', meddai, 'wrth ddynwared lispian Saesneg Martha, dynes nad oeddwn i eto wedi ei gweled erioed, er i mi glywed llawer o sôn am dani.'[86]

Ei deallusrwydd a'i haddysg oedd yn gyfrifol am y berthynas gyfartal a fodolai rhwng gŵr a gwraig y Foty. Fel y dywedodd ei ewythr Robert wrth Bob, '"Tipyn o job, machgen i, ydi llenwi swydd diacon yn dda, yn ol yr apostol; ond rhwng dy Fodryb Luned a minne 'ryden ni'n i weddro hi yn o lew ar y cyfan."'[87] A gan fod y ffocws yn bennaf ar y capel a'r aelwyd, nid yw'r cysyniad o 'sfferau ar wahân', mewn gwirionedd, yn taro'r darllenydd fel elfen sydd wedi gwreiddio'n ddwfn yng nghymuned Bro Dawel hyd yn hyn.

O'i chymharu ag arwresau blaengar, mentrus a dibriod o fywyd go iawn, fel Cranogwen, neu Betsy Cadwaladr o'i blaen, hwyrach mai digon cyfyng oedd gorwelion Luned Fychan. Wedi dweud hynny, os edrychwn ar fywyd Lady Prys, sy'n ymweld â Chae Morfudd, ei phlasty yng Nghymru, yn ysbeidiol gyda'i gŵr Syr Wiliam a'u plant, sylweddolwn fod profiadau menywod capeli Cymru yn gymharol gynhyrfus, yn arbennig adeg Diwygiad cenedlaethol arwyddocaol 1859, wrth i aelodau o'r ddau ryw brofi '[t]ywalltiad arbennig o'r Ysbryd Glân', chwedl Robert Fychan.[88] Amlygir rhagoriaeth Luned Fychan ar wraig Syr William yng ngeiriau'r sgweiar ei hun. Pan glywodd fod Dewi a Bob ar eu ffordd i Brifysgol Rhydychen, meddai wrth Robert Fychan, yn ei Gymraeg chwerthinllyd, poenus i'r glust: '"Ti tyn call, tyn *straight*, tyn ofn neb ond Duw mawr. Ond fi deyd rheswm, ti ca'l cwraig call – calla yng Nghymru. *Right* wir, Robert."' Yna, gan edrych ar Lady Prys, chwarddodd yn uchel: '"Fo tîm cwbod peth fi deyd; purion hynny ynte, Robert?"'[89]

Mae cymhariaeth fel hon yn dangos pa mor amhosibl oedd ceisio gwthio delwedd dynes Eglwysig, gyfoethog, Seisnig fel Lady Prys ar wraig ddiwyd Anghydffurfiol fel Luned Fychan. Yr unig weithgaredd a roddwyd i Lady Prys yn y nofel hon oedd ymweld â sgubor y Foty – yn ystod un o'i hymweliadau prin â'r ardal – i dderbyn diolch y trigolion am haelioni ei gŵr. Mewn cymhariaeth, roedd Luned Fychan â'i bys ym mhob briwes a'i balm ar bob briw, ac ati hi y byddai menywod yr ardal yn troi am gyngor a chydymdeimlad. A chwerthinllyd a dweud y lleiaf fyddai ceisio priodoli un nodwedd Seisnig i hen wragedd Bro Dawel, a naddwyd o graig Methodistiaeth Gymreig, fel Begi'r pabwyr, a fedrai ddal pen rheswm a chynnal sgwrs yn gydradd gytûn â'i chymdogion disgleiriaf – Angharad, Dewi, Bob, Luned a Robert Fychan.

Uchafbwynt cenadwri Begi ar y ddaear oedd rhoi'r Eglwyswr Edwart Edwarts ar ben y ffordd i'r nefoedd o'i wely angau, ac yma gwelwn Gwyneth Vaughan ar ei mwyaf diddan. Sefydlir Begi fel un sy'n hen gyfarwydd â gofalu amdani ei hunan wrth i ni ei gwylio'n brasgamu tua'r Ffridd. Ar ôl 'cwestiyno y forwyn' aeth ar ei hunion at wely'r claf, gan ymuno â Robert Fychan a Bob, hwythau hefyd wedi dod ar ymweliad. Bu trafodaeth ddwys rhwng Begi ac Edwart Edwarts ar werth mynychu'r Cymun o'i gymharu â byw bywyd da, cnoc ddigon diniwed, mae'n siŵr, i amherthnasedd seremonïol Eglwys y Llan o'i gymharu â'r agosatrwydd uniongyrchol rhwng y Methodistiaid a'u Duw. Meddai Edwart: '"Be wyt ti'n feddwl ydi credu, Begi?"' A chaiff ateb dibetrus:

> 'Wel, rydw i'n meddwl, er dydi barn rhyw hen garpan fel fi fawr o bwys i chi, ond 'sa well gin i 'mddiried bo chi'n credu wrth ych gweld chi wedi bod mor ffeind wrth Twm [y gwas] yma, druan, na tase chi wedi bod ar ych glinia yn y Cymun am oria bob dydd ar hyd ych oes.'[90]

Cythryblwyd Edwart Edwarts gan ei geiriau, a hynny ar adeg dyngedfennol yn ei fywyd. '"Rhobat Fychan,"' meddai:

'does bosib fod dyn duwiol fel chi yn mynd i ddeyd wrtha i nad ydi o ddim ots mod i wedi cymuno'n selog ar hyd y bedlan? Demits, mi rydw i wedi arfar coelio'r Person, ac ma'n haws gen i gredu fod dyn dysgedig fel Mr Brown yn 'i le na rhyw holpan o beth anwybodus fel Begi'r pabwyr.'[91]

Ac ymhen rhai munudau yn dilyn trafodaeth rhyngddo a Robert Fychan, meddai eto, '"'ro'n i'n teimlo yn eitha bodlon hefo mi fy hun nes do'th yr hen Fegi yma, a ma hi wedi d'rysu mhriciad i, waeth hynny na mwy."'[92] Ond rai dyddiau'n ddiweddarach 'llonnodd' drwyddo pan ddaeth Begi i ymuno â'r criw o gwmpas y gwely ar gyfer 'Swper yr Arglwydd' o dan ofal Mr Brown. '"Rwyt ti yn dy le Begi,"' meddai. Ac eto, '"Rwyt ti o'i chwmpas hi Begi; nid rhwbath tebyg i lynci llymru ydi credu."'[93] Ac fel y dywedodd ei fodryb yn ei llythyr wythnosol at Bob, oedd erbyn hyn yn darlithio yn Rhydychen, bu farw'n ddyn cadwedig, ac 'ehedodd yr ysbryd at Dduw yr Hwn a'i rhoes'.[94] A rhaid cydnabod cymorth hollbwysig 'yr holpan anwybodus' yn ei frwydr yn erbyn y 'gelyn ola'.

Gelynion daearol oedd yn poeni Gras y Tyrpeg, a meddwon ar ben ei rhestr, am i giwed ohonynt un dydd beri i Benja, ei brawd eiddil, diniwed, feddwi, a chael ei daflu allan o'r capel gan y blaenor 'hallt', Rhisiart Ifan. Yn ei dicter troes Gras ei chefn ar y sefydliad hwnnw, ac un dydd wrth i Robert Fychan a Bob, cenhadon y Diwygiad, ddynesu at y Tyrpeg, gwelsant Gras wedi 'torchi ei llewys yn uwch na'i phenelin, ei dyrnau cauedig yn gorffwys ar ben bob clun, yn debycach i hen gawres o wlad y Mabinogi nag i hen wraig yn byw yn y bedwaredd ganrif ar bymtheg'.[95] Ym marn y meddyg lleol, Dr Hywel, roedd '"natur wedi rhoi tro fel chwrligwgen yn y Tyrpeg . . . Gras ddylse Benja fod, a Benja yn Gras", ond fel arall y bu'[96] – dull Gwyneth Vaughan o ddangos i ddarllenwyr *Cymru* nad yw bioleg, o reidrwydd, yn dynodi nodweddion y ddau ryw. Nid oedd ystyriaethau o'r fath o ddiddordeb i Robert Fychan. Ei orchwyl ef oedd denu Gras yn ôl i'r gorlan, ac meddai wrthi yn ei lais addfwyn, '"Mae llawer iawn o feiau arnon ni yn yr eglwys fel ar blant y byd, ond mae'n rhywbeth wedi'r cwbwl cael bwrw'n coelbren gyda phobl Dduw."'[97] Un o 'bobl Dduw' felly oedd Gras, ac fel y cyfryw, yn dal o fewn cyrraedd y blaenor ymroddedig.

Mewn cyferbyniad â Gras, 'un o blant y byd' yn sicr oedd Beti'r Witsh ar gychwyn y nofel, cymeriad benywaidd arall sy'n bywiogi'r stori â'i gwreiddioldeb. Mae'n byw ar gyrion cymdeithas gyda'i gŵr,

Wmffra'r crydd, ac ni fedrai neb gael ateb synhwyrol pan ofynnid iddynt am eu crefydd. Ond drwy ddyfalbarhad Luned Fychan, ceir buddugoliaeth, a bu'r hen Feti farw'n gadwedig, mewn pennod a gysegrwyd i'r digwyddiad, lle mae Angharad, yn absenoldeb ei mam, yn gweini wrth wely Beti a'i hargyhoeddi mai nid Beti'r Witsh oedd hi bellach ond 'Merch y Brenin'. Ac eiliadau cyn marw, sibrydodd Beti: '"Merch y Brenin! Beti'r *Witsh!* Pwy fasa'n meddwl 'rŵan, merch y Brenin!" . . . ac ymaith â Beti i wlad y dydd, y "clwt lledar" [a fu'n atal y goleuni rhag disgleirio drwy ffenest fach gweithdy'r crydd, yn awr, yn llythrennol a throsiadol] wedi ei dynnu oddiar ei ffenestr hi i dragwyddoldeb.'[98]

Yn dilyn ei swyddogaeth bwysig ac effeithiol wrth wely Beti, enynnodd Angharad, dros nos, fel petai, y parch a neilltuwyd cyn hyn i'w mam. Er hynny, yr oedd llawer o wahaniaethau rhwng y ddwy, y ferch yn fwy dysgedig, a'i breuddwydion yn ei hieuenctid yn rhai uchelgeisiol. Roedd wedi tyfu i fyny yng nghwmni Dewi a Bob, dau fachgen hynod ddeallus, ac fel y dywedodd Luned Fychan wrth Bob, '"Mae digon o uchelgais ynddi hi i roi cam am bob cam rydd yr un ohonoch chi."'[99]

Un noson yn y parlwr bychan mynega Luned Fychan ei gofid wrth Bob, oedd adre ar ei wyliau o Rydychen. '"Mae fy unig ferch yn gysur mawr i mi, ond weithiau byddaf yn teimlo y buaswn yn fwy tawel yn ei chylch pe ganesid hithau hefyd yn fachgen,"' meddai: '"Mae yn dyhëu am yr ammhosibl iddi hi, a bron nad wyf yn cytuno â hi na ddylai orfod dioddef oherwydd yr hyn nas gall oddiwrtho."'[100] Ni fedr Angharad guddio'i rhwystredigaeth, a phrif darged ei digofaint oedd yr Apostol Paul: '"Pe base nhad yn ysgrifenu llythyr â chyngor da ynddo i Dewi heddyw"', ymresymodd,

> 'ydech chi'n meddwl y base'r cyngor hwnnw i'w gymeryd yn llythyrenol ym mhen dwy fil o flynyddoedd, i fachgen ieuanc arall? Hwyrach y cawswn i bregethu fel Dewi oni bai Paul, ac eto yr oedd Phoebe yn weinidoges yn Cenchrea yn ei ddyddiau ef. 'Dyw pethau ddim yn gyson, dyna i chi, waeth un gair na chant.'[101]

Gwyddom mai o blaid Angharad, nid Paul, yr oedd Gwyneth Vaughan, ond eto ni chafodd ei harwres ddilyn gyrfa lwyddiannus. Fe'i harbedwyd, yn wir, rhag gweithio mewn siop 'milliner', fel y bu'n rhaid i awdur y nofel ei wneud. Penderfynwyd ei cham nesaf pan y'i syfrdanwyd wrth sylweddoli fod Dewi eisiau ei phriodi. Aeth i gyfandir Ewrop i ddysgu Ffrangeg ac Almaeneg, '"nes y bydd Dewi wedi dod ato'i hun"'.[102]

Yn y pen draw ildiodd Angharad i'r drefn, gan dderbyn ei swyddogaeth fel gwraig i Bob a ddaeth yn Aelod Seneddol adnabyddus. Esgynnodd i ddosbarth cymdeithasol uwch (fel y gwnaeth Gwyneth Vaughan, a llawer o rai tebyg iddi yr adeg hon) drwy briodas, a gellid bod wedi disgwyl iddi ddefnyddio'i disgleirdeb i ddilyn esiampl gwragedd yr Aelodau Seneddol Rhyddfrydol Cymreig yr oedd Gwyneth Vaughan yn eu hadnabod yn dda. Nid oes unrhyw esboniad amlwg dros ddiweddglo o'r fath gan awdures a gyflawnodd lawer uchelgais yn ei bywyd ei hunan. Ond rhaid cofio nad gwireddu dyheadau materol, gyrfaol, oedd nod *O Gorlannau y Defaid*, ond dathlu goruchafiaeth drwy ffydd grefyddol a alluogai'r cymeriadau i ymdopi'n llawen â siomedigaethau anochel – caledi yn hanes Begi, Gras a Beti; bodlonrwydd Angharad â'i rôl eilradd, ac ymostyngiad Dewi i'r boen o golli Angharad.

'Plant y Gorthrwm' (1908)

Yn *Plant y Gorthrwm*,[103] profwyd ffydd arwresau ac arwyr Gwyneth Vaughan i'r eithaf. Er i Thomas Parry dynnu sylw, yn ei ddull negyddol, at ei harferiad o bortreadu yr un math o gymeriadau dro ar ôl tro yn ei ffuglen,[104] mae'r tensiwn gwleidyddol sy'n taflu cwmwl dros deulu Hafod Oleu, cartref Gwen a Robert Gruffydd a'u dwy ferch Rhianon ac Olwen, a fu farw'n ifanc, yn rhoi arbenigrwydd a gwreiddioldeb i'r nofel fel cyfanwaith; diddorol nodi i Harold Idris Bell, mewn cymhariaeth drawiadol â Thomas Parry, dalu teyrnged i'r nofel hon mewn papur a gyflwynodd ar lenyddiaeth Gymraeg yr ugeinfed ganrif.[105] Yn seiliedig i raddau helaeth ar atgofion Gwyneth Vaughan ei hunan, stori ydyw am y cyffro a gynhyrfodd gymuned fach yng nghefn gwlad yn sgîl canlyniadau etholiadol 1868, wrth i'r werin, o dan arweiniad y Rhyddfrydwr a'r merthyr Methodist Robert Gruffydd, bleidleisio'n groes i orchmynion eu meistri.[106] 'Dyddiau ymaflyd codwm' oedd y rhain, yng ngeiriau'r gof, Huw Huws, teyrn gefail Bro Cynan, â'i farn awdurdodol ar faterion y dydd cyn sicred â thrawiad ei forthwyl. Cawn flas o'r hyn sydd i ddod pan ddaw Ned Williams o dan ei lach – dyn dŵad a chynffonnwr cyflogedig Mr Harris, asiant newydd didrugaredd Plas Dolau ac olynydd y bonheddwr rhadlon, mawr ei barch, Mr Wyn:

'Tendiwch chi beidio gneud lle sy' fel gardd yr Arglwydd yn uffern, Ned; rydan ni ym Mro Cynan yma wedi byw yn gysurus eitha hefo'n gilydd, a 'does dim yn rhwystro i ni neud hynny eto chwaith, ond i ni gael llonydd gan ryw giwad tebyg i ti ac arall' . . . ac edrychodd y gôf ar Ned Williams a'i lygaid yn melltennu.[107]

Ac mewn llith ddamniol, rhydd Gwyneth Vaughan grynodeb o draha'r tirfeddianwyr Cymreig oedd wedi cefnu ar 'hen draddodiadau gwych eu cenedl eu hunain', a'r Saeson a brynodd diroedd yng Nghymru ag arian a enillwyd drwy driciau anonest. Crachfoneddigion ydynt, yn disgwyl i'r Cymry 'foesgrymu iddynt, a rhoddi ufudd-dod gwasaidd i'w holl ddymuniadau', a 'chlywyd sibrydion distaw i rai fyned yn gyfoethog trwy ddal negroaid yn Affrica a'u gwerthu yn yr America.'[108]

Yng ngoleuni'r fath ddiffiniad o'r dynion yr oedd Mr Tattenhall, ymgeisydd y Toriaid, yn ymladd drostynt, nid oedd angen egluro cefnogaeth Duw i'r Rhyddfrydwyr. Drwyddi draw rhydd y cysylltiad annatod rhwng Ymneilltuaeth a Rhyddfrydiaeth naws Feiblaidd a chyfiawn i anerchiadau gwleidyddol cyhoeddus a sgyrsiau personol fel ei gilydd. Mae hyd yn oed y dieithryn sosialaidd ('rêl boy' ym marn y pentrefwyr) yn troi at y Beibl am gymhariaeth wrth dorri ar draws araith ystrywgar dyn o'r enw Mr Jones, un o gefnogwyr Tattenhall, oedd yn annerch y pentrefwyr ar groesffordd y pentref. '"[C]hes i ddim lle i gredu i'r Arglwydd Iesu erioed fod yn byw yn foethus, ar draul gweithwyr tlodion Galilea,"' meddai'r dieithryn, '"na, mae'r Beibl yna yn yr eglwys sydd mor agos at galon Mr Jones yn llawn o waeau y Creawdwr mawr ar ben y cyfoethogion a ormesant y tlawd."'[109]

Un o'r tlodion oedd yn deall gormes y cyfoethogion i'r llythyren oedd Boba, ffeminydd ysgrythurol, â'i syniadau am ragoriaeth y rhyw fenywaidd yn mynd yn ôl ymhell tu hwnt i ddadleuon ffeministaidd cyfoes. O'r Hen Destament y cafodd hi ei hysbrydoliaeth, fel y gwelwn yn ei hymateb i ofidiau Rhianon, y ferch ifanc fywiog, ddeallus yr oedd Syr Tudur Llwyd – perchennog tadol plasty'r Friog – wedi gwirioni arni. '"Taswn i'n fachgen"', meddai Rhianon ar un o'i hymweliadau niferus ag aelwyd Boba:

'mi fase rhyw siawns i mi neud tipyn o les yn y wlad. Hwyrach base Syr Tudur Llwyd yn fy helpu fi i fyn'd yn Aelod Seneddol fy hun. Mi wn i baswn i'n rhywun ryw dro taswn i'n fachgen ond dydw i da i ddim fel hyn. Mi wn i fod Syr Tudur yn meddwl y gallswn i neud hylldod o les taswn i'n fachgen.'[110]

'"Felly wir, wel rhaid i mi adgoffa Syr Tudur y tro nesaf,"' atebodd Boba, '"fod Deborah yn fwy angenrheidiol o ddim rheswm yn y frwydr fawr yn erbyn yr hen Jabin na Barac. Yn neno'r dyn, deutha Barac ddim i'r rhyfel hebddi hi, roedd arno fo ormod o ofn."' Ac â yn ei blaen i sôn am Jael, gwraig Heber, '"y Cenead hwnnw . . . i wraig o nath y gwrhydri fel y cafodd y wlad lonydd am ddeugain mlynedd ar ôl iddi hi orffen i gwaith."'[111] Byr oedd amynedd Boba at unrhyw fath o negyddiaeth. '"Be sy' matar ar bobol na ddarllenan nhw'u Beiblau'n iawn,"' dwrdiai. "'A phaid ti a chario rhyw hen feddylia ofer fel na . . . Cofia di na neith o mo'r tro y diwrnod mawr i ti ddeyd wrtho Ef, na fedra ti neud dim am ma merch oeddet ti."'[112] Unwaith eto, gwelwn Gwyneth Vaughan yn mynd yn gwbl groes i'r ddelwedd oedd mor boblogaidd gan awduron gwrywaidd o'r ferch wylaidd, ddibynnol. A gwerth nodi delweddau tebyg a borteadwyd gan Catherine Jane Prichard (Buddug) mor gynnar ag 1880, lle mae'n sôn am yr angen i ferched Cymru wneud fel y gwnaeth Debora ac 'arfogi'n barod ar gyfer y frwydr fawr a cheisio ei gorau, fel Jaël, "i ymestyn at y fraint o gael gosod hoel yn arlais y gelyn."'[113]

Fel merch addysgedig, wleidyddol, basiffistaidd, arf fwyaf pwerus Rhianon oedd ei gwybodaeth, ac mewn ymateb i her Boba aeth ati i ddylanwadu hyd eithaf ei gallu ar ddynion blaengar yn yr ymgyrch etholiadol. Un o'r rhain oedd yr ymwelydd dienw (pregethwr huawdl a wahoddwyd i letya yn yr Hafod Oleu). Wrth i Rhianon ac Olwen gyd-gerdded tuag adref yn ei gwmni, manteisiodd Rhianon ar y cyfle i ddwyn ei sylw at gyflwr truenus merched tyddynnod Cymru oedd 'llawn mor alluog a'u brodyr a dweyd y lleiaf, ond na ddaeth i galon un dyn i feddwl am roddi iddynt addysg o fath yn y byd gwerth sôn am dano'.[114]

Ar ôl gwrando ar ei hapêl ar ran ei chwiorydd diaddysg, addawodd y gwron 'drio rhoi hwb ymlaen'[115] i'w hachos yn y cyfarfod y noson honno. Mor effeithiol yn wir oedd gallu Rhianon, fel 'un o'r *Liberals* yma', i ddadlau ei hachos, fel i sgweiar y Friog, Syr Tudur Llwyd ei hunan, o dan ei dylanwad, syfrdanu'r gymdogaeth a chynddeiriogi Mr Harris, asiant gormesol Plas Dolau, drwy bleidleisio dros y Rhyddfrydwr, Henry Edwards.[116] Fel y gellid disgwyl, dilynodd yr holl denantiaid esiampl eu meistr, a'r diwrnod canlynol gwyrdrowyd cwrs gwleidyddiaeth y Gymru wledig am byth.

Cryfhawyd sefyllfa'r ymgeisydd Rhyddfrydol ymhellach drwy ymdrechion Dyddgu, merch anghyffredin y melinydd. Gwyneth Vaughan ei hun yn ddeg oed, mae'n debyg, oedd Dyddgu, ac fel

Gwenllian ym Mryn Ardudwy roedd yn casâi 'babis' a 'dolis'. Ei hoff ddifyrrwch hi oedd addysgu ei hunan drwy ddarllen llyfrau amlycaf y Methodistiaid a theitlau clasurol fel *Gweledigaethau y Bardd Cwsc*.[117] Nid yw Gwyneth Vaughan yn colli'r cyfle i ddefnyddio diniweidrwydd plentyn i ofyn cwestiynau arweiniol ar bwnc oedd mor agos at ei chalon, fel y gwelir yn y sgwrs rhwng Dyddgu a Rhianon:

> 'Ydach chi'n mynd i'r lecsiwn 'fory, Miss Rhianon?'
> 'Nag ydw' i; beth 'na i yno, Dyddgu 'fedra i ddim fotio i neb?'
> 'Pam Miss Rhianon?'
> 'Fydd merched ddim yn fotio i neb.'
> 'Pwy sy'n rhwystro chi i fotio – chi a merched pob man?'
> Gwenodd Rhianon, a dechreuodd feddwl mor briodol oedd y cwestiwn, cyn iddi ateb: 'Wel, y dynion, debyg gen i, Dyddgu. Y nhw sy'n deyd sut mae popeth i fod.'[118]

Wrth wrando ar y fath ymresymu, taniwyd Dyddgu i weithredu, ac ar ddydd yr etholiad aeth i eistedd gyda'i chert a'i cheffyl 'o dan y sycamor yn ymyl y llidiart coch', a phan gyrhaeddodd y fintai a huriwyd gan 'geidwaid helwriaeth Plas Dolau' i daflu cerrig at y 'librals', gafaelodd Dyddgu yn ffrwyn ei cheffyl a cherdded gyda'r dynion lluddedig i ben draw'r coed. Gan fod merch yn eu plith, ni luchiwyd un garreg. Cafodd cefnogwyr Mr Edwards, drwy ymyrraeth geneth fach graff, rwydd hynt i fwrw eu pleidlais a mynd adref drachefn yn ddianaf, fel 'plant Israel gynt trwy'r Môr Coch'.[119]

Un na fyddai fyth wedi ffoi yn ddianaf heb ofal cyson y gymuned amdani oedd Elin Ty'nffordd, geneth 'ym mhell iawn o fod yn debyg i blant ereill'.[120] Gwnaeth Rhianon ac Olwen eu gorau glas i sefydlogi Elin 'orffwyllog' drwy ei dysgu am Iesu Grist, gŵr y bu Elin, fel canlyniad, yn chwilio amdano yng nghyffiniau Llangynan drwy gydol ei bywyd byr, ac yn y broses, tyfodd cariad angerddol yn yr eneth tuag at y ddwy chwaer. Pan glywodd – ar un o'i phranciau dirgel fin nos, ynghudd yr ochr arall i'r clawdd – am fwriad Mr Harris i ddial ar deulu Rhyddfrydol, dirwestol Hafod Oleu, a thorri tipyn 'ar grib Rhianon', fe'i cynhyrfwyd drwyddi. Er na fedrai ddarllen, roedd ganddi gof anghyffredin, a dewisodd hen dacteg menywod dechrau'r ganrif o ddial ar ddihirod,[121] gan orymdeithio drwy'r gymdogaeth yn llafarganu penillion haerllug am Mr Harris a Mr Tattenhall, a rhigymau canmoliaethus am Mr Edwards, a thorf o blant y pentref yn dynn wrth ei sodlau. Rhoddodd fwynhad rhyfeddol i'w chynulleidfa ar ddiwrnod yr etholiad drwy herio dyn a gyfnewidiodd ei fôt am chwart o gwrw: '"[O]es arnat ti eisio cwrbitsh, dyma i ti bedi celpan ynte", a chyda'r gair wele fraich gref yr eneth yn ei osod yn gyd-wastad a'r llawr.'[122]

Ni ellid gwadu effeithiolrwydd dulliau ymosodol Elin. Fel y dywedodd y pregethwr, William Williams wrth Robert Gruffydd, 'Dydi hi ddim yn sownd yn i chorryn, a hwyrach y bydd hi'n fwy o help nag mae neb yn feddwl yn 'i ffordd i hun'.[123] A hi, yn wir, a roddodd yr hwb dyngedfennol i Francis Glyn (nai Mr Harris) a'i droi'n Rhyddfrydwr. Yr oedd Francis wedi syrthio mewn cariad â Rhianon ar yr olwg gyntaf pan ddaeth i'r ardal am gyfnod i aros ym Mhlas Dolau, lle gwelodd drosto ei hunan ormes ei ewythr, Mr Harris. Gyda chanu Elin yn swnio yn ei glustiau ni allai gysgu, ac yn sydyn ar fore'r etholiad, neidiodd allan o'i wely 'ac ebai yn uchel yn Saesneg, "This won't do, I am going to jump over the wall; yes by Jove, and clear it too, so help me God, this very moment."'[124]

Rhaid dod i'r casgliad fod Gwyneth Vaughan wedi dyfeisio cymeriad fel Elin mewn nofel etholiadol fel hon am ryw reswm penodol, ac mae damcaniaeth Katie Gramich mai 'ego-amgen' Rhianon (neu'n wir Gwyneth Vaughan ei hunan) yw Elin, yn un ddeniadol. Gwyddom fod Gwyneth Vaughan yn edmygu dulliau uniongyrchol y swffragetiaid eofn, gan gyfaddef nad oedd hi ei hun yn ddigon dewr i'w hefelychu. Ac fel y nodwyd gan Jane Aaron: 'Rhianon experiences herself as very much held back by men, and frequently expresses her frustration with the limitations the gender system impose upon her.'[125] Gellid dadlau fod dyheadau dwfn yn isymwybod Rhianon a Gwyneth Vaughan yn cael mynegiant drwy gampau byrbwyll Elin, ymddygiad na fyddai'n dod yn hawdd i fenywod call, rhesymol a moesol fel hwy, ac na fyddai, ychwaith, yn gredadwy na derbyniol i'r darllenwyr. Efallai fod y tensiwn rhwng yr angerdd am bleidlais i fenywod a'r argyhoeddiadau crefyddol pasiffistaidd yn rhwystro eithafrwydd, ac i lenwi'r gwagle crëwyd Elin.[126]

Esgeulustod fyddai cefnu ar *Plant y Gorthrwm* heb sôn am Mrs Meyrick, merch i 'Farwn Seisnig', pendefiges a gynrychiolai'r menywod aristocrataidd, ffeminyddol y daeth Gwyneth Vaughan i'w hadnabod tra oedd yn byw yn Llundain, ac a fu'n gefn iddi ar adeg argyfyngus yn ei hanes. Dynes wahanol iawn ac o ddosbarth uwch na'r Saesnes 'angylaidd' y cyhuddwyd rhai o ferched Cymru o geisio'i hefelychu oedd Mrs Meyrick. Ar ei dyfodiad i Blas Dolau yn dilyn marwolaeth y Sgweiar absennol, buan y sylweddolwyd mai hi oedd yn gwisgo'r 'bais a'r clos' yn y plasty. Yn wir, 'Gwnaethai Mrs Meyrick, pes ganesid hi yn ddyn, Ganghellydd y Trysorlys gyda'r goreu fu erioed yn aelod o un Weinyddiaeth. Gan mai merch oedd, gorfu iddi ymfoddloni ar ofalu am ei thai a'i thiroedd.'[127] Ond mewn pentref gwledig yng Nghymru, yr oedd dynes bwerus o dras bendefigaidd â'i 'phastwn' awtocratig yn atseinio drwy'r fro yn rhywbeth i saith rhyfeddu ato, ac fel y gellid disgwyl, ni fedrodd Mr Harris gelu oddi wrthi'r digwyddiadau anffodus iawn a ddaeth i ran ei thenantiaid drwy ei natur ddialgar ef, ac heb ragor o lol fe'i diswyddwyd.

Pan glywodd Boba am benderfyniad Mrs Meyrick i wneud iawn am y cam a wnaethpwyd â'i chyfeillion pennaf, yr oedd uwchben ei digon. '"Mae Jael yma, Rhianon,"' meddai, '"Jael gwraig Heber y Cenead? Welis i 'rioed mor ffond ydi'r Arglwydd o drystio i waith i ferched, ngeneth i, nid dyma'r tro cynta Iddo Fo ddymchwelyd teyrnasoedd trwyddom ni."'[128] Ac wrth olrhain tynged teulu'r Hafod Oleu gellid deall ei llawenydd. Erbyn hyn roedd tad Rhianon, Robert Gruffydd, wedi methu dal y straen o chwilio am gartref newydd ar ôl cael rhybudd i adael yr Hafod Oleu. Ar ei wely angau, Rhianon oedd yr un a ddewiswyd ganddo, oherwydd cryfder amlwg ei phersonoliaeth, i ofalu am ei fam a'i ferch wanllyd, Olwen. Dros dro, o leiaf, dilëwyd unrhyw obeithion oedd ganddi i ddod ymlaen yn y byd. Ei hunig opsiwn oedd priodi Syr Tudur Llwyd, aberth na ellid yn hawdd ei dirnad o gofio'i fod ef ddeugain mlynedd yn hŷn na hi. Ac er iddo ofalu'n dyner am ei wraig a'i theulu yn y Friog, ni fedrai ei gŵr leddfu galar Rhianon pan fu farw ei mam a'i chwaer o fewn wythnos i'w gilydd. Yn y dyddiau blin hynny dim ond Boba gadarn a safodd rhyngddi a gwallgofrwydd.

Ymserchodd Mrs Meyrick ar unwaith yn yr eneth â'r wyneb llwyd â'i dillad galar, 'a bu ei chwmni yn lles i Rhianon trwy beri iddi anghofio ei gofidiau ei hunan weithiau wrth wrando ar Mrs Meyrick'.[129] Cymerodd Mrs Meyrick ddiddordeb arbennig yn Dyddgu hefyd. Synhwyrodd y Saesnes bresenoldeb enaid cytûn pan welodd ferch wedi torri ei gwallt ei hun mor gwta â 'phen cyrliog bachgen' yn hytrach na'i 'godi' yn ôl y drefn. Agorwyd drysau llyfrgell Plas Dolau i ferch y melinydd, oedd yn breuddwydio bob nos ac yn meddwl bob dydd 'am ryddhadd ei rhyw oddiwrth bob llyffethair a dueddai i'w cadw mewn cyflwr israddol'. Ac yn awr, 'at wasanaeth yr eneth', rhoddwyd 'un o'r casgliadau goreu o lyfrau yn y wlad ar hawliau merched.'[130]

Drwy ei hoffter o Dyddgu, dangosodd Mrs Meyrick fel yr oedd rhywedd yn goresgyn ystyriaethau dosbarth a 'mynnai . . . ddangos i'r bobl alwai hi yn grachfoneddigion gymaint oedd parch teulu'r Plas Dolau i ferch y melinydd'.[131] Yn sicr, mae'r golygfeydd niferus hyn sy'n sôn am rôl y fenyw mewn cymdeithas, a'r sgyrsiau a'r datganiadau di-ri am yr etholfraint yn *Plant y Gorthrwm*, 'yn gwadu'r syniad na cheir yn llên Gymraeg y bedwaredd ganrif ar bymtheg unrhyw ymdriniaeth gadarnhaol ag achos y bleidlais i fenywod'.[132]

Caiff y darllenydd deimlad pendant ar ddiwedd y nofel hon y byddai Rhianon (a briododd Francis Glyn yn dilyn marwolaeth Syr Tudur) a Dyddgu, yn wahanol i Angharad yn *O Gorlannau y Defaid*, yn mynd yn eu blaenau, fel Gwyneth Vaughan ei hunan, i wneud eu marc ym myd gwleidyddiaeth Cymru. Mawr oedd eu gobeithion am genedl gyfartal, breuddwyd y gwelwyd gobaith o'i gwireddu yn dilyn canlyniadau bythgofiadwy etholiad 1868, y 'bore rhyfedd . . . hwnnw, yr hen air "Trech gwlad nag Arglwydd" wedi ei wirio i'r llythyren'. Ac mae geiriau gorfoleddus Gwyneth Vaughan yn dwyn i gof ddigwyddiad tebyg ar fore tebyg yn niwedd yr ugeinfed ganrif:

> O Fau Ceredigion hyd at Glawdd Offa, o lannau Môr y Werydd hyd gwr eithaf Gwyllt Walia, adseiniai buddugoliaeth fel eco trwy ei chreigiau a'i mynyddoedd. Bore gogoneddus oedd hwnnw yn hanes Cymru, a erys yn garreg filltir i'w phlant tra bo Môn a môr o'i deutu.[133]

'Cysgodau y Blynyddoedd Gynt' (1907–8)[134]

Nid oes sôn am Ddiwygiad nac etholiad yn 'Cysgodau y Blynyddoedd Gynt'. Bwriad y gyfres hon oedd dwyn darllenwyr yn ôl i ddechrau'r bedwaredd ganrif ar bymtheg a'u trwytho yn hen draddodiadau cyfoethog eu gorffennol, a hynny fel gwrth-feddyginiaeth i'r 'llenyddiaeth ysgrifenedig isel ei chwaeth ddaw atom bob dydd dros Glawdd Offa',[135] a hyn yn bennaf oherwydd rheolau golygyddol llym yr Anghydffurfwyr. 'Anodd iawn yw cysoni na deall ymddygiadau Cymry crefyddol yn nechrau'r bedwaredd ganrif ar bymtheg,' meddai Gwyneth Vaughan, 'pob camp Gymreig yn cael ei hystyried yn bechadurus, a phlant Cymru'n gorfod dioddef blas y wialen os meiddient ganu hen benillion.'[136]

Gellir gosod 'Cysgodau y Blynyddoedd Gynt', felly, mewn categori ar wahân, a heb fframwaith crefyddol, gwleidyddol ei dwy nofel gyntaf, caiff cymeriadau'r stori hon, yn arbennig rai o'i menywod, rwydd hynt i grwydro y tu hwnt i gylchoedd arferol ffuglen Gwyneth Vaughan. Dyma gyfnod oedd yn pontio'r hen a'r newydd wrth i oleuni'r efengyl 'hel y tywyllwch i ffwrdd o'n gwlad'.[137] Er bod Margaret Pennant, a etifeddodd ffermdy Llys Gwenllian, felly, yn mynegi chwithdod wrth feddwl am Gymru 'heb ei thylwyth teg, heb yr hen Jac Lantern, y forforwyn a chysgod y telynor ar y traeth',[138] fel aelod pybyr o'r ffydd Fethodistaidd newydd, gwyddai fod rhyw eglurhad rhesymegol i ddigwyddiadau a godai gymaint o ofn ar yr hen bobl.

Mae diddordeb deallusol Margaret Pennant a'i natur eangfrydig o'i gymharu â'i chymdogion yn egluro'i pharodrwydd i ganiatáu i Sidi'r sipsi, a'i theulu estynedig, letya ym Meudy'r Foel ar dir Llys Gwenllian pan ddeuent i'r ardal ar eu hymweliadau tymhorol. Dyma'r unig ffermdy nad oedd yn eiddo i Rhydderch Gwyn, perchennog Plas Llwyd a'r holl diroedd o'i gwmpas. Eglwyswr a fethodd wrthsefyll temtasiwn 'gwragedd dieithr' oedd ef. Ac ni fyddai darllenwyr *Y Brython* yn synnu i glywed, felly, na fedrai fyth fod yn arweinydd ei gymdeithas, fel Margaret a Lewis Pennant, capelwyr moesol a chadarn eu hegwyddorion.

Erbyn cychwyn y stori, yn dilyn marwolaeth ei wraig gyntaf – y gwelid ei hysbryd yn crwydro fin nos yng nghoedwigoedd y Plas – roedd Rhydderch Gwyn wedi priodi Magdalen, mam ei ferch anghyfreithlon, Alys. Dioddefodd Alys a'i mam ragfarnau negyddol y gymuned tuag atynt, yn cynnwys teuluoedd eraill Eglwysig yr ardal. Drwy sylw Josh, mab tafarn y pentref, dengys Gwyneth Vaughan ei bod hi o blaid Alys. 'Mi fydd yn biti gin i dros yr eneth ifanc yna,' meddai Josh, 'does genny hi ddim help.'[139] Datgelir hefyd ei dealltwriaeth a'i chydymdeimlad â phobl yr ymylon. 'Camgymeriad', meddai 'ydyw i ni feddwl na fedd y sipsiwn crwydrol galonnau i'w cyffwrdd.'[140] Yr un yw ei chydymdeimlad â Siani'r Witsh, ac ni ellir llai na theimlo'i bod yn siarad o brofiad personol pan ddywed wrth ei darllenwyr pa 'mor barod ydym i gamfarnu ein cyd-ddynion, os heb ddeall yr oll o'u hamgylchiadau'.[141]

Is-blot y gyfres yw stori Derfel Gwyn, nai Rhydderch Gwyn, a gredai drwy ei fywyd mai ef fyddai etifedd Plas Llwyd. Fodd bynnag, Alys a etifeddodd y plasty ac aeth y nai i'r America i chwilio am fywoliaeth amgen, drwy gloddio am aur. Ei gariad oedd Tegwen, merch Brenin Ynys Enlli, ac wrth ddilyn hynt y ferch alarus, fe'n tywysir yn achlysurol ar draws y Swnt i gyrchfan gwbl newydd yn ffuglen Gwyneth Vaughan, lle'r oedd ofergoeledd yn rhemp, nodwedd a fanteisiwyd arni gan fechgyn drygionus Sidi a guddiodd yr aur a ddygwyd ganddynt o long ddrylliedig yn ogofâu dirgel ac anhygyrch yr ynys.

Dirgelwch mawr y stori yw hanes teulu Sidi, pennaeth matriarchaidd teulu'r sipsiwn, gwraig herfeiddiol ac un o brif gymeriadau'r gyfres. Datgelir i ni maes o law mai Rhydderch Gwyn, y sgweiar, oedd tad Judy, plentyn anghyfreithlon Hagar, merch hardd Sidi. Ni chydnabu Rhydderch Gwyn erioed y cysylltiad rhyngddynt. O dir Llys Gwenllian, caiff Sidi gyfle gwych i ymarfer ei dawn i felltithio a darogan dyfodol trychinebus i'w gelyn pennaf drwy gyfrwng y planedau yn yr awyr. Pwerau oedd y rhain nad oedd angen bod yn wrywaidd, yn gyfoethog nac yn bwysig i'w gweithredu, 'ac ni fedar y sgweiar Gwyn na neb', meddai Sidi, 'ddwyn y rheiny oddiar Sidi a'i phobl'.[142] A thrwy ei melltith hi, a thriciau brawychus Hagar (oedd erbyn hyn yn wael ei hiechyd, ac wedi dod i Borth Einion yn gyfrinachol i dŷ Siani'r witsh, ei chyfaill), daw cyfle i dalu nôl am yr anghyfiawnder a wnaed â Hagar a'i merch. Gyda'i gilydd llwyddodd tair dynes, heb unrhyw statws yn eu cymdeithas, i lorio'r mwyaf grymus yn eu plith.

Yn gyntaf oll cafodd y sgweiar strôc, a'r noson honno, honnir i rai weld aderyn corff yn yr ardal, un o driciau ei elynion, heb amheuaeth. Yn dilyn hyn, manteisiodd Hagar ar ei wendid, ac ar y cyfle i wireddu ei chynllun. Aeth allan yn y tywyllwch, gan wneud ei ffordd tuag at Blas Llwyd. Gan ei bod yn gyfarwydd â'r plasty, aeth ar ei hunion i ystafell y sgweiar, oedd yn gorffwyso'n ddiymadferth ar ei eisteddfainc. Cododd Hagar arswyd ar y marchog claf ond ni chawn unrhyw eglurhad am yr hyn a ddigwyddodd wedyn. Fodd bynnag, y noson honno, darganfuwyd y ddau yn farw, 'ac nid hawdd oedd rhyddhau corff y sgweiar am fod breichiau Hagar mor dynn amdano.'[143]

Erbyn diwedd y stori daw Derfel yn ôl i Gymru'n ddyn cymharol oedrannus, ond cyfoethog. Priododd Tegwen, oedd wedi gwastraffu blynyddoedd gorau ei bywyd yn aros amdano, a rôl ei wraig o hyn ymlaen oedd helpu ei gŵr i fuddsoddi ei arian er lles ei gymuned – plant pobl eraill, y gweddwon, a'r diaddysg. Yma cyhuddir Gwyneth Vaughan gan Thomas Parry o anghysondeb. Yn ei dyb ef, nid yw haelioni Derfel yn cyfiawnhau derbyniad di-gwestiwn Gwyneth Vaughan o'i gysur materol tra'n condemnio materoldeb fel pechod anfaddeuol mewn cymeriadau eraill llai hael a dymunol. Ond o gofio cyfnod y stori, gellir dychmygu llawenydd teuluoedd llai ffodus Porth Einion pan sefydlwyd ysgol i'w plant, gan roi iddynt y cyfle i dyfu'n aelodau cyfrifol ac annibynnol o'u cymdeithas. Heb fodd i ennill eu bywoliaeth rhaid cofio mai'r wyrcws oedd y dynged a wynebai bobl yr ardal, a haelioni unigolion fel Derfel yn fendith gymdeithasol gwbl amhrisiadwy.

Er gwaethaf rhai gwendidau, fel cyd-ddigwyddiadau anghredadwy, a thueddiad i orlwytho'i stori â sylwadaeth gymdeithasol gyfoes, llwydda Gwyneth Vaughan i gadw sylw'i darllenwyr drwy gyfrwng amrywiaeth o gymeriadau lliwgar, deialog ddifyr a phlot anarferol. Anodd i feirniaid llenyddol ei dydd ffitio'r stori hon yn daclus i unrhyw dwll colomen llenyddol am ei bod yn sefyll ar ei phen ei hunan mewn gwreiddioldeb. A phwy a ŵyr nad y nofel hon a symbylodd sylwadau R. Hughes Williams yn y *Traethodydd* ym Mawrth 1909, pan ddywed: 'Am Gwyneth Vaughan, anhawdd yw dweud ym mheth y rhagora hi. Y mae ganddi wybodaeth drwyadl o fywyd gwledig Cymru, ac ysgrifenna ei nofelau mewn arddull ragorol, arddull nad yw'n perthyn i neb arall.'[144]

'Troad y Rhod' (Chwefror–Rhagfyr 1909)[145]

Ar y cyfan, cyfres negyddol ei naws yw 'Troad y Rhod', lle mae Gwyneth Vaughan yn defnyddio'r *Brython* nid i glodfori Anghydffurfiaeth a Rhyddfrydiaeth Gymreig, ond i amlygu eu nodweddion annymunol. Mae'r stori'n cychwyn yng nghanol wythdegau'r bedwaredd ganrif ar bymtheg, ar drothwy sefydlu mudiad Cymru Fydd, a thrawiadol, o gofio'i herthygl galonogol yn *Young Wales* yn 1897 am ragoriaethau'r Cymro o'i gymharu â'r Sais, yw ei phortreadau beirniadol o Ryddfrydwyr Llan Elen. Rhaid derbyn, felly, bod ei theimladau yn 1909 wedi lliwio'i dadansoddiad o'r digwyddiadau a ddarlunnir yn y stori fel rhai'n perthyn i'r Gymru oedd yn bodoli ugain mlynedd ynghynt. A rhaid cofio mai cyfres anorffenedig ydyw, ac na ellid rhagweld, felly, ai diwedd cadarnhaol ai peidio oedd gan Gwyneth Vaughan mewn golwg. Fel arall yr awgrymid gan ei brawd pan ddywedodd:

> Pe cawsai fyw i orphen ei nofel olaf, 'Troad y Rhod', nid wyf yn siwr y buasai yn anodd adnabod rhai o'r cymeriadau: yr wyf yn sicr y buasai yn amhosibl cenfigennu wrth y safleoedd gawsent yn Llenyddiaeth Cymru gan ei hathrylith glwyfedig hi.[146]

Amlwg ddigon yw mai un o'r cymeriadau hyn oedd Nedw a ddaeth i fyw at ei ewythr William Jones i Lan Elen gyda'i chwaer Siarlot a'i fam Susan Jenkins: gellir bod yn weddol sicr y byddai'r darllenwyr wedi sylwi ar y tebygrwydd rhwng amgylchiadau Nedw a David Lloyd George, ill dau wedi eu mabwysiadau gan ewythr ar farwolaeth eu tad. Gwehydd ac Anghydffurfiwr o'r hen stamp oedd William Jones. Wrth i Nedw dyfu i fyny, fe'i rhybuddiwyd gan ei ewythr yn erbyn 'jerry builders' a 'chipwyr y cyfle', nodweddion a ymgorfforir ym mhersonoliaeth Mr Morris (Dafydd y Saer i'w gyn-gyd-ddisgyblion yn yr ysgol leol). Ymneilltuwr a Rhyddfrydwr oedd hwn a dyfodd yn bwerus a chyfoethog, ym marn William Jones, drwy '"[g]rynhoi arian ar draul sathru popeth goreu dynoliaeth [dan ei draed] a '[ch]icio eraill i lawr oddi ar y ffyn i neud lle iddo fo'i hun, ac yna eu trin yn anynol a dideimlad am nad ydynt mor lwyddiannus ag ynteu."'[147] Mae'n bosibl mai ymateb personol Gwyneth Vaughan a fynegir yn y dyfyniad hwn; hwyrach fod y llanast yng ngweithrediad ei phensiwn sifil wedi dwysáu ei theimladau negyddol erbyn 1909 tuag at blaid y gellid bod wedi disgwyl iddi ofalu am un o'i chefnogwyr mwyaf gweithgar mewn amgylchiadau dyrys.

Ond nid oedd Nedw uchelgeisiol – a adnabuwyd ers ei ddyddiau yn yr ysgol ramadeg fel Edward Jenkins – yn malio dim am egwyddorion David Morris, a'r funud y gorffennodd ei addysg ffurfiol, 'cipiodd yntau'r cyfle' drwy sicrhau safle fel prif gynorthwywr i Morris pan ddaeth yn Aelod Seneddol ar ran y Whigiaid. Yn dilyn ei lwyddiant gyrfaol, teimlodd Nedw'n ddigon hyderus i swyno Morfydd, unig ferch fferm lewyrchus y Garreg Ddu, i'w briodi, yn erbyn ewyllys ei rhieni. Ond ar ddydd eu priodas, meddai'r traethydd yn ensyniol, 'wele gwmwl du yn gorchuddio'r haul ac yn taflu ei gysgodau tywyll ar Morfydd',[148] geiriau sy'n argoeli'n wael ar gyfer hapusrwydd y pâr ifanc yn y dyfodol.

Digon annifyr hefyd yw dadorchuddiad Gwyneth Vaughan o'r dirywiad yng ngwerthoedd arweinwyr capeli Cymru, dadfeiliad a newidiodd natur addoldai'r werin. Y cybydd Jacob Foulkes oedd y mwyaf ffiaidd o'r giwed ragrithiol yma, oedd wedi tyfu'n dirfeddiannwr goludog. Er bod ei forynion a'i weision, a'i weddw wedi hynny, ar lwgu, roedd yn ddigon parod i ddangos ei hun drwy roi arian i'r capel, ac ni wnaeth ei ymddygiad 'bwystfilaidd' tuag at rai 'llai llwyddiannus' ei atal rhag 'canmol cariad Duw'. Ac meddai'r traethydd, 'Dyna'r pethau sy'n treio'n ffydd ni yma yng Nghymru heddiw ynte?'[149]

Er gwaethaf y nodyn gobeithiol am 1868 yn *Plant y Gorthrwm*, felly, ni lwyddwyd hyd yn hyn yn ardal Llan Elen 'i dorri pob iau, a datod rhwymau anwiredd a thynnu ymaith feichiau trymion [y werin]'.[150] Yn hytrach, yn 'Troad y Rhod', tebygu i'r gormeswyr a wnaeth y rhai a ddylai fod wedi etifeddu mantell merthyron fel Robert Gruffydd, yr Hafod Oleu, fel amddiffynwyr eu cymdogion llai ffodus. Mae'n werth rhoi un enghraifft, petai'n unig er mwyn dangos pŵer Malen dlawd dros yr ecsbloetwyr didostur – Mr Morris ac Edward – a geisiodd gynllunio i'w thaflu allan o'i thŷ bach dinod yn Stryd Felen, er mwyn adeiladu tai mawrion i bobl gyfoethocach, a llenwi eu pocedi eu hunain yr un pryd. Yn eu tyb hwy byddai'r wyrcws yn eithaf lle i'r hen wreigan. Ond roedd Malen o gwmpas ei phethau, ac ar ymweliad Edward â'i chartref ar gais David Morris (Dafydd y Saer iddi hi), adroddodd wrtho'r hunllef a gafodd y noson cynt lle gwelodd Morris yn dod tuag at ei thŷ yng nghwmni'r 'ysbryd drwg' gan geisio agor y drws. Ond yr oedd angel yn amddiffyn Malen, a chyn hir gwelwyd yr Aelod Seneddol ar ei hyd ar lawr a chriw o ddynion yn pwyntio bys tuag ato'n gofyn am eu harian, a'r ysbryd drwg yn chwerthin am ei ben. Yna, newidiodd y freuddwyd. Yn awr, cyfaill Malen, Nora fonheddig (perchennog y Stryd Felen) oedd yn agosáu, a Morris ac Edward ar fin ymosod arni â chyllyll. Ond troes yr angel y cyllyll 'yn 'u hola', a'r diwedd fu i'r ddau ymosodwr drywanu eu hunain. Rhyw fath o 'warnin' oedd hyn yn ôl Malen, a phan fynegodd Edward ei amheuaeth, meddai wrtho, 'O na, mae yna goel i'r freuddwyd machgen i . . . mae cariad pobl yn well na'i cas nhw cofiwch.'[151] Gadawodd Edward y Stryd Felen yn ddyn gofidus. Ymhen amser byr, bu farw David Morris. Ni fedrodd ymdopi â chael ei wrthod gan ei blaid ei hun yn dilyn ei bleidlais yn erbyn Gladstone yn y Senedd.

Fel yng nghynlluniau Sidi a Hagar yn 'Cysgodau y Blynyddoedd Gynt' ac Elin yn *Plant y Gorthrwm*, mae'r hanesyn hwn nid yn unig yn enghraifft arall o allu menywod ymddangosiadol analluog i lorio gelynion pwerus (yn yr achos yma drwy eu hofergoeledd a'u harswyd o ddialedd 'brenin y dychryniadau' na ellid ei lwgrwobrwyo), ond hefyd o ddyfnder atgasedd Gwyneth Vaughan tuag at ariangarwch a hunanoldeb. Dyma gymhariaeth eithafol sy'n tanlinellu daioni rhai fel Tim Morris a Derfel Gwyn, nôl yn hanner gyntaf y ganrif, a ddefnyddiodd eu cyfoeth er lles eu cymunedau.

Tystiolaeth bellach o'r 'beichiau trymion' oedd yn llethu pobl gyffredin Llan Elen yw'r hanesyn a adroddwyd yng ngweithdy

William Jones yn cymharu ffawd dyn tlawd a ddedfrydwyd i flwyddyn o garchar am ddal ysgyfarnog ar dir y plas i fwydo'i deulu â dyn meddw a hanner laddodd ei wraig ond a gafodd ei ryddhau gyda rhybudd i gadw'r heddwch am chwe mis.[152] '"Mi ddaw tro ar fyd ryw ddiwrnod a thro ofnadwy fydd hwnnw, pan fydd y rhai sydd megis yn cysgu yn deffro,"'[153] ebe un hen frawd yng ngweithdy William Jones mewn ymateb i'r stori hon. Ac ni wneir unrhyw ymgais i roi ffrwyn ar dafod hen ŵr arall. '"Mae rhai o honnon ni wedi darllen sut y buo hi tua Ffrainc yna stalwm,"' meddai hwnnw. '"A mi fydd raid i bobol y wlad yma golli afonydd o waed cyn y daw petha i'w lle. Hwyrach na ddaw hynny ddim yn y'n hamser ni, ond mi ddaw, mi ddaw, pan gwyd y dyn i arwain y bobol."'[154] Dyma ragwelediad, hwyrach, o ddirywiad graddol y Blaid Ryddfrydol ac arwydd o'r newidiadau tyngedfennol oedd ar y ffordd wrth i radicaliaid y blaid honno droi at y Blaid Lafur Annibynnol, fel cyfrwng mwy tebygol o wireddu eu gobeithion.

Ni ddown fyth i wybod ai Dan Lloyd oedd y dyn yr oedd y werin yn aros amdano, bonheddwr a gododd obeithion etholwyr Llan Elen pan ddaeth yn ymgeisydd seneddol lleol – dyn tal, gosgeiddig, melynwallt, llygatlas (tebyg iawn i T. E. Ellis mewn bywyd go iawn) – mab i ffermwr diwylliedig, a gafodd ei addysg yn Rhydychen, a'r gwahaniaeth rhyngddo ef ag Edward Jenkins, bychan o gorff, yn anodd ei anwybyddu. Cododd hefyd obeithion y ddau gymeriad benywaidd, gwleidyddol, Nora a Siarlot, oedd wedi bod yn aros yn hir am ymgeisydd addas ar gyfer canfasio drosto.

Gwyddeles oedd Nora a ddaeth gyda'i mam, Mrs Dermot, i fyw i'r Ty Gwyn, cartref y Capten Lloyd, bonheddwr milwrol o Iwerddon, mawr ei barch yn y gymdogaeth, ac fel y cyfryw'n ysgwyddo cyfrifoldebau a briodolwyd yn ffuglen arferol Gwyneth Vaughan i deuluoedd crefyddol Methodistaidd fel y Foty, yr Hafod Oleu a Llys Gwenllian. Nora yw eilun annwyl Llan Elen, nid merched o aelwydydd Methodistaidd fel Angharad, Rhianon a Dyddgu. Ac at Mrs Dermot, 'mam a phen ar ei hysgwyddau', y try menywod y pentref am help yn absenoldeb mamau addysgedig, delfrydol fel Luned Fychan, Gwen Gruffydd a Margaret Pennant. Yn wir, beirniedir mam Siarlot, yr Ymneilltuwraig, am 'ei [ph]arodrwydd 'i or-weini' ar ei theulu – 'beirniadaeth ddigon arloesol' medd Jane Aaron, 'ar rôl draddodiadol y Fam Gymreig fel dylanwad sy'n niweidio datblygiad seicoleg ei phlant yn hytrach na'i feithrin'.[155] A bu'n rhaid i Mrs Dermot egluro i Susan Jenkins fod ei merch Siarlot, fel ei mab Nedw, 'yn meddu ar allu i ddysgu, ac y byddai o fudd iddi hwyrach ryw ddiwrnod'.[156] Fel canlyniad aeth Siarlot i fyw at Nora, ac fe'u haddysgwyd gyda'i gilydd gan athrawes gyflogedig Ty Gwyn, a gan fod y stori'n digwydd ar adeg cyn Deddf Addysg 1889, dyma'r lle gorau y gellid bod wedi ei gael ar gyfer meithrin ei thalentau.

Cwbl ddealladwy, o gofio amgylchiadau dyrys Gwyneth Vaughan yn 1909, yw naws gymharol ddigalon 'Troad y Rhod'. Dirywiodd iechyd y 'ferch a'r pin bendigaid' cyn gorffen y gwaith, a gellid gweld y straen yn ei phenodau olaf wrth iddi ailgylchu deunydd a gyhoeddwyd eisoes, gan roi barn ar bynciau amrywiol cyfoes yng ngenau ei chymeriadau heb ychwanegu dim at y stori. Heblaw am ei gwendid hi ei hunan, fel y gwyddom, cynyddwyd ei beichiau gan broblemau iechyd difrifol dau o'i phlant. Mewn gair, yr oedd Gwyneth Vaughan ar ei chythlwng, cyflwr y gellid bod wedi ei leddfu heblaw am gamweinyddiaeth y gronfa a sefydlwyd yn 1908 ar ei chyfer. Ond ymdrechodd yn wrol hyd y diwedd i ysgrifennu miloedd o eiriau'n wythnosol i gynnal ei theulu ac 'Nid gormod yw dweyd' meddai J. Bennett Jones, 'iddi ysgrifenu ei llyfrau â'i gwaed yn gystal ac âg inc.'[157] Yn eironig, troes yr orfodaeth arni hi i ysgrifennu'n ddiddiwedd yn ffynhonnell werthfawr i ddarllenwyr y dyfodol, a phe cesglid ei holl weithiau at ei gilydd 'byddent yn amryw gyfrolau trwchus'.[158]

Dewisodd Thomas Parry chwilio am wendidau yn ffuglen Gwyneth Vaughan gan ddefnyddio llinyn mesur gwryw-ganolog ei gyfnod. Ni ddangosodd ymwybyddiaeth o'i harwyddocâd i ddarllenwyr benywaidd fel un a dorrodd dir newydd yn llenyddiaeth y Gymraes. Ond i'r rhai sy'n ymddiddori yng nghyfraniad menywod Cymru'r gorffennol i ddatblygiad eu cymdeithas, hyd yn oed heb y bleidlais, ni ellir anghofio'i mintai o ferched cadarn ac arloesol o bob oed ac o bob cefndir. Pe adargreffid ei llenyddiaeth cawsem bortreadau cyfoethog ac amryliw o Gymry a Chymru'r bedwaredd ganrif ar bymtheg, a hynny o safbwynt amgen, ffeminyddol. Hi a ddewisodd y lliwiau ac fe'u cymysgodd yn ei dull dihafal ei hunan.

5

Llenyddiaeth Sara Maria Saunders

> 'Un arall – un ag sydd drwy ddoniau per
> Yn dechreu swyno ysbryd Cymru i gyd'.[1]

Yn y bennod hon, archwilir creadigrwydd 'un arall' a enynnodd edmygedd a diddordeb darllenwyr di-ri â'i thapestri llenyddol. Fel Gwyneth Vaughan, canolbwyntiodd Sara Maria Saunders (S.M.S.) gant y cant ar y materion a'i hysbrydololdd ac, fel canlyniad i'w dyfalbarhad a'i gallu cynhenid, gellid dweud amdani hithau hefyd pe cesglid ei holl weithiau at ei gilydd y byddent 'yn amryw gyfrolau trwchus'. Yn gynnar yn ei bywyd deallodd S.M.S. effeithiolrwydd y gair ysgrifenedig fel cyfrwng pwerus i drosglwyddo neges tröedigaeth a manteisiodd cylchgronau Cymreig y Methodistiaid Calfinaidd, yn y ddwy iaith, ar 'y nwyd neu'r ysfa', chwedl Thomas Parry am Gwyneth Vaughan, a'i gyrrodd hithau hefyd 'i ymdreulio'n faith ac yn gyson heb allu peidio ag ysgrifennu'.

Fel aelod brwd o'r Symudiad Ymosodol, cyhoeddodd S.M.S. ei ffuglen gyntaf yn y *Christian Standard* yn 1892. Ynddi mae'r traethydd yn gwyro oddi ar lwybr arferol awduron benywaidd a fagwyd yng nghefn gwlad Cymru, ac yn mynd i ganol cymunedau difreintiedig trefol i weld drosti hi ei hunan yr hyn sydd wrth wraidd eu trueni. Mae rhyw ffresni ym mharodrwydd S.M.S. i gydymdeimlo â'i phechaduriaid ac i dynnu'r gwynt o swigen yr hunanfodlon. Yn ei stori 'Inasmuch' i'w darllenwyr ieuengaf, er enghraifft, caiff criw o fechgyn – gwell eu byd – ddigon i bendroni yn ei gylch pan ddywed yr athro wrthynt:

> 'It's not because you are a whit better than the ragged street arabs that you do not steal, and lie, it's simply because you lack their opportunities, and I am afraid if you lads were placed in their positions, that you would do things just as disreputable as they.'[2]

Dealltwriaeth o wendidau ac amgylchiadau ei chymeriadau, a maddeuant a chariad Duw drwy Iesu Grist sy'n lliwio'r holl gyfres hon, elfen a ddaw'n fwyfwy amlwg wrth i ni symud ymlaen i gyfres gyntaf S.M.S. i'r *Drysorfa* a ysgrifennodd rhwng 1893 a 1896, hanesion a leolir ym mhentref Llanestyn ac sy'n seiliedig ar ei hatgofion hi ei hunan am y 'bobl ymhlith pa rai y cefais y fraint o dreulio blynyddau cyntaf fy mywyd'.[3] Yn 1897 casglwyd storïau Llanestyn at ei gilydd a'u cyhoeddi o dan y teitl *Llon a Lleddf*.[4]

PREGETH OLAF MATTHEW JONES.

MRS. S. M. SAUNDERS.

TRWY ei hysgrifau talentog a dyddorol yn y DRYSORFA, y mae Mrs. Saunders wedi ennill safle anrhydeddus ymysg ein llenorion mwyaf poblogaidd; ac y mae yn ddiammheu y bydd yn dda gan ei darllenwyr lliosog gael y darlun uchod o un ag y mae ei darluniau hi yn rhoi cymaint o fudd a hyfrydwch iddynt o fis i fis. Hana Mrs. Saunders o linach athrylithgar—o du ei thad, y diweddar Mr. R. J. Davies, Cwrtmawr—y mae yn disgyn o'r enwog David Charles, Caerfyrddin. Y mae yn briod er ys amryw flynyddoedd â'r Parch. J. M. Saunders, M.A., Penarth, mab y diweddar Dr. Saunders. Bydd yn llawenydd i ddarllenwyr y DRYSORFA ddeall fod yn "Llanestyn" lawer o gymeriadau hynod a dyddorus sydd eto yn ddyeithr iddynt, ac y gallant ddysgwyl dyfod i gydnabyddiaeth â hwy, y naill ar ol y llall, o hyn i ddiwedd y flwyddyn nesaf.

PREGETH OLAF MATTHEW JONES.

Gan MRS. SAUNDERS.

PAN y daeth Benja Jones o Gwrdd Misol Penbach, dywedodd yn gyfrinachol wrth Isaac Roberts y Siop, fod yn ddrwg iawn ganddo mai nid yn Llanestyn y ganwyd Matthew Jones a Richard Edmunds. Nid oedd yn bosibl i Benja ddychymygu braint mwy uchel na galw Llanestyn yn bentref genedigol rhyw wŷr enwog. Felly pan y dangosodd fod yn flin ganddo mai yn rhywle arall y ganwyd y ddau bregethwr ieuanc, yr oeddym un ac oll yn teimlo fod rhyw arbenigrwydd neillduol yn perthyn iddynt, ac yr oedd-

7. *S.M.S. yn y* Drysorfa, *1894, t. 388, lle cyhoeddwyd ei ffuglen gyntaf.*

Llon a Lleddf (1897)

Yn stori gyntaf y casgliad, drwy gyfrwng dau gymeriad gwahanol iawn, Benja Jones y teiliwr llym a Huw, crydd addfwyn Llanestyn, dengys S.M.S. fel yr oedd agweddau tuag at natur achubiaeth wedi newid ers ieuenctid yr hen Benja, mewn cymhariaeth â phrofiadau Huw, ei gyfaill mynwesol. Bron na ellid dweud wrth Benja, fel y dywedodd ei gynghorydd Phillip Pugh wrth Daniel Rowland, datganiad a ddyfynnodd S.M.S. yn ei chyfres 'Stories from the Lives or Methodist Fathers' yn *y Monthly Treasury*: 'If you continue to preach the law after your present fashion you will kill half the population, for you thunder those awful curses in such a terrible manner.'[5] Oherwydd 'yn yr Hen Destament yr oedd Benja'n byw, a chrefydd yr Hen Destament oedd nodwedd ei grefydd ef'.[6] Mewn cymhariaeth, 'plentyn yr haf oedd Huw, yn llawenhau yn y goleuni . . . "Ffowch am eich einioes, mae'r dialedd *bron* a'ch dal!" oedd gwaedd Benja. "Edrychwch ar yr Iesu, mae E'n eich caru", oedd cri Huw.'[7]

'Plentyn yr haf' oedd hithau S.M.S. fel y cadarnheir mewn papur a gyflwynodd i gonfensiwn yng Nghaerdydd yn 1894, sef 'Boys and Girls Bible Classes'.[8] 'Before we can hope to do any real and permanent good to the boys and girls of our classes,' meddai, 'we must get teachers who sympathize with them and love them, for only such can enter into their lives.'[9] Cymeriad felly oedd Huw, athro anwylaf yr Ysgol Sul, a phrawf o ddiffuantrwydd ei gariad tuag at blant y pentref oedd eu tristwch pan ymddangosai ei fod ar ei wely angau. Daethant ynghyd i weddïo am ei wellhad, gan roi cyfle i S.M.S. feirniadu aelodau llai hynaws Salem, a dod â gwên, mae'n siŵr, i wyneb ei darllenwyr. 'Bu Iago', un o'r bechgyn yn ei ddosbarth, 'yn haelionus iawn', meddai, 'yn cynnig ar i'r Arglwydd gymeryd *dau* o'r blaenoriaid yn lle Huw – fod y bobl yn Salem i gyd wedi blino arnynt, ac am hynny 'roedd *welcome* i'r Nefoedd gael yr *whole lot* o'r sêt fawr, ond i Huw gael ei adael!'[10] Ac mae'n werth dyfynnu darn go helaeth am grydd Tŷ Siôn fel enghraifft o arddull hwylus S.M.S: 'Ein barn ni fel dosbarth oedd mai'r unig le yn Llanestyn y byddai Iesu Grist yn hapus ynddo fyddai Penucha, tŷ Huw', meddai'r traethydd, Ifan Cadwgan:

> Yn y fan honno y byddai Huw yn dilyn ei grefft fel crydd; a fedra i byth feddwl am yr ystafell fach anghysurus honno ond fel trigle Brenin y Nefoedd. Dywedai Huw mai Iesu Grist oedd wedi gwneyd *cobbler*

> *respectable* ohono ef . . . Byddai Huw yn gweddïo dros berchen pob esgid a fyddai yn ei fendio ac yr oedd yr holl ardal yn credu yn gryf yn effeithioldeb gweddïau crydd Tŷ Siôn; ac yr wyf yn gwybod fod llawer mam ofidus wedi anfon hen esgidiau ei mab afradlon at Huw, yn unig er mwyn sicrhau ei weddïau.[11]

Yr oedd llawer o bobl 'gofidus' yn byw yn Llanestyn gan fod y cyfnod a gofnodir yn un o ddirwasgiad affwysol yng ngorllewin Cymru. Nodwyd gan yr hanesydd Russell Davies fel yr oedd y fath amgylchiadau dyrys wedi creu cymdeithas: 'where no solutions were offered to the perennial problems of life' ac o'r herwydd, meddai, 'magic and paganism flourished'.[12] Yr oedd gan S.M.S., fodd bynnag, fel y gwelsom uchod, ateb amgen i'w problemau, sef natur adferol gweddi a fedrai oresgyn trallodion yn y tymor byr ar y ddaear, ond yn bennaf sicrhau bywyd tragwyddol yn y nef.

Tra oedd Huw yn gweddïo uwch esgidiau plant Llanestyn, roedd Rachel, 'mam ofidus' arall, ar dorri ei chalon am fod ei mab William wedi ei ladd mewn pwll glo, a hynny yn ei thyb hi cyn iddo 'gael gafael ar Iesu Grist'.[13] Gymaint oedd ei galar fel na fedrai wahanu â'i siwt newydd a'i rhoi i Martha, ei chymdoges dlawd, ar gyfer ei mab Shinkyn oedd â'i fryd ar fynd yn bregethwr. Wyddai Martha druan 'fawr ddim am *delicacy of feeling*; os bu y fath rinwedd ynddi rhyw dro, yr oedd ei thlodi wedi ei ladd', ac meddai wrth Rachel, '"Os byddi di yn eu gwerthu hwy rhyw dro, gad i fi gael y cynnig cyntaf; digon tebyg yr aiff y pryfed atyn nhw os na ofali di."'[14] Cynyddir cyfyng-gyngor Rachel gan eiriau brathog Martha. Gweddïodd am help, ac atebwyd ei gweddi a chafodd nerth i benderfynu rhoi'r siwt i Martha. Yna, darganfu lythyr a ysgrifennodd William ddiwrnod cyn ei farwolaeth ym mhoced y siwt, yn rhoi'r newydd da ei fod wedi 'derbyn Iesu Grist fel ceidwad'. Gweddnewidiwyd Rachel; clymodd y siwt mewn napcin yn barod ar gyfer ymweliad nesaf Martha, ac wrth i Martha adael mewn syndod gyda'i thrysor, clywodd Rachel 'yn adrodd drosodd a throsodd drachefn, "Y mae fy enaid yn mawrhau yr Arglwydd, a'm hysbryd a lawenychodd yn Nuw fy iachawdwriaeth."'[15]

Darganfu Peggy hefyd lawenydd drwy bŵer gweddi yn y stori 'Merch y Brenin'. Er ei bod wedi ei chaethiwo i'w chartref yn drigain oed gan y *rheumatics*, a'r ardal i gyd yn pryderi am ei phoen a'i hunigrwydd, yn dilyn cyfnod 'yn ffwrn boeth cystudd'[16] gwelodd Peggy un 'â'i ddull yn debyg i Fab Duw', a thrwy ei gweddïau llwyddodd i drawsnewid ei hanffodusrwydd yn fendith gan dreulio blynyddoedd olaf ei bywyd yn hapus yng nghwmni 'y Gŵr ei Hunan'. Pan fu'n rhaid iddi wynebu ei thynged a derbyn mai'r tloty fyddai ei chartref yn ei henaint, cysurodd ei hunan drwy uniaethu â Iesu Grist, '"Os oedd y Brenin ei hunan yn gallu gwneud y tro yn y stabal," ' ebe Peggy, '"gall Ei ferch wneud yn burion yn y *work'us*." '[17] Ond pan ddaeth cymydog i'w gweld ar y bore brawychus, roedd gofidiau Peggy wedi eu datrys: 'Yng nghanol distawrwydd y nos, tra yr oedd pawb yn cysgu, daeth rhyw ymwelydd urddasol iawn i'r bwthyn tlawd ac, yn lle'r tloty, palas y Brenin ga'dd Peggy.'[18]

Yn Llanestyn peth digon cyffredin oedd perthynas agos rhwng cymeriadau benywaidd â'u Duw. Yn ystod y ganrif oedd wedi mynd heibio ers diwygiad mawr Llangeitho ymddangosodd cenedlaethau o fenywod cryf a phenderfynol yn yr ardal hon o Geredigion a etifeddasant argyhoeddiadau crefyddol eu mamau Methodistaidd. Menywod fel y rhain a bortreadir gan S.M.S. – presenoldebau herfeiddiol mewn cymuned a oedd yn troi o gwmpas capel Salem. Mae'n wir na fedrent esgyn i'r pulpud na meddiannu'r sêt fawr, ond cellweirus a dweud y lleiaf yw agwedd S.M.S. tuag at y syniad o wragedd fel 'y llestri gwannaf' yn 'ymostwng i'w gwŷr priod, megys i'r Arglwydd', fel a orchmynnir yn Rheolau Disgyblaethol y Methodistiaid Calfinaidd.[19]

Yn sicr, nid oedd gwyleidd-dra'n un o nodweddion Ruth Thomas, hen wraig Tŷ Capel Llanestyn, a eisteddai fel brenhines yn ei chegin, ac a gâi 'ei hystyried yn dipyn o awdurdod ar bregethwyr'.[20] I'w thŷ hi yr heidiai'r menywod i gael gwybod hanes y pentref a'r gymdogaeth yn drwyadl. A gan mai trafod y bregeth a'r pregethwr diweddaraf oedd hoff weithgaredd amser hamdden y trigolion, telid llawer o sylw i'w datganiadau. '"Does dim *jib* pregethwr gydag e" ', meddai am un; 'ac aeth y bachgen i lawr ym marn y rhai a'i clywsant ar unwaith.'[21] Collodd un arall 'bleidlais yr eglwys'[22] yn dilyn beirniadaeth negyddol Ruth ohono, a meiddiodd un ddod i'r gegin a gofyn iddi mewn dull 'mawreddog' beth oedd hi'n ei feddwl o'i bregethau. '"Wel", meddai yn araf . . . "Ro'n i'n gweld eich pregethau yn debyg iawn i'ch sgidiau, maen' nhw'n edrych yn o dda o'r pellter, ond does dim gwadna iddynt nhw; maen' nhw'n gwllwn dŵr yn druenus." '[23] Diflannodd y pregethwr i'r parlwr, a'i gynffon rhwng ei goesau.

Yn y stori 'Gwen, fy Chwaer'[24] ymwelwn ag aelwyd traethydd hanesion Llanestyn, Ifan Cadwgan, a oedd, yn ôl ei gyfaddefiad ei hunan yn 'greadur gwanaidd, hanner marw', ac ef a'i fam, pan aeth Gwen ei chwaer fawr i Lundain, yn 'teimlo fel plant wedi eu gollwng allan o'r ysgol!'[25] '"Mae cryn dipyn o'r gyfraith yn Gwen; ac y mae ei hofn arna 'i,"' meddai Ifan wrth y darllenwyr; '"un ryfedd yw hi am ddarganfod ffaeleddau dyn!"'[26] Yma troir y berthynas rhwng y ddau ryw wyneb i waered. O gofio'i statws ar yr aelwyd, ac fel un o hoelion wyth ei chymdeithas, ni synnodd neb mai ar Gwen, nid ar Ifan (a oedd yn gymharol ifanc ar y pryd), y galwodd y tad o'i wely angau, ac mai wrthi hi y dywedodd, '"Cofia ofalu amdanyn nhw, mae dy fam yn rhy wannaidd i weithio; ti yw'r *mab* henaf." Ac yn lle crio fel merched eraill, dywedodd Gwen yn glir, "Peidiwch ofni, 'Nhad, mi ofalaf amdanyn nhw *hyd angau.*"'[27]

Un o ddulliau cynnil S.M.S. o sicrhau amlygrwydd i'w chymeriadau benywaidd oedd drwy osgoi confensiwn y 'teulu niwclear'. Rhydd le blaengar i weddwon, merched ifainc sengl a hen ferched, ac ar aelwydydd a rennir gan y ddau ryw, fel yn hanes Gwen, nid y dyn sy'n ysgwyddo cyfrifoldebau penteulu ond y ferch. Ni cheir llawer o dystiolaeth ychwaith o'r 'sfferau ar wahân'. Yn wir, nid yw archwilio natur cymdeithas o safbwynt cylch 'cyhoeddus' dynion a chylch 'preifat' menywod o ddiddordeb i S.M.S. Eneidiau ei chymeriadau, nid eu swyddi, sy'n mynd â'i sylw hi, a'r hanesion yn canolbwyntio ar eu cynnydd ysbrydol, nid eu cynnydd materol. Amlycach na'r bwlch rhwng y rhywiau yw'r anghyfartaledd rhwng y werin a'r eithriadau prin a berthynai i'r dosbarth breintiedig.[28] Yn y stori 'Er ei Fwyn Ef',[29] er enghraifft, mae merch ifanc ffaeledig o'r enw Gwen yn awyddus i godi arian i'r genhadaeth dramor, ac yn gwerthu ei gwallt godidog – yr unig beth gwerthfawr oedd ganddi – i Miss Alice Price y Plas, a hynny am bris llawer llai na'i werth, am fod ei thlodi a'i hangen a'i pharchedig ofn yn ei rhwystro rhag taro bargen. A phan gymerodd Mrs Price, mam Alice, ffansi at flodyn mam Huw y Crydd, nid oedd gwrthod yn ddewis a ystyriwyd; yn wir braint oedd ei drosglwyddo i'r *lady*, er y 'bu hiraeth arswydus' arni amdano.[30]

Fodd bynnag, er nad oedd 'sfferau ar wahân' o safbwynt gwaith a statws y ddau ryw yn amlwg, yr oedd chwaeroliaeth yn elfen gref a gwerthfawr ym mywydau'r menywod, fel y gwelir dro ar ôl tro. Yn y stori 'Cenad Dros Dduw',[31] mae Betsy Jones y Dyffryn nid yn unig yn talu am addysg yn Lloegr i'w mab Iago, ond hefyd i Edward, mab Let ei ffrind tlawd, 'am fod "rhywbeth ynddo"'.[32] A phan oedd ei chyfaill yn gofidio am ei phlant yn y stori 'Y Can Cymaint', meddai Peggy wrthi, '"Rachel! . . . hen greadur unig iawn ydwyf fi, ond fe elli di fod yn eitha tawel dy feddwl fy mod i yn dy helpu i weddïo dros y plant yma." '[33]

Trwy 'adrodd drosodd a throsodd drachefn' fendithion gweddi a'r dröedigaeth Gristnogol, bwriad S.M.S. yn y gyfres *Llon a Lleddf* oedd cadw fflam diwygiadau'r gorffennol ynghynn yn y gobaith o'i gweld yn ffrwydro'n goelcerth unwaith eto. Cydnabu N. Cynhafal Jones, golygydd y *Drysorfa*, ei dawn, gan dynnu sylw at ei 'safle anrhydeddus ymysg ein llenorion mwyaf poblogaidd'.[34] A chyfeiriodd R. J. Williams, Lerpwl, at ei 'medr eithriadol i ddisgrifio cymeriadau Cymreig, gwledig, crefyddol, gyda naturioldeb a swyn'.[35] Nid golygydd y *Drysorfa* oedd yr unig un i fanteisio ar boblogrwydd a gallu S.M.S. i swyno'i darllenwyr. Cyn i'w chyfres Gymraeg am hen bobl Llan-estyn ddod i ben yn 1896, yr oedd Hugh Joshua Hughes, golygydd y *Monthly Treasury* hefyd wedi sicrhau cyfres o hanesion o'i heiddo i gylchgrawn Saesneg yr enwad.

'Sketches from Wales' (1895)

Yn 1894, ymgorfforwyd *The Christian Standard* yn y *Monthly Treasury* (1894–1912), ac meddir yn y 'Notes' yn y rhifyn cyntaf:

> For years past, the growth of the Connexion has been for the most part a growth within its English churches. This has been such that it has already supplied a proof, if proof were needed, that Calvinistic Methodism can thrive apart from the Welsh language. Our mission is to help this growth.[36]

Gellid dadlau mai eironig yw'r pryder hwn am oruchafiaeth y Gymraeg mewn cyfnod pan fynegwyd gofid o bob cyfeiriad arall am ddylanwadau Seisnig ar Gymru. Ymddengys bod y twf yn aelodaeth yr Eglwys Wladol wedi sbarduno Methodistiaid Cymru i ddarbwyllo mewnfudwyr di-Gymraeg i'r ardaloedd gwledig nad oedd y cwlwm traddodiadol, hanesyddol rhwng Methodistiaeth â'r iaith Gymraeg yn annatod. Rhaid cofio mai cyflwr eu henwad a chyflwr eneidiau holl drigolion Cymru oedd prif ddiddordeb Methodistiaid Calfin-aidd y Gymru Gymraeg, nid parhad yr iaith Gymraeg.[37] Fel y nodwyd gan Mair, merch S.M.S., crefydd oedd yr uchaf ar restr flaenor-iaethau ei mam, a gellir dadlau felly mai teclyn oedd iaith, yn ei hachos hithau hefyd, ar gyfer lledaenu gair Duw. Felly, ochr yn ochr â'i hanesion Cymraeg i'r *Drysorfa*, ysgrifennodd S.M.S. erthyglau ffeithiol a chyfresi ffuglennol yn rheolaidd i'r *Monthly Treasury* rhwng 1894 a 1900.

Y gyntaf ohonynt oedd y gyfres 'Sketches from Wales'. Pentref Tremerlin yw'r lleoliad, cymuned o gymeriadau uniaith Gymraeg a gyflwynir i'r darllenwyr drwy gyfrwng y Saesneg. Yn ei herthyglau ffeithiol, nid oedd ysgrifennu'n Saesneg yn achosi unrhyw anhawster i S.M.S. Tasg anoddach, fodd bynnag, i awduron ffuglen Cymru oedd portreadu cymeriadau credadwy nad oeddent mewn gwirionedd yn rhugl yn yr iaith a roddwyd yn eu genau. Troes S.M.S., fel y gellid disgwyl hwyrach, at gystrawennau cywirach y Beibl i ddynodi arweinwyr Tremerlin, gan roi Saesneg mwy bratiog yng ngenau rhai mwy dinod. Ond mae hwn yn bwnc llawn cymhlethdodau y rhoddir mwy o sylw iddo nes ymlaen.

Wrth reswm, i rai oedd wedi ymserchu yn nhafodiaith a chymeriadau ffraeth Llanestyn, ni ellid cael yr un mwynhad o ddarllen am hen ffyddloniaid capeli Cymru mewn iaith oedd yn ddieithr iddynt. Ni fyddai'r fath ystyriaethau fodd bynnag yn mennu ar bleser darllenwyr uniaith Saesneg, ac yn 'Sketches from Wales', aeth S.M.S. ati i gefnogi amcanion y *Monthly Treasury* mewn cyfres gwbl wahanol ei natur i'r storïau trefol, Seisnig, a ysgrifennodd i'r *Christian Standard*.

Cymuned o bobl hynod grefyddol oedd Tremerlin, a darbwyllir darllenwyr di-Gymraeg – na wyddent hwyrach i ba raddau yr oedd Ymneilltuaeth wedi teyrnasu yng nghefn gwlad Cymru ers dyddiau cynnar Methodistiaeth – fod unigolion o dras brenhinol yn byw yn y pentre hwn. 'When the Book of Memories is opened' medd S.M.S. â chryn falchder, 'it will be found that world-forgotten unknown Tremerlin was the birthplace of many a prince.'[38] Un o'r tywysogion hyn oedd William Harries y Graig: 'A tall fine-looking man, with white hair, and a long white beard, he gave one the idea, that he belonged to some aristocratic family.'[39] Ceir adlais o grefydd Benja Jones Llanestyn yn nisgrifiad S.M.S. ohono: 'Throughout the greater part of his life, [his religion] was both grim and gloomy. The shadow of Higher-Calvinism overhung it, as was the case with most of the old Welsh saints.'[40] Er hynny, oherwydd diffuantrwydd ei dduwioldeb, fe'i perchid gan bawb. Yn wir, nid oedd angen heddwas ar noson ffair i gadw trefn yn Nhremerlin. Y funud yr ymddangosai William Harries, 'a curious stillness', meddir, 'seemed gradually to fall upon the fair'.[41] Ac ymhen blynyddoedd, ar ddiwedd ei fywyd dilychwin, yr oedd holl fenywod y pentref yn cystadlu am gael eistedd wrth erchwyn ei wely. Gan nad oedd eisiau siomi'r un ohonynt, na chreu cenfigen rhyngddynt, credai un o'r menywod iddo ddewis marw'n ara' deg yn fwriadol, 'so that every woman might have her turn at watching the glorious ascension of one of the sons of God'.[42]

Anodd i rai darllenwyr di-Gymraeg dderbyn, hwyrach, mai gwas fferm oedd William Harries wrth ei alwedigaeth, a bwriad y stori heb amheuaeth oedd pwysleisio nad oedd llinynnau mesur confensiynol yn berthnasol i sant o'i anian ef; fe'i dyrchafwyd gan ei gymuned i orsedd na fedrai meidrolion cyfoethocach o'i gwmpas fyth ei meddiannu. Hugh Price Pencoch, ei feistr, oedd un o'r rhain, dyn a ymffrostiai yn ei dalent i daro bargen, ac a sicrhaodd ei le yn y sêt fawr drwy bleidlais y rhai oedd mewn dyled iddo. Pŵer anghymharol fodd bynnag oedd pŵer William Harries, ac arwydd o ddawn S.M.S. i drosglwyddo gwirioneddau mawr mewn ychydig eiriau syml yw'r darlun o William Harries a Hugh Price ar ddydd Sul:

> Sitting by the door of the table-pew was William Harries, the *great man* of Bethel . . . Sitting next to him was his master for six days of the week, Hugh Price, the farmer, who, however great he might be in the market, was a very little man on Sundays, when compared with his herdman [William Harries].[43]

Un arall o dywysogion Tremerlin oedd Daniel James, y crydd disglair nad ildiodd i'w ddiflastod pan gafodd ei wrthod gan Ann, y ferch yr oedd yn ei charu.[44] Creulonach fyth oedd iddo ei cholli i'w elyn pennaf, Edward Prys. Ond daeth ei grefydd i'w achub, a dioddefodd heb rwgnach, mewn tawelwch, gan roi cyfle i S.M.S. ddangos fel y gall goresgyn cenfigen, a gwneud daioni i wrthrych y genfigen honno, arwain at hapusrwydd. Yn hytrach na llawenhau yn anffodusrwydd Ann ac Edward pan gollasant bopeth, gadawodd Daniel arian iddynt yn gyfrinachol ar garreg eu drws bob wythnos. Ond aeth Ann yn sâl, ac, ar awr ei marwolaeth, Daniel a ddywedodd weddi wrth ymyl ei gwely. Drannoeth yr angladd, pan aeth Edward i weld bedd ei wraig, darganfu Daniel wrth ei ymyl; gwawriodd arno mai hwn oedd y cymwynaswr a fu'n cadw'r blaidd o'u drws, ac o hynny 'mlaen daethant yn ffrindiau pennaf. Mewn sefyllfa gwbl annisgwyl, ac annerbyniol, hwyrach, i rai o ddarllenwyr cyhoeddiadau enwadol Cymru, ond sydd unwaith eto'n arwydd o natur eangfrydig S.M.S., rhannodd y ddau ddyn y cyfrifoldeb o fagu Ann fach, merch Edward, a rhoddodd eu serch tuag ati ystyr newydd i fywydau'r ddau.

Erbyn diwedd 1896, yr oedd S.M.S. wedi magu cydnabyddiaeth fel awdur cyfresi o storïau byrion i gylchgronau'r Methodistiaid yn y ddwy iaith, wedi eu lleoli bron yn ddieithriad yng nghefn gwlad gorllewin Cymru. Ond cyn symud ymlaen i'w chyfres Gymraeg nesaf mae'n werth aros gyda'r *Monthly Treasury* a chanolbwyntio ar ddau gyfraniad gwahanol iawn o'i heiddo, sy'n dangos nad yn y mans a'r capel a'r festri y treuliai S.M.S. ei holl amser.

Teithwraig chwilfrydig oedd awdur 'A Southerner's Visit to "Thrums"'[45] a gyhoeddwyd yn 1897. Fe'n dygir yn yr erthygl hon i Kirriemuir yn yr Alban, pentref a anfarwolwyd gan J. M. Barrie yn ei hunangofiant *A Window in Thrums*, stori a swynodd S.M.S. Fe'n swynir ninnau hefyd gan ei sylwadau diddorol am ei chyd-deithwyr ond yn bennaf drwy ei dull o gysylltu cymeriadau J. M. Barrie â'r mannau a ddarganfu yn Kirriemuir; mae ei herthygl mwy neu lai'n gweithredu fel adolygiad o'r llyfr. O ddiddordeb ychwanegol yw'r sylw a roddodd Hywel Teifi Edwards i lenyddiaeth J. M. Barrie yn ei ddadansoddiad o ddylanwad yr awdur hwnnw ar lyfr Anthropos, *Y Pentre Gwyn*, stori, meddai, sy'n 'nawsio o ymwybod Barrieaidd â chyfaredd rhyw "land of lost content"'.[46]

Hanesyn rhyngwladol o gyfandir Ewrop yw'r ail, a gyhoeddwyd yn 1900, sef 'Impressions of the Paris Exhibition',[47] lleoliad cwbl annodweddiadol o lenyddiaeth S.M.S. Mae'n ein tywys trwy res o bebyll crand, pob un yn portreadu'r wlad a arddangosir ynddi mewn goleuni ffafriol. Ond ni chaiff S.M.S. ei thwyllo gan ysblander arwynebol, fel harddwch allanol merched lliwgar harîmau'r gwledydd dwyreiniol, a phrysura i'n darbwyllo mai caethforynion oedd y rhain mewn bywyd go iawn. Roedd yn falch o ffoi o bebyll gwledydd gormesol Rwsia a Siberia er gwaethaf awyrgylch waraidd eu harddangosfeydd, a rhyddhad iddi oedd cyrraedd pabell Japan. Synhwyra ddiffygion arddangosfa Ffrainc am fod gwrthdrawiadau sgandal Dreyfus wedi atal rhai rhag ymgyfrannu, ac er iddi weld copïau o'r *Herald Cymraeg* ymhlith cylchgronau eraill o 'Hen Wlad fy Nhadau', nodir nad oedd arddangosfa Prydain wedi ei chwblhau mewn pryd iddi hi a'i chyd-deithwyr ei mwynhau.

Yn y ddau hanesyn yma, adleisir arddull sgyrsiol y llythyrau niferus, llawn anecdotau, a arferai S.M.S. eu hanfon at ei brodyr a'i chwiorydd o longau'r White Star Line ar ei theithiau rheolaidd i'r

Unol Daleithiau.[48] Amlygir gweithgareddau oriau hamdden dynes eang ei diddordebau, un oedd yn mwynhau ei bywyd i'r eithaf, ac fe'n dygir yn ôl i gyfnod cyn i optimistiaeth Prydeinwyr am ddyfodol gwell gael ei chwalu gan drawma'r Rhyfel Byd Cyntaf a ddygodd y fath ddinistr i'r gwledydd a ddarlunnir.

Chwedl Pegi Gib (1897)[49]

Rhaid sadio rhyw ychydig wrth symud yn ôl i gefn gwlad Cymru yn y *Drysorfa*, yn arbennig wrth sylwi fod S.M.S. yn awr, fel awdur dwyieithog, wedi mabwysiadu tacteg newydd sbon, sy'n rhoi hynodrwydd annisgwyl i'w chyfres nesaf o ddeg o benodau o dan y teitl 'Chwedl Pegi Gib'. Yn sydyn, wrth ddarllen ymlaen, sylweddolwn ein bod yn dal yn Nhremerlin, pentref 'Sketches from Wales' a gyhoeddwyd yn y *Monthly Treasury* flwyddyn ynghynt, a bod nifer o'r cymeriadau eisoes wedi eu cyflwyno i ni yn y gyfres Saesneg. Un o'r rhain yw Pegi Gib, a bortreadir yn 'Sketches fromWales' fel dynes ystrywgar â'i thrwyn byth a beunydd ym musnes ei chymdogion. Ond wrth newid ei hiaith, mae Pegi'n newid ei phersonoliaeth. Dynes feddylgar, hynod grefyddol yn chwilio am ystyr i'w bywyd yw hon, wedi alaru ar undonedd ei bodolaeth yng nghwmni ei chwaer hunandybus, hunanol, Sarah Ann, sy'n cyd-fyw â hi mewn tŷ o'r enw 'Gibraltar', a hyn yn egluro'r enw a roddwyd i Pegi gan y pentrefwyr.

Yn ôl ei harfer, aiff S.M.S. â ni yn syth i mewn i'r stori. Yn dilyn ymweliad â'i ffrind, Mari Griffith, oedd yn rhedeg tloty Abernant, daeth Pegi, yr hen ferch ganol oed nôl adre un prynhawn â baban yn ei breichiau. Yn fyrbwyll iawn, penderfynodd gelu'r gwir oddi wrth ei chwaer a'i chymdogion am gysylltiadau'r baban â'r tloty. Ond drwy geisio amddiffyn John bach rhag drwgdybiaeth a gwarth ei enedigaeth, distrywia Pegi ei heddwch meddwl ei hunan, ac yn ystod holl blentyndod John, ni fedrodd fyth ddarllen ei Beibl heb deimlo'n bechadures gelwyddog.

Cyflëir ei phryder drwy gyfrwng hanesyn nodweddiadol o arddull ddifyr S.M.S. Un diwrnod, dechreuodd Pegi 'wylo yn hidl' ar ôl taro ar adnod am 'anwiredd' yn Llyfr y Datguddiad, ac er mwyn lleddfu ei chydwybod torrodd yr adnod 'anhyfryd' â'i siswrn, a'i 'gludo' ar ddarn bach o bapur a'i roi o'r neilltu. Ond y diwrnod hwnnw roedd John wedi penderfynu dysgu adnod newydd am fod Jacob Davies wedi honni ei fod ef yn adrodd adnodau '"yn llawn gwell na crwt

Pegi Gib"' a darganfu fod darn o Feibl Pegi 'wedi ei dorri ymaith'. Yn llawn chwilfrydedd aeth i nôl Beibl Sarah Ann, gan roi 'ei fys ar y bymthegfed adnod' â'i dysgu. A'r Sul canlynol, pan glywodd Pegi 'lais clir ei bachgen yn cyhoeddi drwy'r capel "Oddiallan y mae y cŵn . . . a phob un ar sydd yn caru ac yn gwneuthur celwydd", rhoddodd Pegi ei gwyneb yn ei ffedog; 'doedd dim claddu i fod i'r adnod arswydus honno!'[50]

Aeth y gyfrinach yn drech na Pegi, ac ar gyngor Kati, hen wreigan ddall a duwiol, cytunodd mai 'cael yr holl ddrwg allan', fyddai orau.[51] '"Gweddia gyda dy holl nerth ar i'r Arglwydd y'm helpu,"' medd Pegi wrth ffarwelio â'i ffrind, gan ymuno â'r menywod eraill mewn storïau blaenorol a droes at weddi fel ateb i'w problemau wrth fynd adre i ddweud ei chyfrinach wrth ei chwaer.

Diwedd hapus fu i'w chyfaddefiad. Pan glywodd John hanes ei enedigaeth, oddi wrth Jonathan, mab sbeitlyd y cipar – oedd yn hŷn nag ef ac wedi bod yn ddylanwad gwael arno dros dro – rhedodd adre i'w stafell wely. 'Pan, ar y diwedd, y gadawodd ei ystafell fechan, rhoddodd ei freichiau o amgylch gwddf ei fodryb Pegi', ac meddai wrthi, '"Gewch ch'i wel'd y bydda' i yn fachgen da i ch'i."'[52] A thrwy godi calon Pegi mae'n siŵr fod S.M.S. hefyd wedi cysuro darllenwyr y *Drysorfa* oedd mewn sefyllfa debyg drwy ddangos nad amhosib oedd magu plant cymeradwy heb bresenoldeb tad ar yr aelwyd, fel y gwnaeth mam-gu S.M.S. ar farwolaeth ei gŵr.

Yn wir, mor fyw a chredadwy yw portread S.M.S. o John Pegi Gib, anodd peidio â chredu nad darlun o'i brawd ydoedd, a bod ei hanesion am driciau John wrth iddo dyfu'n fachgen hoffus ond drygionus, yn seiliedig ar ei hatgofion o gampau ei brawd, 'ein harweinydd ni oll' chwedl Annie ei chwaer. Profwyd amynedd Pegi i'r eithaf pan adawodd John braidd o ddefaid i mewn i'r capel un noson ar ôl i'r menywod dreulio diwrnod cyfan yn ei lanhau. Ond ar achlysur arall, pan roddodd y gath ym muddai gorddi ei gymydog Mrs Price, difyrrwyd yr holl bentref, gan fod Mrs Price yn ddynes gybyddlyd ac amhoblogaidd.

Er bod John byth a beunydd dros ei ben a'i glustiau mewn rhyw helynt, rhagorai bob amser yn ei wersi ar ei gyfaill Ben, y bachgen drws nesa. Ond yr oedd un o ferched disglair Tremerlin yn ddraenen yn ei ystlys. Hon oedd Ann Prys. A dyma ni unwaith eto'n cwrdd â chymeriadau 'Sketches from Wales', sef Daniel y crydd ac Edward y saer, a'r ddau ddyn uwchben eu digon wrth wylio Ann yn aeddfedu'n ferch ddeallus. Tra bu John yn gwastraffu amser:

> yr oedd Ann wedi bod yn brysur iawn yn casglu gwybodaeth; ac yr oedd ei thad a Daniel James, y crydd, yn gwneyd eu goreu i'w chynnorthwyo; yn wir yr oedd Daniel yn edrych ymlaen gyda phleser at yr amser pan y credai y byddai enw Ann Prys yn sefyll yn uchel ymhlith dysgedigion Cymru; ac yr oedd yr ysgolfeistr, Mr Gwyn, yn dra hoff o sôn am graffder Ann, ac yn prophwydo dyfod dysglaer iddi.[53]

Mewn paragraff fel hwn argyhoeddir y darllenwyr mai oes y 'Ddynes Newydd' oedd hon, ac y byddai Ann, ar ôl cwblhau ei haddysg, yn debygol o ymuno â'r 'fintai' a ddisgrifiwyd gan S.M.S. yn ei 'llythyr agored' at ferched ifainc Cymru:

> merched wedi parotoi eu deall i feddwl a gwahaniaethu, merched yn foddlon eistedd i lawr i ddarganfod paham y syniant y peth hyn a'r peth arall, merched, tra yn credu y bydd i ganfyddiad mewnol (*intuition*) eu cynorthwyo i benderfynu, a geisiant ar yr un pryd brofi cywirdeb eu penderfyniadau drwy feddylgarwch pwyllog a chaled.[54]

Ond nid oedd John ymhell ar ôl. Fel J. H. Davies, brawd yr awdures a ddaeth yn Brifathro Coleg Prifysgol Aberystwyth, penderfynodd y John ffuglennol hefyd sianeli ei gryfderau i gyfeiriadau mwy cynhyrchiol, ac erbyn diwedd y stori roedd ar ei ffordd i'r coleg yn Abernant i hyfforddi i fod yn bregethwr.

Yn anffodus, ni chawsom y pleser o wylio Pegi Gib yn ymfalchïo yn llwyddiant ei mab, nac ychwaith weld sylweddoli breuddwydion Daniel ac Edward. Yn ddirybudd ar ddiwedd ail bennod ail ran 'Chwedl Pegi Gib' yn nechrau 1898, yn dilyn wythnos gyntaf John yn Abernant, daeth y gyfres i ben. Dyma'r flwyddyn y penodwyd Morgan Jones yn olygydd y *Drysorfa*, ac ymddengys ei fod ef, yn wahanol i N. Cynhafal Jones, ei ragflaenydd, yn gwrthwynebu'r arferiad o gyhoeddi ffuglen yn y cylchgrawn a ddaeth o dan ei ofal. Ond gan fod ail ran y gyfres yn cychwyn cyfnod newydd ym mywyd John, pan adawodd gartref, gellid edrych ar y rhan gyntaf fel nofelig o ddeg pennod am Dremerlin.

Rhyddhawyd S.M.S. yn y stori gyfres hon o'i hangenrheidrwydd arferol i ailadrodd neges achubiaeth yn feunyddiol megis a wnâi ar ddiwedd pob stori fer. Llwyddir felly i greu a datblygu hanesyn sy'n llifo'n esmwyth ac sy'n troi o gwmpas digwyddiad tyngedfennol yn hanes y prif gymeriad, Pegi. Naws gyfoes, yn hytrach na rhamantaidd sydd i'r stori, nad yw'n dibynnu ar gyd-ddigwyddiad na charwriaeth arwyddocaol i symud y plot yn ei flaen. Menywod cyffredin eu hamgylchiadau yw'r prif gymeriadau ac nid annisgwyl yn ffuglen S.M.S yw'r rôl eilradd a briodolir i gymeriadau gwrywaidd, heblaw wrth gwrs, am y plentyn John. O ystyried y plot, y cymeriadu a'r arddull, gellir dadlau fod 'Chwedl Pegi Gib', y gyfres olaf a ysgrifennodd S.M.S. i'r *Drysorfa*, yn gam ymlaen yn ffuglen Cymraes y bedwaredd ganrif ar bymtheg.[55]

'Chronicles of Abernant' (1897)[56]

Wrth droi yn ôl unwaith eto at y *Monthly Treasury*, at y gyfres a ddilynodd 'Sketches from Wales', mae S.M.S. yn glynu wrth ei thacteg o drosglwyddo cymeriadau o'r naill gyfres i'r llall, a hyn yn medru creu tipyn o ddryswch i ddarllenwyr dwyieithog. Yn wir, erbyn i ni ddilyn John i Abernant yn 'Chwedl Pegi Gib' yn nechrau 1898, pan gafodd ei drwytho yn hanes pob capel a phob gweinidog gan gyd-fyfyriwr, yr oedd darllenwyr y gyfres Saesneg 'Chronicles of Abernant' yn y *Monthly Treasury* eisoes wedi eu cyflwyno yn 1897 i ddau o'r pregethwyr hyn, ac yn gwybod eu holl hanes; mae amseriad y ddwy gyfres yn egluro absenoldeb John o 'The Chronicles of Abernant'.

Maurice Edmunds, gweinidog capel Saesneg y Methodistiaid yn Gwenallt Street, a'r hen Hezekiel Davies annwyl, o gapel Cymraeg Annibynnol Rehoboth yw'r ddau bregethwr – a grybwyllwyd eisoes yn 'Chwedl Pegi Gib' – a gaiff y sylw yn 'The Chronicles of Abernant'. Un o nodweddion arbenigol S.M.S., fel gwraig y mans, oedd y modd y medrai bortreadu pregethwyr heb arlliw o weniaith na pharchedig ofn, a thrwyddynt, yn wahanol i'r teyrngedau gorganmoliaethus a welwyd fel arfer mewn cylchgronau enwadol, yn arbennig y *Drysorfa*, daw apêl yr alwedigaeth i ddynion ifanc uchelgeisiol Cymru'n fwy dealladwy. Gellir dychmygu'r hanesion difyr a'r trafodaethau diwinyddol, dysgedig, a gyfoethogai oriau hamdden gweision yr efengyl yng nghwmni ei gilydd. 'One of the old minister's greatest pleasures was to entertain his brother ministers', meddir am Hezekiel Davies, 'and the fact that young preachers liked his company gave him intense joy . . . Mr Edmunds, the young minister of Gwenallt Street chapel, was a frequent visitor, and the two would sit together smoking until the small hours of the morning.'[57] Fel y dywedodd Kezia, ei hen forwyn ffyddlon wrth Maurice Edmunds, 'You are expecting us all to be as good as preachers, and that isn't anyways fair; for you've got nothing to do but to think of good things and we've got half a hundred things to bother us.'[58]

Cyn geni Maurice yr oedd Kezia eisoes yn forwyn i Mrs Edmunds, a'i breuddwyd oedd gwylio Maurice yn tyfu i fyny i fod yn gredyd i'w fam weddw. Er gwaethaf ei safle materol a chymdeithasol israddol fel morwyn a merch, ac er mai gofalu am gysur Mrs Edmunds a Maurice oedd ei swyddogaeth o ddydd i ddydd, roedd ei chrefydd wedi rhoi'r awdurdod a'r wybodaeth i Kezia fynegi barn ar bregethau ei meistr fel Cristion cyfartal. Fel y cyfryw teimlodd gyfrifoldeb am ei boblogrwydd a phan sylwodd nad oedd y gynulleidfa ar y Sul bob amser yn gwerthfawrogi doethinebau'r Parch. Maurice Edmunds gwnaeth ymgais i'w gael i newid ei arddull. Treuliodd y ddynes allblyg, ddidwyll, noson gyfan yn tynnu cymhariaeth rhwng ei bregethau ef a phregethau ei dad. Gan mai 'a poor sort, a very poor sort' oedd ei dad, meddai (a fu farw pan oedd Maurice yn blentyn), 'tiresome . . . with nothing in his head, and less in his heart',[59] ei gobaith oedd y byddai'r mab yn gwrando ar ei chyngor ac yn newid natur ei bregethau. Ond wrth i'r noson fynd yn ei blaen, a Kezia mewn perygl o golli'r ddadl, mae'r drafodaeth yn mynd i eithafion, ac yn awr meddai:

> 'He [sef Duw] never did anything better than kill Samuel Edmunds before he was quite forty years of age.'
>
> 'Kezia', the minister began reprovingly.
>
> 'No, no it's no use Keziaing me, just you try and think that I'm in the pulpit and you in the seat listening . . . so now I'm the preacher, and you're the congregation.'
>
> 'But what do you mean by saying that I am like my father? Perhaps I ought to have stormed a bit more at you for letting my fire go out; they say that women respect men who bully them,' said the minister slyly.
>
> 'Oh some women respect anything if he looks like a man,' said Kezia easily; 'I'm not that sort, I thank the Lord I've been delivered from the love of man.'
>
> The minister laughed. 'That's good Kezia', he said. 'I wonder how many in Abernant thank Him for that?'[60]

Wrth ddarllen stori llawn hiwmor a chynhesrwydd fel hon, daw temtasiwn i dynnu cymhariaeth rhyngddi ag awyrgylch annymunol hanesion Caradoc Evans yn *My People*. Yn wir, i'r rhai sy'n chwilio am arf i drywanu'r portread dilornus o'r 'Respected Josiah Bryn-Bevan' fel pregethwr nodweddiadol o'i gymdeithas yng ngorllewin

Cymru yn y stori 'Be this her Memorial',[61] gellid troi at gymeriad hoffus, goddefgar a hamddenol Maurice Edmunds, na fyddai fyth yn gwawdio ymdrechion Kezia drosto, y ddynes a'i carodd ac a'i fagodd o'r crud. A gan mai gwraig a merch-yng-nghyfraith i ddau o bregethwyr anwylaf Cymru – yn ôl yr oll a gofnodir amdanynt – ydoedd awdur 'Chronicles of Abernant', a'i mam-yng-nghyfraith yn chwaer i'r Deon Howell, un o arweinwyr crefyddol mwyaf poblogaidd ei genedl, nid oes lle i amau dilysrwydd profiadau personol S.M.S. o gylchoedd amgenach na'r gymdeithas a gyflwynwyd gan yr awdur unllygeidiog o Rydlewis, 'the Cyclops of literary giants'.[62]

Ar ôl dweud hynny, nid oedd S.M.S. yn ddall i fodolaeth personoliaethau ymherodrol eu natur a deyrnasai yma a thraw yng nghapeli ei henwad. Y cyhoeddiad a ddewisodd ar gyfer portreadu'r mwyaf trahaus ohonynt oll oedd *Young Wales*. Crybwyllwyd eisoes ei chysylltiadau teuluol â mudiad Cymru Fydd, ac fel y gwyddom, fe'i magwyd ar aelwyd Ryddfrydol. Naturiol oedd iddi gael gwahoddiad felly, fel llenor adnabyddus, i ysgrifennu i *Young Wales*, a hefyd i olygu'r dudalen fisol 'The Women of Wales' Circle'.[63] Elfen fwyaf diddorol ei chyfraniadau i gylchgrawn gwleidyddol ei natur fel hwn oedd iddi roi llai o sylw i dröedigaeth, gan ganolbwyntio ar yr hyn y gellid ei gyflawni gan fenywod crefyddol a fagodd hunanhyder drwy eu crefydd i sefyll yn ddi-sigl a herio grym unbennaeth wrywaidd y capeli. Dyma'r math o Gymraes a groesawyd gan arweinwyr Cymru Fydd, ac a gafodd rwydd hynt i weithredu o fewn ei rengoedd.[64]

'Welsh Rural Sketches'[65]

Yn nechrau 1896, ysgrifennodd S.M.S. ei stori gyntaf i *Young Wales*, o dan y teitl 'His Majesty of Pentre Rhedyn'.[66] Portread o bŵer digwestiwn y blaenor awdurdodol Mr Morris yw'r stori gyntaf, a'r traethydd yw hen ŵr 83 mlwydd oed yn edrych yn ôl ar ei blentyndod, a hyn yn gosod y stori yn nechrau'r bedwaredd ganrif ar bymtheg. Unwaith eto, tafodiaith a gysylltir mewn llenyddiaeth Saesneg â'r dosbarth gweithiol a roddir i'r traethydd, ac anodd i ddarllenwyr Cymraeg uniaethu ag ef, am nad oedd y system ddosbarth yn y Gymru Gymraeg yn adlewyrchu gwahaniaethau amlwg mewn tafodiaith.

Cyflwynir Mr Morris fel un a godai arswyd ar yr holl gymuned: 'we children did always run far enough away, the minute he would come near', meddai'r traethydd; '[Mr Morris] was the *big* deacon in the chapel, there was four others sittin' in the big seat, but they only said "Yes, Mr Morris," when he did speak, it was him as manidged everythin.'[67] Ond yng ngolwg Mr Rogers, blaenor caredig, ond aneffeithiol, aeth Mr Morris yn rhy bell pan gyhoeddodd mewn cyfarfod disgyblu fod Duw yn 'casâi' y ferch ifanc Becca, oedd ar fin cael ei diarddel o'i chapel. Cododd Mr Rogers ar ei draed gan gerdded i ble'r oedd Becca'n eistedd, ac meddai gan osod ei law ar ei phen, '"Whatever you've done, whatever sin you've bin guilty of, remember, God loves you."'[68] O'r dydd hwnnw ymlaen rhoddodd Mr Morris ei gas ar Mr Rogers am ei groesi, heb sylweddoli fod ganddo wraig o anian Jaël a'i bryd ar amddiffyn ei gŵr. Un dydd, felly, tra oedd y blaenor mawreddog yn cysgodi rhag y glaw ac yn aros am ei was â'i gerbyd y tu mewn i ddrws y capel, er mawr ddifyrrwch i griw o wrandawyr, manteisiodd Mrs Rogers ar ei chyfle i ymosod arno – mewn tafodiaith debyg i iaith y traethydd. 'I'm goin' to speak my mind to you', meddai:

> If everybody elese's afraid o' you, *I'm not*; an' the man as can make Martha Rogers frighten'd o' him 'asn't bin born yet. Oh yes! I know very well, as you think, as you've got us all under yer thumb, an' the more you squeezes us, the better we like it. No sir! . . . Oh! I've watched you sir, many an' many a time; an' I've seen you take yer hat off to a clergy-man as is known to drink like a fish; yes an' who goes to church an' reads the lessons, when he's only fit to be wallowin i' the mud like the pigs as he tries to copy; an' you knows it sir as well as I do; but you treats 'im wi' respect w'en you meets 'im; but if one o' your own Methodist preachers comes along th' road you jest nods at 'em an' expecs 'em to bow to the ground to you.[69]

Ffodd Mr Morris ar y cyfle cyntaf, ac meddai'r traethydd, 'If h'ever I saw'd a man glad to escape 'twere Mr Morris . . . But his face, I never can forget it! He'd never h'ed sech a talkin' to in 'is life afore.'[70]

Mae blwyddyn yn mynd heibio cyn i'r ail bennod, 'The Courtship of Edward and Nancy',[71] ymddangos yn *Young Wales*, ac erbyn hyn, athro wedi ymddeol yw'r traethydd, a'i Saesneg yn gywir a gramadegol ond heb y cystrawennau Beiblaidd a briodolwyd i gymeriadau'r gyfres 'Welsh Rural Sketches'. Yn y bennod hon, cyhoeddir fod Edward mab Mr Morris yn bwriadu priodi Nancy Rogers, merch ei elynion pennaf, a gellir dychmygu ei gynddaredd. Nid oedd mam Nancy wrth ei bodd ychwaith, a mynegodd ei theimladau'n ddigon plaen wrth y traethydd, gan rybuddio nad peth doeth fyddai i Mr Morris sefyll yn ffordd hapusrwydd ei merch.

Fodd bynnag, aeth y briodas yn ei blaen, ac erbyn y drydedd bennod, 'Nancy on the Warpath',[72] mae Nancy'n byw yn ffermdy Bryn Croynan gyda'i gŵr, Edward, ond nid yw ei mam-yng-nghyfraith a'i thad-yng-nghyfraith erioed wedi dod yn agos. Pan enir eu plentyn cyntaf, felly, datgelir elfen arall annymunol yng nghymeriad Mr Morris yn ei ymateb i ddymuniad ei wraig i fynd i weld ei hŵyr newydd. '[He] looked at her; and she quailed before him.' Ac meddai'r traethydd, 'when you have been under subjection for thirty years, you lose the capacity for self-assertion; and poor weak Mrs Morris went back to the parlour, and said nothing!'[73] Aeth pum mlynedd heibio heb unrhyw gysylltiad rhwng y ddau deulu hyd nes i Edward fynd yn wael.

Canolbwyntia gweddill y stori hon ar fuddugoliaeth Nancy yn ei brwydr dros ei mam-yng-nghyfraith yn erbyn ei gŵr creulon. Llwyddodd i ddwyn mam Edward draw i Fryn Croynan i weld ei mab er gwaethaf protestiadau Mr Morris, a phan aeth Mrs Morris yn wael yn fuan wedi hynny bu gwrthdrawiad ffyrnig rhwng y ferch a'r tad-yng-nghyfraith am fod ei wraig yn eistedd mewn stafell fudr, oer a neb hyd yn oed yn dod a bwyd iddi. Mae Nancy'n sefyll ei thir yn erbyn ebychiadau ffrwydrol ei thad-yng-nghyfraith. '"My mother's daughter has never yet been afraid of anyone, *and she's not afraid of you*,"'[74] meddai, gyda phenderfyniad a gododd ofn ar Mr Morris. Caiff ddau ddewis gan Nancy, naill ai i ganiatáu iddi symud i mewn i'w gartref ef i nyrsio Mrs Morris, neu fynd â hi nôl gyda hi i ofalu amdani ym Mryn Croynan. '"Do you think I'll take to be dictated to by you?"' meddai Mr Morris, 'his face white with suppressed passion.'[75] Yn ymateb Nancy, gwelwn S.M.S. ar ei gorau, ac fe'n hatgoffir o'r menywod cryf y cafodd hithau ei magu yn eu plith:

> 'Well', Nancy replied, 'it's one or the other, and if you refuse both, then I'll call the attention of the church to your conduct, and I'll ask them if they consider that a man . . . who allowed his only son to be on the brink of death without stretchin' out a finger to help him, who leaves his sick wife to the tender mercies of a lot of stupid ignorant servants. I'll ask them if they think that such a man as that is fit to be a deacon? I tell you Mr Morris, you'll have no chance.'[76]

Ildiodd Mr Morris. Yn wir, trawsnewidiwyd ei agwedd tuag at ei ferch-yng-nghyfraith, a gellid hyd yn oed ddweud iddo ddechrau ei hedmygu. Galwodd ar y morynion i ddod â the i'r ddau ohonynt. Aeth â Nancy adre yn ei gerbyd i wneud ei pharatoadau ar gyfer gadael ei chartref am gyfnod a symud i fyw yn ei gartref ef. Fel canlyniad, siaradodd Mr Morris â'i fab am y tro cyntaf ers blynyddoedd maith, a daw'r stori i ben ar nodyn cadarnhaol ym mywyd Mrs Morris a'i merch-yng-nghyfraith; wrth i Nancy a Mr Morris adael Bryn Croynan gyda'i gilydd, meddai ef wrth ffarwelio â'i fab: '"You've married a woman of spirit, Edward."'[77]

Neges eglur S.M.S. i'r Gymraes yn 'Nancy on the Warpath' yw na ddylid goddef ymddygiad gormesol fel a ddarlunnir yn y berthynas rhwng Mr Morris a'i wraig, ac y dylid herio datganiadau bygythiol, patriarchaidd. Dygir i gof unwaith eto ei llythyr agored, lle'r anogodd ferched Cymru i gwestiynu penderfyniadau 'dynion o ddealltwriaethau cawraidd' am nad oeddent o reidrwydd bob amser yn gywir.[78]

Mae'r hanesyn hwn am Bentre Rhedyn yn ychwanegu at yr amrywiaeth o wahanol bortreadau o gymunedau cefn gwlad Cymru oedd yn bwnc mor boblogaidd yn llenyddiaeth Cymru ar droad y bedwaredd ganrif ar bymtheg. Er fod tebygrwydd, er enghraifft, rhwng ymddygiad Mr Morris â rhai o flaenoriaid gormesol Caradoc Evans, megis yn y berthynas rhwng Sadrach a'i wraig Achsah yn 'A Father in Sion', mae byd o wahaniaeth rhwng menywod Pentre Rhedyn a chymeriadau benywaidd Manteg. Ni ddaeth neb i achub Achsah, gwraig Sadrach, rhag ei thynged erchyll o dan oruchwyliaeth dyn didrugaredd, rhagrithiol, a'i gyrrodd yn wallgo, a rhaid dod i'r casgliad nad oedd gan Caradoc Evans rôl-fodelau benywaidd i'w cymharu â'r rhai a ddylanwadodd ar S.M.S. yng Nghwrt Mawr. Ac anodd credu mai'r un pentref yw Manteg Caradoc Evans yn *My People* â Rhydifor Moelona yn *Teulu Bach Nantoer* (ill dau wedi eu magu ar yr un adeg yn Rhydlewis). Gellir dweud, hwyrach, fod Caradoc Evans a Moelona wedi mynd i eithafion – y cyntaf yn rhy feirniadol a'r llall mewn perygl o or-ramantu.[79] A gellir ychwanegu *Pentre Gwyn* Anthropos at y rhestr, lle'r oedd merched a menywod, fel y gwelsom, yn fwy aml na heb, yn anweladwy. Gyda'i synnwyr cyffredin a'i gallu i weld y byd ac ysgrifennu amdano fel yr oedd, cyflwynodd S.M.S. ddarlun mwy cytbwys o gefn gwlad gorllewin Cymru na'i chyd-awduron yn ail hanner y bedwaredd ganrif ar bymtheg a dechrau'r ugeinfed, a hyn yn ychwanegu at y ddadl dros ailgyhoeddi ei llenyddiaeth.

Dyma fan priodol i roi sylw pellach i bentrefi S.M.S. a thrafod arferiad arall sy'n cynyddu hynodrwydd a gwreiddioldeb ei llenyddiaeth. Gwelsom eisoes ei hoffter o leoli hanesion Cymraeg a Saesneg yn yr un pentref, a hefyd bresenoldeb yr un cymeriadau yn y cyfresi hynny. Wrth symud o gyfres i gyfres yr hyn a ddaw'n fwyfwy amlwg yw bod yr holl bentrefi yma o fewn cyrraedd i'w gilydd. Hyd yn hyn, Llanestyn, Tremerlin a Phentre Rhedyn a bortreadwyd, ond ychwanegir Abergirmew a Phentre Alun at y rhain yn ei chyfresi nesaf. Drwy eu gosod i gyd o fewn cyrraedd gorsaf Trefeity, lle gellir dal y trên i Abernant, y dref agosaf, y darlun a grëir yw un gymuned estynedig. Ac er mai'r Gymraeg yw'r iaith amlycaf, gwna S.M.S. ymdrech drwy ei hanesion Saesneg i sicrhau apêl y pentrefi hyn i ddarllenwyr uniaith Saesneg. Weithiau mae'n amlwg mai Cymraeg yw mamiaith ei chymeriadau mewn stori Saesneg. Dro arall, er bod y stori'n digwydd yn un o'r pentrefi a grybwyllir uchod, cyflwynir pobl uniaith Saesneg, sydd naill ai wedi symud i'r ardal, neu wedi dod yno ar ymweliad, a'r gymysgedd o Gymraeg a Saesneg, a'r gwahaniaethau diwylliannol a gyflwynir drwyddynt, yn dystiolaeth arwyddocaol o'r trawsnewidiadau tyngedfennol oedd i ddod yn hanes y Gymru Gymraeg.

Storïau i'r Monthly Treasury (1900)

Nid oes angen mynd ymhellach nag Abergirmew am dystiolaeth o'r datblygiadau hyn yng nghefn gwlad Cymru, sef lleoliad y pedair stori olaf a gyhoeddwyd gan S.M.S. yn y *Monthly Treasury* yn 1900.[80] Yma sefydlwyd Zion, capel newydd Saesneg gan y Methodistiaid, gan brofi nid yn unig fentergarwch yr enwad, ond hefyd, fel yr honnwyd: 'that Calvinistic Methodism can thrive apart from the Welsh language'.[81] Profi gwirionedd yr honiad hwn yw un o amcanion yr hanesion hyn, a dangos i ddarllenwyr di-Gymraeg nad oedd angen iddynt mewn unrhyw fodd deimlo'n israddol fel aelodau o gapel Saesneg. Cadarnheir poblogrwydd Zion drwy nodi bod aelodau o enwadau eraill wedi eu denu i'w fynychu, yn Fedyddwyr, Annibynwyr, Brodyr Plymouth, Christadelphiniaid, ac yn wir, 'some adherents of the Church of England, who testified as their reason for leaving their own Church, that they "*sometimes* like to hear a good sermon"'.[82] A diddorol nodi nad er mwyn efelychu'r Sais-Gymry niferus a droes eu cefnau ar eu hiaith er mwyn codi yn y byd y cytunodd nifer o aelodau'r capel Cymraeg i symud i Zion, ond er mwyn hyrwyddo'r capel Saesneg.

Yr hanesyn mwyaf arwyddocaol o'r rhain yw 'The Miserliness of Twmi'r Llidiart',[83] stori am hen ddyn duwiol ond blêr oedd yn byw gyda'i anifeiliaid ynghanol y baw. Twmi – cymharol gyfoethog – oedd un o'r aelodau a symudodd o Siloh i Zion er mwyn hybu'r achos Saesneg yn yr ardal, ac meddai'r traethydd: 'occasionally [Twmi] took part in the prayer meetings, and often melted stony hearts, as he confided to the Lord that "I'd like to worship Thee, and praise Thee, but I've got to do it in a foreign tongue." '[84]

Rai blynyddoedd yn ddiweddarach, cyhoeddwyd fersiwn Cymraeg o'r stori hon, sef 'Cybydd-dod Twmi'r Llidiart':[85] 'byddai calonnau celyd yn torri wrth glywed Twmi yn dweud wrth yr Arglwydd, yn Saesneg, – "Buaswn yn leicio dy addoli di a'th ganmol di, O Dduw, ond 'rwy'n gorfod gwneud hynny mewn iaith estronol, a 'does dim geiriau gyda fi." '[86] Noder mai 'toddi' calonnau wnaeth Twmi yn y stori Saesneg, ond yn y stori Gymraeg mae'n eu 'torri', a hyn yn siarad cyfrolau. Fodd bynnag, gorchwyl S.M.S. ar ran ei henwad oedd mynd allan o'i ffordd i hwyluso llwyddiant capeli Saesneg, datblygiad a fyddai'n anathema i rai o'i chyd-awduron, ond sy'n gadarnhad o'i hymrwymiad amgenach hi i dwf Methodistiaeth, doed a ddelo.

I wneud tegwch ag S.M.S., dylid nodi nad hi oedd yr unig awdur o blith Methodistiaid Calfinaidd Cymraeg eu hiaith a welodd yr angen i fabwysiadu agwedd bragmataidd, ymarferol tuag at bresenoldeb cynyddol dwy iaith, a dwy genedl. Barn Annie Catherine Prichard (Ruth), Croesoswallt, golygydd colofn merched y *Goleuad*, er enghraifft, oedd y dylid pwysleisio rhagoriaethau'r Gymru Gymraeg mewn ysbryd cadarnhaol, nid collfarnu'r goresgyniad Seisnig mewn dull pesimistaidd. Un ffordd o wneud hyn fyddai drwy efelychu Iwerddon, ac arddangos safon testunau gorau Cymru drwy eu cyf-ieithu. Ceir prawf o statws S.M.S. fel llenor yng ngeiriau'r golygydd: 'Byddai yn dda gennyf glywed', meddai, 'fod hanes "Crydd Duwiol Ty Shon", "Benja Jones, y Teiliwr", a llu o Gymry a Chymruesau glan gloew eraill wedi cael eu cyhoeddi yn yr iaith Saesneg.'[87]

'Storïau o Ddydd-lyfr Martha Jones' (1903)

Bu'n rhaid aros am beth amser, fodd bynnag, cyn i awgrym Ruth gael ei wireddu, gan i S.M.S. droi ei holl sylw am yr wyth mlynedd nesaf i'w chyfresi Cymraeg. Dynes arall flaengar a wyddai am ei thalentau a'i diddordebau efengylyddol drwy ei gwaith dros y Symudiad Ymosodol, oedd Ceridwen Peris, golygydd y *Gymraes*. Yn 1903, y flwyddyn y sefydlodd S.M.S. gangen merched y Symudiad hwnnw yn Abertawe, sicrhaodd Ceridwen Peris gyfres ddirwest ddarllenadwy oddi wrthi sy'n gofnod gwerthfawr a phrin mewn ffuglen Gymraeg o weithgaredd y rhai a benodwyd fel 'Chwiorydd y Bobl' o dan adain 'Y Symudiad Ymosodol'. A newyddbeth oedd darllen am ymgais un o'r chwiorydd hyn i ddod i adnabod y menywod yr oedd yn gweithio yn eu plith – pobl a ystyriwyd yn gyffredinol fel gwehilion cymdeithas – a'u gwerthfawrogi am eu gwreiddioldeb a'u nodweddion cadarnhaol, yn hytrach na'u ffaeleddau.

Yn y gyfres 'Storïau o Ddyddlyfr Martha Jones',[88] fe'n tywysir gan Martha Jones, y traethydd, i fyd 'dieithriol iawn', meddai, i ddarllenwyr *Y Gymraes*, sef Heol Ddu yn nhref fawr Caerfor, lle'r oedd 'degau o'n cyd-ddynion yn byw mewn trueni',[89] ac o'r herwydd, mewn angen mawr am genhadon. Sali Nelson (Sali Coed Tân) yw'r prif gymeriad, dynes sengl oedd wedi 'byw am dros hanner can' mlynedd heb grefydd', yn llafurio i ennill ei thamaid drwy dorri i fyny hen focsus pren, 'eu rhoi mewn bwndeli, a'u gwerthu am ddimai y bwndel'.[90] Ond nid 'gwatwar crefydd' oedd unig wendid Sali, a buan y sylweddolodd Martha 'mai brecwast o rywbeth cryfach na the neu goffi oedd brecwast Miss Nelson!'[91] Aeth i'w gweld yn gyson yn ei stafell fechan yn Heol Ddu, ac o'r diwedd gwobrwywyd ei dyfalbarhad; daliodd Sali'r '*influenza* cas' yna oedd yn beth '*catching*', fel y cyfeiriai at grefydd, a rhyfeddodd Martha pan ddarganfu 'yr hen baganes anwybodus yn gwneyd ei goreu i arwain Mrs Hunt [dynes sâl a phiwis oedd yn byw uwch ei phen, ar ei gwely angau] at Waredwr y byd!',[92] a'i chlywed yn dyfynnu'n huawdl o'r Beibl.

Dyma'r flwyddyn yr amlygwyd hefyd optimistiaeth S.M.S. am ddiwygiad arall, pan gofnododd ymweliad Gipsy Smith ag Abertawe yn *Y Traethodydd*. Yn wir gellid haeru ei bod eisoes wedi clywed 'y sŵn ym mrig y morwydd'.[93] A barnu oddi wrth ddwyster gweithgareddau'r efengylwyr yng ngorllewin Cymru ym mlynyddoedd cyntaf yr ugeinfed ganrif, mawr oedd eu gobeithion, neu'n wir eu disgwyliadau hyderus am dywalltiad yr 'Ysbryd Glân' yn yr ardal. Gwobrwywyd eu hymdrechion a gwireddwyd eu breuddwyd yng nghyffro Blaenannerch ym mis Hydref 1904 pan syrthiodd Evan Roberts ar ei luniau mewn gwewyr.

Ond, fel ei chyfoedion, yr oedd S.M.S. yn ymwybodol o fyrhoedledd cynnwrf diwygiadau. Rhwng 1785 a 1904 recordiwyd un ar bymtheg o ddiwygiadau yng Nghymru.[94] Felly, ni laesodd ei dwylo am funud. Yn hytrach, dyblodd ei hymdrechion drwy gyfrwng y ddwy gyfres o hanesion a ysgrifennodd i'r *Ymwelydd Misol* rhwng 1906 a 1908, ac a gyhoeddwyd wedi hynny o dan y teitlau *Y Diwygiad ym Mhentre Alun, gydag ysgrifau ereill* (1907),[95] a *Llithiau o Bentre Alun* (1908).[96]

Y Diwygiad ym Mhentre Alun gydag ysgrifau ereill a *Llithiau o Bentre Alun*

Dathliad yw'r ddau lyfr hyn o wireddiad y dyhead a sbardunodd holl ysgrifennu S.M.S. cyn hyn, ac wrth gwrs ymgais i hyrwyddo parhad ei fendithion. Yn awr, disodlwyd ei hatgofion melys am hen bobl Llanestyn yn y gorffennol gan brofiadau cynhyrfus dychweledigion Pentre Alun yn y presennol. Heb ragymadroddi, dug ei darllenwyr i ganol y digwyddiadau dramatig. Cyrhaeddodd y diwygiad Bentre Alun 'fel storom o fellt a tharanau' gan ryddhau emosiynau, yn ogystal â thafodau trigolion y pentref. Ni ellir gorbwysleisio pwysigrwydd tröedigaeth fel cyfrwng i alluogi aelodau capel Methodistiaid Salem i archwilio eu teimladau – dirdynnol a gorfoleddus – wrth i'r llifddorau ffrwydro, a'u hachub yn y broses rhag trychinebau personol, fel yn hanes Dic yn y stori 'Dihangfa Dic Penrhiw'.[97]

Unig fab i'w dad gweddw, Richet Jones, oedd Dic. Tyfodd cyfeillgarwch cariadus rhwng y tad a'r mab wrth i Dic dyfu i fyny, a mawr oedd gofid Richet pan syrthiodd Dic mewn cariad â 'doli fach dlws' o'r enw Miriam 'heb ddim yn ei phen, a llai yn ei chalon'.[98] Ond daeth tro ar fyd pan ymwelodd Sais cyfoethog o'r enw Mr Harold Preston â Phentre Alun am gyfnod, i adfer ei iechyd. Fe'i denwyd gan dlysni Miriam, ac am gyfnod talodd lawer o sylw iddi. Trodd Miriam ei chefn ar Dic gan feddwl y byddai'n priodi Mr Preston. Ond yn sydyn ymddangosodd Americanes yn y pentref a daeth yn hysbys mai hon oedd darpar-wraig Mr Preston. Pan glywodd Dic y newyddion aeth i herio'r Americanes. Ond ni ddangosodd honno unrhyw gydymdeimlad â Miriam, a mynegodd ei syndod fod 'y creadur bach dwl yn disgwyl i foneddwr fel Mr Preston i'w phriodi'.[99] Gwaeth fyth, ar ei ffordd adre clywodd Dic y ddau yn cael cryn hwyl yn chwerthin am ben Miriam a'i ffolineb diniwed, merch fach ddigon tlws, meddai Mr Preston wrth ei gariad, 'from a milkmaid's point of view'.[100] Gymaint oedd cynddaredd Dic, fel y penderfynodd saethu Mr Preston ar ei ffordd adre o orsaf Trefeity y noson ganlynol. Uchafbwynt y stori yw i Katie Williams – athrawes ifanc oedd mewn cariad â Dic – ei gymell i fynychu'r cyfarfod y noson honno yn y capel, ac yn lle lladd Mr Preston, achubwyd Dic drwy weddi, a newidiwyd ei fywyd am byth.

Eithriad oedd cymeriad benywaidd gwamal di-asgwrn-cefn fel Miriam ym Mhentre Alun; defnyddir hi gan S.M.S. i amlygu'r diflastod oedd yn wynebu merched ifainc heb grefydd i'w hamddiffyn rhag Saeson Eglwysig diegwyddor, ond breintiedig, o'r ddau ryw. Yn wir, mae Miriam yn gweithredu fel dull o dynnu sylw at y mwyafrif cadarn, aelodau blaenllaw o'u capeli a'u cymdeithas, a'u gwreidd-ioldeb a'u bywiogrwydd heb amheuaeth yn ychwanegu at fwynhad darllenwyr hanesion S.M.S. am y Diwygiad.

Yn y stori gyntaf un, 'Yr Etholedig Arglwyddes',[101] cyflwynir ni i Mrs Powel Ty'n Rhos, oedd o'r farn, cyn ei thröedigaeth, mai 'lle gwraig rinweddol yw yr aelwyd gartre', ac nad oedd byth 'yn myned i wrando ar y chwiorydd hynny sydd yn myned ar draws y wlad i areithio o bryd i bryd'.[102] Ond o dan ddylanwad y Diwygiad, fe'i trawsnewidiwyd, a synnwyd yr holl ardal pan gerddodd i mewn i'r seiat un nos Iau gan annerch y gynulleidfa am 'gariad' a 'rhyfedd drugaredd' Iesu Grist, heb ofni blaenor na phregethwr. Trwy ddod i adnabod ei 'Cheidwad' oedd 'yn sefyll o'i blaen',[103] a chael cyfar-wyddiadau uniongyrchol oddi wrth 'Yr Arglwydd', mae meidrolion o'r ddau ryw yn pylu mewn pwysigrwydd, a dyrchefir Mrs Powel uwchlaw rhagfarnau a chonfensiynau cymdeithasol ei dydd.

Cynyddodd ei dylanwad yn gyflym, a chyn hir fe'i hystyrid yn un o arweinyddion galluocaf ei chymuned, ac ysgwyddodd hithau'r cyfrifoldeb yn gwbl ddi-ofn. Yn wir, fe'i gwelwyd fel dynes oedd yn 'rhy alluog' i fod yn boblogaidd iawn, ac meddai'r traethydd, Griffith Roberts, 'Y mae rhyw Saul ymhlith gwragedd yn sicr o ennyn cenfigen'.[104] Un dydd daeth Mrs Powel i ofyn iddo am help 'i weddïo [gwragedd y blaenoriaid] i fewn i'r deyrnas', gan nad oeddent eto 'wedi cael crefydd iawn'.[105] Nid oeddent yn euog o'r pechodau gwaethaf megis diota a lladrata, anfoesoldeb a meddwdod, '"ond nid crefydd"', meddai Mrs Powel, '"yw y peth mawr yn eu bywydau. Dydi'r Efengyl ddim wedi newid eu cymeriadau"'.[106] A dyna wreiddyn y mater. Arwyddocâd 'Diwygiad' oedd ei fod yn newid pobl yn gyfan gwbl trwy beri iddynt edrych yn fanwl ar eu gwendidau, cyffesu eu pechodau yng ngŵydd Iesu Grist, cael maddeuant trwy ei waed, a chyhoeddi'r neges dda i'r byd weddill eu hoes.

Wrth restru gwendidau'r gwragedd yma, yr hyn a wna S.M.S. yw gwahodd ei darllenwyr i holi eu hunain ai gwir grefydd oedd eu crefydd hwy, neu a oeddent hwythau hefyd efallai'n euog o bechodau gwragedd y blaenoriaid. Roedd gan wraig Edwart Hywel, er enghraifft, dafod 'fel cyllell' yn 'briwio teimladau'.[107] Pwdu oherwydd rhyw gam dychmygol oedd gwendid gwraig Dafydd Rees. Roedd gwraig Jobiah Jenkins yn 'byw iddi hi ei hunan . . . nid bywyd Cristionogol yw bywyd fel 'na'.[108] Lledaenai gwraig Owen Prosser straeon cas am bobl, ac nid oedd gwraig Henri Dafis yn meddwl am ddim ond am wagedd.

Cafodd Mrs Powel 'siars neilltuol gan yr Arglwydd'[109] i anfon llythyr at bob un ohonynt a'u gwahodd i'r festri am hanner awr wedi pump ar y Sul canlynol 'i weddïo am dywalltiad yr Ysbryd Glân. "Bydd y Sul nesaf yn ddiwrnod mawr ym Mhentre Alun, Griffith Roberts"', meddai; '"bydd gogoniant yr Arglwydd yn llanw y deml."'[110] A gellir dychmygu syndod darllenwyr mwyaf confensiynol y *Drysorfa* – nad oedd yn arfer ganddynt gysylltu aelodau benywaidd eu capeli ag arweinwyr yr Hen Destament – pan ddarllenasant ddisgrifiad Griffith Roberts ohoni'n agosáu i gyflawni ei gorchwyl: 'hawdd iawn oedd gennyf sylweddoli teimladau plant Israel wrth weled Moses yn dyfod i lawr o'r mynydd a disgleirdeb Duw yn tywynnu yn ei wyneb', meddai, '. . . a welais i erioed y goleuni Dwyfol yn disgleirio yn ei gwyneb gyda'r fath danbeidrwydd a'r noswaith honno.'[111]

Cyflawnwyd ei bwriad. O dan lygaid dwyfol (a deifiol) Mrs Powel, daeth gwragedd y blaenoriaid i adnabod eu Harglwydd. Ac er bod y blaenoriaid yn torri eu boliau eisiau ymyrryd yn y cyfarfod gweddi bythgofiadwy a roddodd y fath gryfder personoliaeth i'w gwragedd, daeth Griffith Roberts i'r adwy a'u cadw draw. Cyffesodd y gwragedd eu pechodau, gan ofyn am faddeuant, ac yn y broses o ddarganfod 'gwir grefydd', daethant hefyd yn ymwybodol o'u hunain fel unigolion cyfartal â'r dynion yn eu bywyd. Nid 'gwragedd' eu gŵyr oeddent bellach ond 'Lisa' Hywel, 'Jane' Rees, 'Kezia' Jenkins, 'Becca' Prosser a 'Chatrin' Dafydd, a darganfu llawer ohonynt am y tro cyntaf erioed y nerth i fentro cymeryd rhan yn gyhoeddus.[112]

Cwestiynu agweddau traddodiadol tuag at y berthynas rhwng y rhywiau a wneir hefyd yn 'Gwraig y Tŷ Capel',[113] stori sy'n rhoi cyfle i S.M.S. ymarfer ei hiwmor bachog. Pan ddaeth Tŷ Capel Pentre Alun yn wag, does dim rhyfedd fod pump o weddwon â'u llygaid ar yr orsedd, gan y gwyddom o'r stori flaenorol am Ruth yn Llanestyn fod statws arbennig yn gysylltiedig â'r swydd honno. Ond i gorddi'r dyfroedd ymunodd Sarah Thomas ddi-blant ar ei thrydydd gŵr yn y frwydr, a hi sy'n hawlio holl sylw'r blaenoriaid ar y panel dethol. Trwy ei dyfeisgarwch, llwydda i'w darbwyllo mai hi fyddai'r mwyaf addas i fyw yn y Tŷ Capel.

Y ddadl dros ddewis gwraig weddw, meddai'r blaenor William Griffith wrthi, mewn ymgais i sefydlu ei awdurdod, oedd yr angen 'i fod yn dyner tuag at y rhai sydd wedi colli eu cynhalwyr'.[114] Ond chwalodd Sarah y ddadl hon heb ddim trafferth. Roedd hi'n gwybod nad oedd 'casgliadau pob dyn mawr yn gywir o angenrheidrwydd', ac aeth ati i 'chwilio a phwyso'r dystiolaeth' yn unol â chyngor S.M.S. i ferched Cymru.[115] Dyn ofer, yn curo'i wraig oedd Sam gŵr Dinah, meddai wrth y blaenor; llymeitiwr oedd Bil, gŵr Ann; dyn afiach oedd Piter, gŵr Esther, a '"dyna Lisa Lewys. Hen greadur digon *fine* oedd Ianto: ond i chi roi pibell a baco iddo mi ddwedai stori gystal â neb glywais i erioed. Wn i ddim faint o werth oedd e fel cynhaliwr, William Griffith?"'[116]

Teimlodd Dafydd Pugh, blaenor arall, awydd i roi ei big i mewn, gan gyhuddo Sarah o fod yn rhy siaradus. '"Mae dynes ddistaw yn taro yn dda mewn Tŷ Capel,"' meddai; "'does dim eisiau llawer o siarad ar bregethwyr, rwy'n sylwi."' Ond lloriwyd yr hen flaenor gan feddwl chwim y ddynes a safai o'i flaen:

> 'Dyna beth od, nawr', ebe Sarah, 'clywais i Phoebe yn dweud eich bod chi, Dafydd Pugh, yma bob nos Sadwrn yn siarad gyda'r pregethwyr. Ond dyna, falle mai camsynied oedd hi. Dŵad i'w gweld hi yr oeddech, mi wn.'
>
> Hen lanc ydoedd Dafydd, ac nid oedd siarad fel hyn yn ei blesio.
>
> 'Dyna un dwl wy'i', meddai y diwrnod nesa . . . 'ar y ffordd gartre, mi feddylies am atebiad nobl iddi, "mae pregethwyr yn hoffi clywed dynion yn siarad, ond does dim eisiau lol dynes arnyn nhw", ond dyna, chofies i ddim mewn pryd.'[117]

Perswadiwyd y blaenoriaid gan huodledd a dadleuon amgen Sarah, ac meddai Edward Hywel gyda gwên, '"Sarah fydd gwraig y Tŷ Capel. Aiff yr un ohonom yn drech na'r fenyw yna."' Ac i ffwrdd â Sarah i ddarbwyllo pob un o'r gweddwon na fyddai rôl gwraig y Tŷ Capel yn addas o gwbl ar eu cyfer. Heb godi gwrychyn neb, sicrha ei buddugoliaeth, ac meddai'r traethydd wrth gloi, 'Yr oedd Sarah yn gwybod sut i fyw.'[118]

Roedd 'gwybod sut i fyw' yn gwbl angenrheidiol i brif gymeriad 'Priodas Lisa Bennet',[119] stori ddifyr sy'n dangos dawn dweud S.M.S. ar ei gorau. Ynddi, mae Let a Wini – merch ifanc addysgedig y prifathro lleol – yn ceisio darbwyllo Sali, eu hen gyfeilles ddi-ddysg, hen ffasiwn, o bwysigrwydd mynd allan i genhadu ymhlith 'publicanod' a 'phechaduriaid' mewn ymgais i chwyddo niferoedd aelodau capel Siloam, oedd wedi colli canran fawr o'i gynulleidfa'n dilyn cweryl rhwng Jane Jones y *Post* ac Edwart William. Claear yw ymateb Sali. '"Twt. Twt,"' meddai wrth Let. '"Dwyt ti ddim yn deall y gymdogaeth fel fi."' Ac meddai wrth Wini, '"Na, merch fach i, peidiwch siarad dwli. Chi'n mynd ar ôl y taclau yna! Pwy ddaioni ydych chi'n meddwl wnewch chi?"'[120]

Yn dilyn seboni cynnil Wini, mae Sali yn ildio. '"Mi 'na i ngore wrth gwrs, os ydych chi'n meddwl y galla i helpu,"' meddai. '"Helpu!"' ymatebodd Wini. '"Chi fydd ein harweinydd. Yr ydych chi yn nabod y bobol yn well na ni'n dwy."'[121] Cytunodd Sali, felly, i restru annuwiolion y pentref oedd mewn perygl o farw 'allan o Grist . . . ymhell o gyrraedd y gwirionedd'.[122] Tasg ddigon hawdd oedd hon i un â gwybodaeth leol Sali gan fod yr hyn a ddywedodd David Morgan am Langeitho yn 1859 hefyd yn wir fwy neu lai am Landafydd ddeugain mlynedd yn ddiweddarach. 'Nid oedd ym mhentref Gwenfyl, [Llangeitho erbyn heddiw], er ys tua 70 o flynyddoedd yn ôl, ond 4 o deuluoedd', meddai, 'ond erbyn heddyw y maent yn 35, ac oddeutu 150 o drigolion, yn grefyddol oll oddieithr rhyw 20 o honynt.'[123]

Lisa Bennet a ddewiswyd fel y 'bechadures' y dylid 'mynd ar ei hôl'. Fel Sali Coed Tân, roedd Lisa'n adnabyddus am 'watwar pethau crefyddol'. Tra oedd merched tlawd Llanestyn yn 'ceibio tatws' yn y Plas, a Sali Coed Tân yn 'torri hen focsus' yng Nghaerfor, roedd Lisa, 'cawres' a drigai ar ffordd y mynydd ym mhentref Llandafydd, uwch Pentre Alun, yn cynnal ei hunan trwy fynd 'ar hyd a lled y wlad i gasglu carpiau ac esgyrn'[124] gyda'i hasyn a'i chert. Nid oedd glendid yn un o'i blaenoriaethau. 'Does dim posib cadw tŷ glân', meddai, 'pan mae'r asyn a'r ieir, ac yn wir, y mochyn ambell waith, yn byw yma gyda mi.'[125] Daw'r elfen eangfrydig yng nghymeriad S.M.S. i'r amlwg unwaith eto yn ei hoffter o Lisa, a hefyd ei hargyhoeddiad na ddylid gwahaniaethu ar sail rhyw. Nid amharodd aflerwch Twmi'r Llidiart ar gynhesrwydd S.M.S. tuag ato yn ei stori gynharach, ac yn yr un modd, portreadir Lisa gyda'r un cydymdeimlad, a hynny er gwaethaf ei hannuwioldeb. Diddorol nodi fod Twmi, ar y llaw arall, yn ddyn crefyddol iawn, a hyn yn chwalu'r rhagfarn gyffredinol na ellid gwahanu glendid a duwioldeb.

Gan fod 'gwyneb tlws' Wini wedi cyffwrdd rhyw ysmotyn yng nghalon galed Lisa Bennet', ni chafodd ei herlid oddi yno pan alwodd i'w gweld y diwrnod canlynol, yn ei chartref blêr. Yn dilyn sgwrs am hyn a'r llall yng nghanol y baw, darganfu Wini'r gwroldeb yn y diwedd i ddatgelu pwrpas ei hymweliad. Cododd ei chalon am funud pan ddangosodd Lisa beth diddordeb yn ei chrefydd. '"Newydd ddechre gyda chrefydd ydych chi?"' gofynnai Lisa, gan edrych yn graff ar yr eneth. '"Yr wy'n aelod ers blynyddoedd [atebodd Wini], ond yn ddiweddar, yr wy' i wedi dod i ddeall fath Geidwad sydd gennyf. Leiciech chi ddim dwad i'w adnabod?"'[126] Ond nid ar chwarae bach y gellid argyhoeddi Lisa, ac meddai'n ddigon didaro, gan anwybyddu eiddgarwch Wini: '"Dim heddi, *thank ye*, . . . mae'n rhaid i mi fynd i edrych ar ôl yr asyn."'[127]

Un diwrnod teimlodd Wini bod ei neges yn dechrau cael effaith, a rhoddodd y Beibl ar y bwrdd a'i agor 'ar yr unfed bennod ar ddeg o *Matthew*, ac yna rhedodd i ffwrdd.'[128] Gyda dyfalbarhad yr efengyles, gwireddwyd amcan Wini. Dechreuodd Lisa feddwl am ei marwolaeth, gan i bob aelod o'i theulu farw cyn cyrraedd eu hanner cant, gymaint oedd caledi eu bywydau. Gwelodd yr adnod, 'Deuwch ataf fi, bawb ar y sydd yn flinderog ac yn llwythog, a mi a esmwythâf arnoch,' a chafodd effaith ysgytwol arni. Pan ddaeth y dydd tyngedfennol, a Lisa ar ei gwely angau rai misoedd yn ddiweddarach, meddai wrth Wini, '"Miss fach, . . . peidiwch dweud wrth neb fod Lisa Bennet wedi marw; wedi priodi mae Lisa ac mae'r Gŵr sydd wedi ei chymeryd am iddi fynd i fyw gydag Ef yn ei gartre yr ochr draw, a dyma fi yn mynd."'[129]

Yr hyn sy'n rhyfeddol yw bod Lisa'n dal o fewn cyrraedd ymdrechion efengylyddol Wini. Pan welodd yr adnod, fe'i hadnabu a medrai ei hailadrodd ar ei chof, a'i deall a'i dadansoddi. Dyma gymhwyster a barodd y fath syndod i'r seicolegydd o Ffrainc, J. Rogues de Fursac, pan ddaeth i Gymru i asesu'r Diwygiad gan ddod i'r casgliad mai Cymru, o bosib, oedd y wlad fwyaf crefyddol yng ngwareiddiad, 'with Biblical imagery and metaphors punctuating social and political discourse'.[130] Credai bod cymeriad y Cymry wedi ei ffurfio gan ddiwylliant crefyddol traddodiadol y genedl drwy gyfrwng ysgolion Sul, cymanfaoedd a chyfarfodydd gweddi. Y rhain a wnaeth baratoi'r ffordd, a dyna, yn ei farn, oedd wrth wraidd llwyddiant y Diwygiad. Roedd Lisa Bennet a Sali Coed Tân, ymddangosiadol ddigrefydd, yn rhan o'r 'diwylliant crefyddol' hwn, ac o dan amgylchiadau arbennig, pan gyrhaeddai diwygiad fel 'storom o fellt a tharanau', roeddent mor agored â phawb arall i gael eu dylanwadu ganddo. Fel y dywedodd yr hanesydd Russell Davies:

> Welsh culture, permeated by the values and morals of Nonconformity, provided the individual with a clear model of the ideal, to which one should aspire. Although this ideal could not be achieved, it remained in peoples' subconscious to be awakened by a sudden spark – a powerful sermon, a moving hymn.[131]

Naturiol oedd i leoliad y cynnwrf diwygiadol hybu S.M.S. i ysgrifennu drwy gyfrwng y Gymraeg, ond nid oedd wedi anghofio ei darllenwyr di-Gymraeg. Rhwng 1908 a 1910 adlewyrchir ei hawydd i gynnal parhad effeithiau unrhyw 'sbarc sydyn' a brofwyd ganddynt hwythau hefyd yn ystod blynyddoedd cyffrous 1904–5. Gan nad oedd amser yn caniatáu iddi greu storïau newydd gwreiddiol a hithau'n dal yn brysur yn lledaenu neges y Diwygiad, aeth ati i gyfieithu llond llaw o'i hanesion Cymraeg mewn dwy gyfres fer i'r *Torch*.[132]

Cyfieithiadau S.M.S.

Y gyntaf o'r rhain oedd 'Revival Stories' a gyhoeddwyd yn 1908–9.[133] Mae'n amlwg na welodd S.M.S. unrhyw angen i wneud newidiadau sylweddol wrth eu trosi o'r naill iaith i'r llall. Er hynny, mae'n werth nodi ambell fanylyn difyr, fel yn 'Dihangfa Dic Penrhiw'. Am nad oedd Miriam yn hapus i gael ei thad-yng-nghyfraith o dan yr un to â hi a Dic ar ddechrau'r stori Gymraeg, cyn i elyn Dic, Mr Preston ymddangos, yr oedd Richet Thomas wedi trefnu i fynd 'i fyw am ddyfodol ei oes gyda hen forwyn yn y pentref'.[134] Yn y fersiwn Saesneg, 'The Escape of Dick Penrhiw',[135] mynd i fyw ar ei ben ei hun wnaeth Richard Thomas, mewn bwthyn gerllaw, 'with an old servant to keep house for him',[136] a hyn yn dangos y gwahaniaeth cynnil rhwng Cymry Cymraeg cefn gwlad â darllenwyr Seisnig na wyddent am yr hen ffordd o fyw oedd yn gwbl ddealladwy a derbyniol i ddarllenwyr y stori wreiddiol.

Un datblygiad annisgwyl, ond nid annodweddiadol o S.M.S., oedd iddi ychwanegu pennod wreiddiol Saesneg fel parhad o stori 'The

Escape of Dick Penrhiw', sef 'His Choice',[137] na chafodd ei chyfieithu i'r Gymraeg. Yma, mae Katie Williams, yn hytrach nag ildio i genfigen (un o hoff themâu S.M.S.), fel merch egwyddorol a chrefyddol, yn cymryd trueni dros Miriam, y 'ddoli fach dlws' a wrthodwyd gan Mr Preston. Â'r ddwy i fyw i Abertrisant at fodryb Katie. Penodir Katie yn brifathrawes newydd y pentre hwnnw, a datblyga Miriam, o dan ei dylanwad hi a'i modryb, yn eneth gariadus, gall, sy'n sicrhau swydd fel 'mother's help'. Ymhen amser mae Dick yn penderfynu mynd am dro i Abertrisant ac yn galw yn eu cartref. Diwedd y stori fu iddo syrthio mewn cariad â Katie, a gofyn iddi ei briodi, penderfyniad a adlewyrchir yn y teitl, ond oni bai eu bod hefyd yn darllen y *Torch*, ni fyddai darllenwyr yr *Ymwelydd Misol* yn gwybod am y diweddglo hwn.

Cyfieithiad o 'Ddydd-lyfr Martha Jones' yw'r ail gyfres, sef 'Slum Stories: From the Diary of Martha Jones, Sister of the People',[138] pedair pennod am Sali Coed Tân, un o hoff gymeriadau S.M.S. Cyfarfuom â hi gyntaf yn 1903 yn y *Gymraes*. Wedyn cafodd ei chynnwys fel un o'r 'ysgrifau eraill' yn *Y Diwygiad ym Mhentre Alun*, ac yn awr, dyma hi eto'n ymddangos ar ffurf stori gyfres Saesneg pedair pennod yn y *Torch*, a diddorol nodi un frawddeg fechan yn y fersiwn Cymraeg sy'n absennol yn y stori Saesneg. Meddai Martha ar achlysur ei hymweliad â'r wraig annifyr, Mrs Hunt, ar gais Sali Nelson:

> Dechreuais ddarllen ychydig o adnodau [iddi] . . . yna trodd Mrs Hunt ataf. 'Mae'ch "horrid Welsh accent" yn gwneyd dolur i mi', meddai. Os ydwyf yn falch o un peth mwy na'r llall, credaf mai'r ffaith mai Cymraes ydwyf yw hwnnw. Codais o'r gadair a dywedais yn llym: 'Mae synnwyr ymhob peth. Yr wyf wedi dioddef digon oddiwrth eich tymherau, dyma fi yn eich gadael – ffarwel i chi.'[139]

Yn y fersiwn Saesneg mae'r nodyn cenedlaetholgar yn llai tanbaid:

> Suddenly Mrs Hunt interrupted me. 'Your horrid Welsh accent hurts me,' she said petulantly. I had borne a great deal that afternoon, and this was the last straw. 'I have put up with your bad temper for a long time', I said severely, 'Good-bye'.[140]

Mae amharodrwydd S.M.S., yn yr hanesion Saesneg hyn, i dynnu sylw at ei hymateb cenedlaetholgar i ddaliadau gelyniaethus cymeriadau fel Mrs Hunt tuag at yr iaith Gymraeg, fel a wna yn y fersiwn

Gymraeg, yn ddealladwy o gofio ei chrwsâd efengylyddol ar ran ei henwad i ddenu aelodau di-Gymraeg i ymuno â Methodistiaid Calfinaidd Cymru. Daliodd ei thafod felly, o leiaf dros dro, ond fel y gwelwn nes ymlaen, ni chafodd gelynion Cymru a'i hiaith ffoi yn gwbl ddianaf.

'Llythyrau Agored' (1910)[141]

Yng ngoleuni'r cyfresi niferus a ysgrifennwyd gan S.M.S. yn dilyn y Diwygiad yn ei hymgais ddiflino i gadw'r momentwm, ynghyd â'i hamlygrwydd mewn cyfarfodydd niferus cyn, yn ystod, ac ar ôl y Diwygiad, cydnabu'r cylchgrawn *Yr Efengylydd* yn awr ei statws fel awdures adnabyddus, gan gyhoeddi ei 'Llythyrau Agored' a anfonodd ato yn 1910. Amcan y tair erthygl hyn yw ymateb i lythyr a dderbyniodd S.M.S. oddi wrth ferch ifanc oedd yn gofidio am ei methiant i ennill y 'tangnefedd' oedd yn llenwi ysbryd ei chyfeilles, a brofodd dröedigaeth pan ddaeth y Diwygiad i'w hardal. Ynddynt mae'n disgrifio proses achubiaeth, gan barhau i daro'r post i'r pared glywed, fel y gwnaeth yn 1906 yn y stori 'Gwragedd y Blaenoriaid', drwy ysgogi ei darllenwyr i ystyried i ba raddau yr oedd eu bywydau ymddangosiadol grefyddol mewn gwirionedd yn '[d]di-ffrwyth a diegni'. Rhaid 'ymwadu a ni ein hunain, rhaid cyfodi ein croes', meddai, 'rhaid cau ein llygaid ar y pethau sydd tu ôl i ni – a gwneyd ei gyrhaedd [y darlun o sancteiddrwydd fel y mae Iesu Grist yn ei ddisgrifio] yn brif nod ein bywydau.'[142]

Unwaith eto, gwelwn S.M.S. yn arwain y Gymraes lenyddol i feysydd newydd, gan na welwyd ar dudalennau'r *Efengylydd* cyn hynny, hyd y gwyddys, unrhyw erthygl gan awdur benywaidd. Newyddbeth hefyd i'r *Efengylydd* oedd cael merch ifanc yn ganolbwynt y drafodaeth, sy'n herio'r darllenwyr i gydnabod fod gan y ddau ryw yr un hawl i gyhoeddi i'r byd gyfartaledd eu cyflwr ysbrydol yng ngolwg eu Duw. Adlewyrchir hefyd hyder cynyddol S.M.S. yn ei gallu i greu erthyglau ffeithiol, athrawiaethol yn y Gymraeg yn ogystal â'r Saesneg.

'Geneth yr Orsaf' (1911)[143]

Pedwar llythyr gwahanol iawn a gyhoeddwyd y flwyddyn ganlynol yn y *Gymraes* gan S.M.S. o dan y teitl 'Geneth yr Orsaf'. Anodd gwybod p'un ai ffaith neu led-ffuglen ydynt am iddynt gael eu hanfon, meddir, at 'Mrs Saunders' a hynny gan ferch a oedd mewn 'helbul mawr'. Gyda'i cheiniog olaf roedd Polly wedi prynu stamp i roi ar ei llythyr gan iddi ddarllen yn y *Torch* bod Mrs Saunders yn hoffi helpu genethod. Dyma'r tro cyntaf i S.M.S. enwi ei hunan fel traethydd, a heb amheuaeth adlewyrchiad o'i hymrwymiad personol i ferched mewn trybini a gyfleir ganddi yn y stori yma lle'r amlygir ei hamharodrwydd i gadw'n dawel wrth weld agweddau anfaddeugar cymdeithas yn distrywio bywydau genethod. '[H]elbul mawr' Polly oedd ei bod wedi cael perthynas â dyn ifanc 'digymeriad' yn ddiarwybod i'w darpar ŵr cyn ei phriodas. Yn dilyn llawer o wewyr meddwl o'r ddwy ochr unwyd Polly a'i gŵr unwaith eto, ond er i'r berthynas rhyngddynt hwy orffen ar nodyn hapus, ni wnaeth y gymuned y dychwelsant iddi fyth anghofio pechod mawr Polly. Er mwyn ffoi rhag sen eu cymdogion aethant i fyw i Ganada, a hanes eu gweithgareddau fel efengylwyr yn y wlad honno a gofnodir yn y tair pennod olaf, gwybodaeth a dderbyniodd 'Mrs Saunders' yn yr ohebiaeth rhyngddi a Polly.

Erbyn hyn gellir pentyrru'r enghreifftiau niferus yn llenyddiaeth S.M.S. sy'n amlygu ei diddordeb anghyffredin yn y problemau a wynebwyd gan ferched ifainc mewn cymdeithas dlawd, anghyfartal a rhagfarnllyd. Atgoffir ni gan hanes Polly o'r stori 'Elen Werngoch', yn *Llon a Lleddf a Storïau Eraill*, lle dywed mam Ifan y traethydd wrth ei mab:

> 'Wyddost ti, does dim byd yn fy nharo i'n fwy na'r ffordd greulon mae menywod crefyddol yn ymddwyn tuag at eu chwiorydd sydd wedi mynd ar gyfeiliorn. Os gwnaiff lodes gamsyniad, anghofith y menywod byth mo'r hen dro ffôl; a bydd hwnnw yn cael ei ddannod iddi tra bydd hi byw, druan fach.'[144]

'Hen Bobl Llanestyn' (1914)[145]

Cawn gyfle i asesu unrhyw newidiadau yn 'ffordd greulon' menywod Llanestyn o ymddwyn mewn cyfres arall am y pentref hwnnw a ymddangosodd yn gwbl annisgwyl yn 1914 yn *Yr Ymwelydd Misol*, sef 'Hen Bobl Llanestyn'. Mwynhad mae'n siŵr i ddarllenwyr oedd wedi ymserchu yng nghymeriadau'r gyfres gyntaf, ugain mlynedd ynghynt, oedd cael cwrdd unwaith eto â Let a Betsy'r Dyffryn a

Benja'r teiliwr, y tri yn dal ar dir y byw ac ar gael o hyd i gysuro a chynghori, fel y gwelir yn y stori 'Bedd Myfanwy'.[146]

Merch ifanc brydferth iawn oedd Myfanwy, unig blentyn Ann a Ioan Pritchard Ty'n'ronnen, dau â 'dim crefydd yn agos' atynt, yn byw mewn tŷ 'bonheddig iawn, [â] llidiardau mawr, haearn, a gardd odidog!'[147] Fe'i haddysgwyd mewn 'boarding school' yn Abernant, a phan ddaeth Dan i lawr o Lundain i aros gyda'i daid, syrthiodd mewn cariad â Myfanwy. Credai pawb eu bod yn mynd i briodi, ond daeth y newydd yn sydyn un dydd fod Dan wedi priodi Sue. Yn dilyn cyfnod o dawelwch aeth si ar led drwy'r ardal un bore bod 'babi bach yn Nhy'n'ronnen',[148] ond bod Myfanwy'r fam, a'r baban, wedi marw'n dilyn yr enedigaeth. Let a Betsy'r Dyffryn sydd gerllaw i gysuro Ann, mam Myfanwy, a gydag amser llwydda Ioan Pritchard yntau i ymdawelu o dan arweiniad Benja, a maddeuodd i Dan.

Peth newydd yn hanesion Cymraeg S.M.S. oedd crybwyll genedigaethau anghyfreithlon mewn dull plaen fel hyn, a hynny'n arwydd o'i hymwybyddiaeth fod darllenwyr *Yr Ymwelydd Misol* erbyn 1914 yn barotach i dderbyn y fath ddigwyddiad mewn ffuglen. Ond er bod yr oes wedi newid, ac Ann a Ioan, Myfanwy a Dan wedi codi yn y byd a throi eu cefnau ar eu capeli, mae'r neges yn eglur, sef bod gwerthoedd yr hen ffyddloniaid mor berthnasol ag erioed. Ni fedrai cysuron materol ddisodli'r angen am gysuron crefydd; roedd anffawd a thwyll a marwolaethau'n amharu ar fywydau pob dosbarth, ac achubiaeth yn unig, ym mhob achos, fedrai leddfu'r boen.

Hen ffasiwn o hyd, fodd bynnag, oedd agwedd trigolion Llanestyn tuag at gyfrifoldeb y tad mewn genedigaethau y tu allan i briodas. Nid oedd neb, er enghraifft, heblaw rhieni Myfanwy, yn beio Dan, a 'rywsut [Sue] oedd yn cael y bai bob tro, nid Dan'.[149] Sefyllfa gwbl annerbyniol i 'Ddynes Newydd' fel S.M.S. oedd hon, ac ni chaiff Dan ffoi rhag ei gydwybod. Yn wir, 'torrodd i lawr yn hollol' a bu'n 'gwaeddi am drugaredd',[150] ond yn y diwedd, trwy dröedigaeth, darganfu yntau hefyd dawelwch meddwl.

Mewn stori arall yn y gyfres hon, 'Mewn Cadwynau',[151] fe'n hatgoffir unwaith eto o'r bwlch oedd yn gwahanu plant dysgedig a'u mamau diddysg, fel yn hanes Let yn y stori 'Cennad Dros Dduw' yn hanesion Llanestyn, lle mae'n rhannu ei phrofiad â Betsy'n dilyn marwolaeth ei mab Edward:

> 'Wyddoch chi beth, . . . dwy i ddim yn teimlo fod Edward mor bell oddi wrthw i nawr a phan yr oedd yma. Yr oedd e wedi mynd yn ormod o

> scoler i fi ei ddilyn weithiau . . . 'ro'n i'n teimlo . . . ein bod ni yn byw mewn dau fyd gwahanol, a'n bod ni yn myned ymhellach oddi wrth ein gilydd o hyd.'[152]

Yr un oedd y dieithrwch a dyfodd rhwng Idwal Prys a'i fam weddw yn 'Mewn Cadwynau', lle gwelwn fachgen ifanc arall yn ymbellhau wrth ei wreiddiau pan dalwyd am ei addysg gan ddyngarwr lleol yn dilyn marwolaeth ei dad tlawd. Aeth Idwal i goleg yn Abernant, ac wedi hynny i Rydychen, ac meddai ei fam: '"Bydd yn mynd allan o nghyrraedd i, bellach . . . Tra yng Nghymru, teimlwn ei fod, rywsut, o dan fy aden, ond bydd pethau yn wahanol yn awr."'[153]

Er bod S.M.S. wedi mynd i ben draw'r byd pan adawodd Gymru am Seland Newydd yn 1912, fel y dengys y gyfres hon am hen bobl Llanestyn a anfonodd o'r wlad honno i'r *Ymwelydd Misol*, nid oedd wedi mynd 'allan o'n cyrraedd'. Yr un oedd ei chrefydd a'i neges i'w darllenwyr, a chartrefol iawn i ddarllenwyr o Gymru fyddai sylwi mai teitl pennod gyntaf ei chyfres 'Lower Bernard Street Stories'[154] i gylchgrawn Presbyteriaid Seland Newydd, *The Outlook*, yn 1913, yw 'Firewood Sally', ac yn 1914 dilynwyd y gyfres hon gan 'Stories from Wales',[155] lle mae S.M.S. yn cyflwyno Huw y Crydd a Benja'r Teiliwr i Bresbyteriaid Auckland.

'Tales of Shabby Street' (1920–3)[156]

Ymddangosodd fersiwn Gymreig o'r gyfres 'Lower Bernard Street Stories' rai blynyddoedd yn ddiweddarach yn *The Treasury* rhwng 1920 a 1923, o dan y teitl 'Tales of Shabby Street'. Anfonodd S.M.S. bedair stori gyntaf y gyfres hon o Los Angeles yn 1920, ac wedi hynny, bedair ar bymtheg o storïau ychwanegol rhwng 1921–3 yn dilyn ei dychweliad i Gymru, tra bu'n byw am gyfnod yng Nghaerdydd. Er mwyn hwylustod, yn y fan hon, sonnir yn unig am 'Tales of Shabby Street', gan mai tebyg iawn yw'r ddynes sy'n arolygu'r 'Mission Hall' yn y gyfres honno ag yn 'Lower Bernard Street Stories', a'r traethydd yn y ddwy gyfres yw gwraig y gweinidog lleol.

Yr un yw awyrgylch Turnpike Street, lleoliad y gyfres hon, â 'Dark Street' yn hanesion Martha Jones, ac o gofio hoffter S.M.S. o leoli storïau Cymraeg a Saesneg yn yr un ardal, gellid dyfalu gyda chryn hyder mai Caerfor yw Seatown, ac ni fyddai'n syndod i weld Sali Coed Tân yn cerdded i lawr y ffordd i ymweld â Mrs Leigh, Mrs

Graves, Mrs Rich a llawer o fenywod eraill Turnpike Street oedd yn ymladd yn feunyddiol yn erbyn caledi a thlodi.

Tebyg iawn oedd cyflwr moesol y boblogaeth i'w bywydau materol. Nid oedd genedigaethau anghyfreithlon na pherthynas rywiol rhwng merched a dynion dibriod yn codi aeliau cymuned o drigolion oedd yn byw ben bwygilydd mewn amgylchiadau anobeithiol. Nid rhyfedd felly mai thema gyffredinol 'Tales of Shabby Street' oedd menywod yn chwilio am strategaethau ar gyfer ymdopi â threialon bywyd. 'We had a genuine desire to help the weak [and] to raise the fallen' meddai Mrs Benson am Fethodistiaid Seatown: 'The beautiful character of Jesus Christ had fascinated us, and had won our hearts, and we believed that the story of His tenderness and His love would melt the hardest heart',[157] ac felly, sefydlwyd y 'Mission Hall'.

Cyn bo hir achubwyd digon o bobl galon-galed, golledig Turnpike Street i weddnewid yr ardal yn gyfan gwbl, a gellir crynhoi awyrgylch yr holl gyfres drwy roi braslun o un o'r hanesion, sydd hefyd yn enghraifft bellach o ddawn S.M.S. fel storiwraig. Y prif gymeriad oedd dynes lawn dirgelwch a alwyd yn 'Lady Evangeline'. Un diwrnod fe'i gwelwyd yn gadael mewn car mawr du, a synnwyd yr holl stryd pan ddarllenasant ei hanes yn y papur:

> the notorious thief who was known to the police as 'Lady Evangeline', had disappeared mysteriously after a particularly daring robbery. She had however, been traced to Seatown, and to Turnpike Street, and had that afternoon been arrested in a miserable room where she was passing as an old, infirm woman.[158]

Tra oedd yn y carchar, cofiodd genadwri a charedigrwydd efengylwyr neuadd genhadol Turnpike Street, a chafodd dröedigaeth, ac meddai'r traethydd, wrth ddiweddu'r stori, 'today in a certain big city, there is a "Sister Mercy Gray" who does wonderful work amongst fallen women,'[159] a phrin fod angen ychwanegu mai'r 'Lady Evangeline' ar ei newydd wedd oedd 'Sister Mercy Gray'.

Nid troi ei chefn, nac anwybyddu problemau erchyll menywod Tunrpike Street wnaeth S.M.S. Yn hytrach wynebodd realiti eu bywydau a'i gyflwyno fel yr oedd. 'Poverty, weakness, ignorance and sin are far more interesting when viewed from a distance', meddai, 'when you come into close contact with them they lose their romance; you see them in all their naked ugliness.'[160] Unwaith eto, mewn datganiad o'r fath gwelir S.M.S. yn ymbellhau oddi wrth ei chyfoedion oedd mor hoff o bortreadu cymunedau Cymru nid fel yr oeddent, ond fel atgof o orffennol melys a fodolai'n unig yn eu dychymyg.

'Memoirs of Bronwen' (1924)[161]

Wrth i S.M.S. ddychwelyd i gefn gwlad yn ei chyfres Saesneg nesaf i'r *Treasury* yn 1924, 'Memoirs of Bronwen', amhosib peidio â sylwi ar y newid yn ei meddylfryd o'i gymharu â hanesion Abergirmew yn y *Monthly Treasury* yn 1900. Hwyrach nad oedd angen poeni bellach am ddiffyg cyfleusterau i Gymry di-Gymraeg yng nghapeli Cymru. A hwyrach bod y newidiadau cymdeithasol a welodd yn dilyn ei blynyddoedd yn Seland Newydd a Los Angeles – ynghyd â thueddiad pobl hŷn i weld eu gorffennol mewn dull mwy gwrthrychol – wedi deffro'i greddf fel hanesydd a chenedlaetholwraig, fel y gwelir yn ei stori am Miss Polly Jones, un o arwresau 'Memoirs of Bronwen'.

Gadawyd Polly heb geiniog yn dilyn marwolaeth ei thad, a hithau wedi aberthu rhan orau ei bywyd yn gofalu amdano, amgylchiadau a fyddai'n taro tant cyfarwydd, mae'n debyg, ymhlith llawer o hen ferched oedd yn darllen *The Treasury*. Datgelir cynllun uchelgeisiol Polly ar gyfer goresgyn ei phroblemau ariannol pan ddaw y diacon Mr Harris, cyfaill ei thad, ac Ymneilltuwr mwyaf pwerus a dylanwadol ei bentref, i'w gweld. '"Well, well, I didn't think he would have treated me like this,"' meddai Polly wrtho am ei thad. '"There's nothing for it. I'll have to open a school."' Edrychodd Mr Harris yn syn am ennyd. '"You'd be surprised Mr Harris, what a lot I do know,"' meddai Polly, '"Oh dear yes, I can open a school very well, for I've many of father's books here and I can teach English! There's lots of children round about; it'll do them the world of good to know a bit of English."'[162]

Er bod ysgol ar gael eisoes ym Mronwen, ac er na nodir mai ysgol yr Eglwys oedd hon, y bore Llun canlynol, o dan ddylanwad Mr Harris, daeth dau draean o blant y pentref – â'u rhieni'n Ymneilltuwyr, mae'n debyg – i ddrws cartref Miss Polly, yn cynnwys Bert, bachgen Mr Harris ei hunan. Difyr, ond anarferol yn ffuglen S.M.S., yw'r cameo am ddulliau addysgu Polly, a fyddai erbyn 1924 o ddiddordeb hanesyddol i'w darllenwyr:

> Seated in the corner of the kitchen, in her father's old chair, a huge birch-rod in her hand, [Miss Polly] dominated the situation. Every child, as he or she entered, walked up to the instructress, shouting 'Good morning, Miss. "Tarw" is Bull.' 'Good morning, Miss, "Buwch" is cow.' 'Good morning, Miss, "Llo" is calf". Until a luckless one would appear with, 'Good morning, Miss. "Ceiliog" is, is is, I don't know what Miss.'
> 'Hold out your hand,' was the stern comment, and the birch rod came into evidence.[163]

Newyddbeth hefyd yw'r nodyn cenedlaetholgar na fynegwyd mewn dull mor ddigyfaddawd cyn hyn yn ffuglen Saesneg S.M.S. Er bod Mrs Harries, tad Bert, yn edmygu ei gŵr, oedd yn Gymro i'r carn, 'she . . . looked down with mingled scorn and loathing', meddir, 'upon his country and his people.' '"That woman open a school!"', gwaeddodd ar ei gŵr, "Look at her sign! [oedd wedi ei gamsillafu]. She needs to be taught English herself! The gross impertinence of the thing! And to send my boy to mix with those common, dirty children!"'[164] Ond Mr Harris a gafodd y gair olaf, er mawr ofid i'w wraig. Ac felly, meddir:

> She tried to instil into Bert's mind a dislike of the school, of the children and of everything connected with the project. But in this she failed.
> 'You don't like Bronwen, mamma', he said ''cause you're English; but I'm Welsh like daddie.'[165]

Sylweddolir yn fuan fod dau o'r 'common, dirty children', Tom a John, yn llawer mwy deallus na Bert. '[H]e lacked the virility, the strong mental grasp of the two others', meddai'r traethydd, 'and the characteristics of childhood became even more evident as the lads grew older.'[166] Pan aeth Tom a John i'r ysgol ramadeg agosaf yn Aberdrynant, felly, ildiodd Mr Harris i'w wraig, ac anfonwyd Bert i Lundain. 'To have her one boy educated in Wales seemed to her to spell a life of disaster,' meddir. 'So, to his great mortification, Bert was separated from his bosom friends.'[167] Aeth Tom a John ymlaen i'r brifysgol ac enillodd John radd dosbarth cyntaf. Er mawr ofid i Mr a Mrs Harris, 'their one and only boy had failed in his examination.'[168]

Gwyddom na fyddai rhieni Cwrt Mawr fyth wedi anfon ei merch hynaf i ysgol Miss Polly, ond mae S.M.S. yn mabwysiadu agwedd oddefgar, a'i hedmygedd o gryfder personoliaeth yr athrawes wreiddiol Gymraeg yn cael y blaen ar ei ffaeleddau addysgol. Ac amlwg yw balchder S.M.S. wrth gyflwyno i'w darllenwyr di-Gymraeg blant cymharol ddinod eu hamgylchiadau materol – a Chymraeg yn famiaith iddynt – fel cymeriadau naturiol ddeallus a fedrai ddal pen rheswm ymhlith ysgolheigion disgleiriaf eu cyfnod.

Mewn stori fel hon, a hithau erbyn hyn yn byw yn Lerpwl yn ddynes drigain oed, edrych o hirbell a wnâi S.M.S. ar bentref Bronwen, a theimlwn fod rhwydwaith teuluol a hen gysylltiadau Methodistaidd y genhedlaeth hŷn â'i daliodd mor dynn cyhyd, wedi llacio, neu yn wir, wedi ei disodli gan rwydwaith Cenhadaeth Dramor Methodistiaid Calfinaidd Cymru. Gan fod hwn yn faes oedd mor bwysig iddi, priodol fydd neilltuo gweddill y bennod hon, wrth gloi, i'r disgrifiadau yn ei ffuglen o effeithiau gorfoleddus a thrist y genhadaeth dramor ar deuluoedd a chymunedau cefn gwlad.

Y Genhadaeth Dramor yn ffuglen S.M.S.

Fel y gwelsom eisoes yn hanes Gwen a werthodd yr 'unig beth gwerthfawr oedd ganddi' i ferch y plas er mwyn helpu'r achos, yr oedd casglu i'r genhadaeth yn orchwyl hollbwysig ym mywydau llawer o gymeriadau S.M.S. Gellir olrhain yr arfer o drefnu casgliadau ar gyfer codi arian i'r genhadaeth dramor yng Nghymru yn ôl i 1813, gweithgaredd oedd yn gofyn am gryn ddyfeisgarwch ac aberth gan y rhai y disgwylid iddynt gyfrannu. 'Porai "defaid cenhadol" yn Sir Fôn, a gwerthid eu hŵyn a'u gwlân er budd y Gymdeithas.'[169] Felly hefyd yng nghapel Salem, Llanestyn. Pan ddaeth casgliad y jiwbili ar eu gwarthaf:

> [â'r] ardal yn llawn o 'wartheg y jiwbili', a 'mochyn y jiwbili', a 'ieir y jiwbili', a 'wyau y jiwbili', yr oedd yn berffaith resymol i'r bobl deimlo fod Casia a Llydaw yn *personal concern* . . . Yr oedd ofergoeledd ofnadwy y Casiaid, a'u haddoliad o ysbrydion drwg yn tynnu dagrau o'n llygaid ni yn Llanestyn, nid oherwydd fod y stori yn newydd, ond oherwydd fod trigolion Casia wedi dod yn *pensioners* ar ein da ni.[170]

Llawer mwy dirdynnol nag aberth ariannol tlodion Llanestyn oedd yr ergyd emosiynol i famau gweddw fel Betsy'r Dyffryn yn y stori 'Y Sunamees Honno', a thristawn wrth sylweddoli na fyddai Betsy, a roddodd ei hunig blentyn i'r genhadaeth, fyth eto'n gweld ei mab Iago. Gwnaeth ei gorau glas i guddio'i galar pan ddeallodd fod y 'paganiaid' yn galw ei hunig fab 'i ddangos iddynt ras Duw'.[171] '[Ond erbyn] iddo ddychwelyd gartref am dymor yr oedd "y Sunamees" annwyl wedi myned drosodd at ysbrydoedd y rhai cyfiawn.'[172]

Llawer hapusach yw awyrgylch 'Chwedl Poli Edwart', yn *Llithiau o Bentre Alun*,[173] lle daw breuddwyd Poli, yn wahanol i un gyffelyb S.M.S., yn wir. Un o nifer o blant i'w thad gweddw, Tomos Edwart, oedd Poli. Pan gyffesodd un dydd, a'i chalon yn ei gwddf, fod Duw yn ei gyrru o'i chartref, ac wedi dweud wrthi 'mai yn India y dylswn i fod',[174] er mawr syndod i Poli, darganfu fod ei rhieni wedi ei chyflwyno fel cenhades pan gafodd ei geni, a bod Tomos Edwart wedi bod yn gweddïo ar hyd y blynyddoedd ar ei rhan, 'ac mae'n dda gennyf', meddai, 'fod yr Arglwydd yn derbyn yr aberth'.[175]

Datgelir yn y stori hon y cyferbyniad syfrdanol rhwng y swyddogaethau y disgwylid i ferch ifanc gyffredin eu cyflawni fel cenhades mewn gwlad dramor, a'r cyfrifoldebau a neilltuwyd iddi gartref yng Nghymru. Yn wahanol i'w thair chwaer, roedd Poli'n hoff iawn o ddarllen a thra oedd ei chwaer Rachel yn byw gyda'u tad yn dilyn marwolaeth eu mam, roedd y tŷ bob amser yn lân a'i thad yn cael gofal priodol. Ond pan briododd Rachel siglai pobl eu pennau mewn gofid. '"'Dwn i yn y byd mawr beth ddaw o Tomos, druan, ar ôl i Rachel briodi,"' meddent yn feirniadol. '"'Dydi Poli werth dim byd yn y tŷ, mae ei phen byth a hefyd mewn llyfr."'[176] Pan sylweddolwyd ei bwriad i fod yn genhades, fodd bynnag, anghofiwyd y cyfan am ei chyfrifoldebau domestig, a daeth ei chwaer Jane, oedd wedi ei gadael yn dlawd â llond tŷ o blant, i gymryd ei lle ar yr aelwyd.

Dyma hanesyn sy'n dystiolaeth o'r anghysondeb ymhlith arweinwyr siofinistaidd Methodistiaeth tuag at y rhyw fenywaidd sy'n tanseilio daliadau chwerthinllyd fel yr un a ymddangosodd yn *Y Drysorfa* yn 1890, pan enillodd Miss Fawcett 'y safle uchaf yn Mhrifathrofa Caergrawnt':

> Anhawdd iawn gennym feddwl fod cyfansoddiad *fine* a thyner merch wedi ei fwriadu i ddwyn y fath draul ddirfawr ag a olyga lwyddo i gyrhaedd y safleoedd uchaf hyn . . . amser yn unig all esbonio faint y pris a dalasant am yr anrhydedd.[177]

Mor wahanol ydoedd agwedd *Y Drysorfa* tuag at 'gyfansoddiad *fine* a thyner' y merched a wynebodd galedi affwysol fel cenadesau ac a glodforwyd am eu dyfalbarhad – prawf amlwg o ddiffyg cysondeb, a thueddiad i fanipiwleiddio'r darllenwyr er mwyn cynnal goruchafiaeth wrywaidd yn yr achos cyntaf, a hybu statws Ymneilltuaeth yn yr ail.

Ni welwyd erioed unrhyw awgrym yn ysgrifennu S.M.S. o wendid meddyliol a chorfforol yn ei harwresau ac yr oedd yn gwbl argyhoeddedig o bwysigrwydd merched ifanc yn y dasg o ledaenu'r efengyl ymhlith 'anwariaid'. Ers marwolaeth John Saunders, nid oedd S.M.S. bellach yn gaeth i'w galwadau fel gwraig i weinidog ac o'r adeg honno ymlaen cynyddodd ei gweithgaredd dros y genhadaeth dramor, a daw ei diddordeb ynddi i'r brig yn ei llenyddiaeth, fel y gwelwyd yn ei hunig gyfrol ffeithiol gyhoeddedig, *A Bird's Eye View of Our Foreign Fields* (1919).[178]

Gydag ychydig iawn o ddychymyg, wrth ddarllen cyfres olaf S.M.S., 'The Autobiography of Angharad' (1929),[179] gellir synhwyro tristwch dynes drigain oed yn edrych yn ôl ar orffennol a wireddwyd yn unig yn ei ffuglen. Gwyliwn Angharad yn gwrando ar ei thad-cu, 'a beautiful old man, gentle and tender as a woman',[180] yn sôn wrthi am John Williams o Erromanga, 'a very white faced man dressed in broadcloth preaching to coal-black congregations',[181] a hithau, fel canlyniad, yn gynnar yn ei bywyd yn penderfynu bod yn genhades. 'To youth, the future holds out so many allurements', meddai S.M.S. wrth ddwyn ei gorffennol i gof; 'shadows which frighten old people . . . fill the young with a new vigour and determination; peace is the *sine qua non* of the old, excitement of the young.'[182]

Wrth gofio am ein golwg gyntaf o 'Sara' mewn bywyd go iawn, yn llawn egni a phenderfyniad, yn efelychu cenhades ifanc, rhugl ei mynegiant mewn cae gwledig ger Llangeitho, a syllu wedi hynny ar Angharad, mewn cae cyffelyb ym Mhont yr Ebol yn arwain plant y pentref mewn gweddi a chân, boddhaol rywsut, wrth ystyried cyfres olaf S.M.S., yw teimlo fod dau ben llinyn wedi dod ynghyd. Ar ôl naid mewn amser, mae Angharad yn ffarwelio â Chymru, a hithau a'i gŵr Tom erbyn hyn ar ddiwedd eu trydydd cyfnod ffyrlo. Mae S.M.S., hefyd, yn ffarwelio â'i darllenwyr, ac yng ngeiriau Angharad amlygir hiraeth, ond hefyd optimistiaeth nodweddiadol o'r efengyles dwymgalon a'i bryd ar godi calonnau ei darllenwyr. 'So we bid them all goodbye', medd Angharad, 'and prepare to return to our loved work beyond the sea. Life has brought us trials and difficulties, but it has also brought us great joy and peace, so we thank God and take courage.'[183]

Wrth grynhoi cynnwys a natur llenyddiaeth S.M.S., daw'n amlwg mai dwy o nodweddion amlycaf ei hysgrifennu oedd ei hymrwymiad i achub eneidiau ei chymeriadau, a'i hawydd i gyflwyno'r Gymraes Anghydffurfiol fel arolygydd cyflwr ysbrydol ei chymuned, p'un ai yng nghefn gwlad, mewn trefi difreintiedig neu mewn gwledydd tramor. Tystiolaeth o arwyddocâd parhaol ei ffuglen i ddarllenwyr cyfoes yw sylwadau'r ychydig feirniaid llenyddol a ymddiddorodd yn y tri theitl o'i heiddo a gyhoeddwyd – *Llon a Lleddf*, *Y Diwygiad ym Mhentre Alun*, a *Llithiau o Bentre Alun*. Ym marn E. Wyn James, *Y Diwygiad ym Mhentre Alun* yw'r 'cynnyrch ffuglennol Cymraeg pwysicaf i ddeillio o Ddiwygiad 1904–5'.[184] Cyfraniad S.M.S. i ddatblygiad ffuglen menywod y bedwaredd ganrif ar bymtheg a bwysleisir gan Jane Aaron a wêl yn y teitlau hyn 'hyder newydd wrth ddelweddu'r Gymraes', mewn cymunedau 'sy'n cael eu rhedeg i bob pwrpas ymarferol gan fenywod cryf a deallus'.[185] A chyfeiria Katie Gramich at 'feiddgarwch' S.M.S. yn ei 'phortreadau o'r Ferch Newydd'. 'Mae hi'n defnyddio'r Diwygiad fel esgus, bron', meddai, 'i ystyried grym yn y gymdeithas.'[186] Cadarnhad o ddilysrwydd y datganiadau hyn oedd penderfyniad Honno, y Wasg i Fenywod Cymru, i gyhoeddi *Llon a Lleddf a Storïau Eraill* yn 2012, sef casgliad o hanesion mwyaf difyr S.M.S. Medd Ceridwen Lloyd-Morgan am y teitl hwn, 'Dawn storïol S.M.S., ei chymeriadau cofiadwy, a'i defnydd cynnil ac effeithiol o ddeialog, yw cryfder y gadwyn o naratifau unigol hyn, sydd yn creu darlun byw o gymdeithas wledig y cyfnod.'[187]

Wrth asesu ffuglen S.M.S., ni ellir dianc rhag y ffaith bod natur efengylyddol ei hanesion yn eithafol a digyfaddawd. Mewn oes a welodd y fath ddirywiad yn aelodaeth capeli Cymru, ynghyd â diffyg diddordeb cyhoeddwyr, hyd yn gymharol ddiweddar, mewn ysgrifennu gan awduron benywaidd, hawdd deall diflaniad llyfrau S.M.S. o silffoedd darllenwyr yr ugeinfed ganrif. Wedi dweud hynny, o gadw mewn golwg yr adfywiad ers wythdegau'r ganrif honno yn hanes a llenyddiaeth y Gymraes, gellir dadlau bod ei hanesion, yn rhinwedd ei phortreadau hyderus ac arloesol o ferched cefn gwlad Cymru, ei hiwmor iach, a'i harddull unigryw, yn haeddu ail-ddarlleniad.

6

Cymharu Llenyddiaeth Gwyneth Vaughan a Sara Maria Saunders

Yng nghyd-destun y newidiadau cyffrous yn hanes Cymru a'r Gymraes yn chwarter olaf y bedwaredd ganrif ar bymtheg, gwneir ymgais yn y bennod hon i gynyddu'n dealltwriaeth o wreiddiau amrywiol ein hunaniaeth genedlaethol drwy gymharu llenyddiaeth dwy o awduron benywaidd mwyaf poblogaidd eu cyfnod.

Meddai traethydd 'Chronicles of Abernant' (1897), mewn datganiad sy'n cadarnhau cynnwrf cyffredinol yr oes, ac sydd, mae'n debyg yn fynegiant o deimladau S.M.S. ei hunan, 'I do not know exactly why I am attempting to write these Chronicles; it may be that the spirit of the age, the restless, unquiet spirit of the age, which prompts every one to write, is the compelling power that urges me forward.'[1] A'r un dylanwad oedd wrth wraidd y 'nwyd neu'r ysfa', chwedl Thomas Parry, a sbardunodd Gwyneth Vaughan 'i ymdreulio'n faith ac yn gyson heb allu peidio ag ysgrifennu'.[2] Mae datganiadau o'r fath yn brawf o'r newidiadau ysgytwol yn agweddau cyhoeddwyr gwrywaidd Anghydffurfiol yn y 1890au tuag at awduron benywaidd, datblygiad a ganiataodd i Gwyneth Vaughan ac S.M.S. roi mynegiant ar dudalennau prif gylchgronau Cymru i'r 'nwyd' a'r 'ysfa' a'u gyrrai i gyfansoddi.

Yn unol â'u personoliaethau allblyg, arloesol, manteisiodd Gwyneth Vaughan ac S.M.S. ar eu cyfle i edrych y tu hwnt i 'bedwar mur eu cartrefi' ar y byd o'u cwmpas. Sicrhaodd eu hymrwymiad a'u diddordeb brwd ym mudiadau a phynciau llosg eu dydd nifer o themâu cymharol hawdd eu dethol ar gyfer cymharu'r ddwy, gan i'w magwraeth a'u hamgylchiadau personol roi persbectifau gwahanol iddynt ar y datblygiadau mwyaf tyngedfennol ym mywydau Cymry'r cyfnod. A gan fod eu hymroddiad i'r ymgyrchoedd o'u dewis yn gwbl ddigyfaddawd, mae ehangder y bwlch sydd yn aml iawn yn eu gwahanu yn hwyluso'r dasg o dynnu cymhariaeth rhyngddynt.

Dosbarth cymdeithasol

Un o'r themâu amlycaf a mwyaf perthnasol yn y cyd-destun hwn yw strwythur cymdeithas fel y'i darlunnir yn eu ffuglen, ac mae'n werth talu cryn sylw i ddiddordeb Gwyneth Vaughan, o'i chymharu ag S.M.S., yn arwyddocâd statws a safle cymdeithasol, a'i dicter wrth weld cymeriadau breintiedig yn camddefnyddio'u dylanwad. Un o'i phrif bleserau, o'r herwydd, yn ei ffuglen yw gwyrdroi'r berthynas rhwng haenau hen a newydd yng nghymunedau bach cefn gwlad wrth i bosibiliadau a chyfleodd newydd gynhyrfu'r dyfroedd.

Angorau i ddal gafael ynddynt mewn hinsawdd gyfnewidiol oedd ei delweddau o hen wragedd cadarn, sefydlog, fel Nain Wm, Boba a Begi'r Pabwyr. Nid oedd yn uchelgais gan Gwyneth Vaughan ddyrchafu'r menywod hyn, yn eu hoed a'u hamser, i ddosbarth uwch. Nid oedd angen; nid dyna fyddai eu dymuniad. Cadwai Nain Wm ardd 'mewn cystal trefn a gardd lysiau un bonheddwr'.[3] Uniaethai Boba ag arwresau fel Jaël gwraig Heber y Canead a Deborah gwraig Barac,[4] a Begi a ddewisir gan yr Eglwyswr Edwart Edwarts ar ei wely angau, nid Mr Brown y Person, i esbonio ystyr 'credu'.[5] Fe'u codwyd uwchlaw ystyriaethau materol gan y grefydd newydd a ddaeth i'w rhan ym more oes, ffydd â'u cynhaliodd drwy boen a gofid, cystudd a thlodi, ac a roes iddynt fodd i fyw.

Nid oeddent, fodd bynnag, heb gyfeillion i droi atynt mewn argyfwng. Roedd dosbarth newydd o Ymneilltuwyr, gwell eu byd, wedi ymddangos ym mhentrefi Gwyneth Vaughan yn ail hanner y ganrif. Gosodasant safonau newydd moesol wrth lenwi'r gwacter a grëwyd gan landlordiaid absennol, ac un o'r dyletswyddau a ysgwyddid ganddynt oedd gofalu am aelodau oedrannus ac anghenus eu cymunedau, fel Nain Wm, Begi'r Pabwyr, a Boba.

Yn y stori gyfres 'Cysgodau y Blynyddoedd Gynt', mor gynnar â hanner gynta'r ganrif roedd hyd yn oed Gwyn Rhydderch, Sgweier Plas Llwyd, yn cydnabod dylanwad amgenach yr Ymneilltuwyr. At ddrws agored Llys Gwenllian, ffermdy Margaret a Lewis Pennant, pileri eu capel Methodistaidd lleol, yr aeth yr Eglwyswr hwn i ddweud ei gŵyn pan oedd hapusrwydd ei ferch anghyfreithlon, Alys, yn y fantol. Meddai'n apelgar wrth Lewis Pennant, 'Mae pawb yn gorfod gwrando arnoch chi.'[6]

Yn 'Bryn Ardudwy a'i Bobl', a osodwyd yn chwedegau'r ganrif, cadarnhawyd sefyllfa fregus awdurdod y tirfeddianwyr pan ddaeth yr aer ifanc, Mr Wyn, ar ymweliad prin â'i blasty. Ei fwriad oedd trefnu tipyn o hwyl a sbri i'w ddeiliaid, ond roedd Owain Llwyd – melinydd, diacon a llwyr ymwrthodwr – yn erbyn y dathlu, a'i ewyllys ef sy'n cario'r dydd. Nid oedd 'digon o bŵer mewn dwsin o sgweiars'[7] i newid ei feddwl. Felly hefyd yn *Plant y Gorthrwm*, lle'r arweiniodd Robert Gruffydd y ffordd drwy wrthod aros i gael cinio ym mhlasty'r asiant, Mr Harris, am fod cwrw ar gael ar ddiwrnod talu rhent. Fyddai 'rijmant o soldiars ddim yn gneud [iddo] roi cefnogaeth i'r hen ddiodan'.[8]

Yr un yw'r stori yn *O Gorlannau y Defaid*. Gymaint oedd edmygedd Syr Wiliam o Luned Fychan fel iddo wahodd plant y Foty i fynd i'w blasty i chwarae gyda'i blant ef yn ystod eu harhosiad dros yr haf, gan roi cyfle i Gwyneth Vaughan bortreadu cwrteisi naturiol y werin. 'Edrychai y boneddigion a'r boneddigesau yn syn ar y plant. "Such perfect manners",' meddent, '"Not a bit like little rustics", "Farmhouse children! dear me, how very curious!"'[9]

Fodd bynnag, er i Gwyneth Vaughan gyflwyno aelwydydd yr amaethwyr a'r diaconiaid – Lewis a Margaret Pennant, Robert a Luned Fychan, Robert a Gwen Gruffydd – fel 'pyrth y nefoedd', creodd ddyfodol gwahanol, deallusol herfeiddiol, ar gyfer ei chymeriadau ifainc mwyaf disglair. Yr oedd y byd yn symud yn ei flaen, ac i'r genhedlaeth hon, yng ngolwg Gwyneth Vaughan, roedd symud dosbarth yn gam angenrheidiol ar gyfer eu galluogi i fod yn arweinwyr Cymru'r dyfodol. Rhydd rwydd hynt, felly, i Bob a Dewi fynychu Prifysgol 'Rhydychain'. Nid sicrhau golud bydol iddynt oedd wrth wraidd ei phenderfyniad, ac yn sicr nid oedd yn fwriad ganddi ddilyn y confensiwn o'u troi yn Sais-Gymry. Yn hytrach, eu codi i safle cyfartal a wnaeth, neu'n wir i statws uwch – yn addysgol a phroffesiynol – na'r 'boneddigion a'r boneddigesau' Seisnig a wnaeth sylwadau mor nawddoglyd am blant y Foty. Drwy ei yrfa fel darlithydd yn Rhydychen, cyn symud ymlaen i fod yn Aelod Seneddol, tanseiliodd Bob agweddau snobyddlyd Gwendolen, merch y Plas. Hon oedd y ferch y bu mewn cariad â hi am gyfnod, ond fe'i wrthodwyd ganddi, er mawr ryddhad ar y pryd i'w thad a'i mam. Fodd bynnag, yn awr, mae Bob yn troi'r drol; mae'n priodi Angharad, ac yn cefnu ar deulu'r plasty, er gwaethaf gobeithion Gwendolen, yn rhy hwyr yn y dydd, i'w gael yn ŵr iddi.

Enghraifft arall o'r chwyldro cymdeithasol oedd y berthynas rhwng Rhianon, Hafod Oleu, a Syr Tudur Llwyd, Y Friog, yn *Plant y Gorthrwm*. Sgweiar o'r hen frîd oedd Syr Tudur – Seisnig ei fagwraeth, ond eto'n barod i symud gyda'r oes a chydnabod presenoldeb cenhedlaeth newydd o Ymneilltuwyr Cymraeg eu hiaith na ellir mwyach eu hanwybyddu, a hyn yn cyfiawnhau cynhesrwydd Gwyneth Vaughan tuag ato. Synnwyd yr holl ardal pan welsant Rhianon a Syr Tudur yn marchogaeth gyda'i gilydd a'u clywed yn trafod gwleidyddiaeth ar lefel ddeallusol gyfartal. Rhianon oedd ei 'encyclopaedia'. O dan ei dylanwad hi, trodd Syr Tudur ei got, a phleidleisiodd i'r Rhyddfrydwr ac fe'i hefelychwyd gan ei denantiaid. Bu merch Hafod Oleu felly, er gwaethaf ei statws fel merch i amaethwr, yn fodd i wyrdroi gwleidyddiaeth yr etholaeth honno am byth. Cyn diwedd y stori mae'r ddau'n priodi, a Rhianon yn dod yn Lady Llwyd, a cham pellach i gyfeiriad newydd oedd rôl Boba dlawd fel y gyfeilles a gynhaliodd freichiau meistres y Friog pan oedd ar fin suddo o dan drallodion trychinebus.

Fel iâr i blith y colomennod, cyrhaeddodd Mrs Meyrick Blas Dolau gan aflonyddu ymhellach ar hen strwythur cymdeithas cefn gwlad. Ymserchodd yn Rhianon a Dyddgu, a neges eglur Gwyneth Vaughan i'w darllenwyr oedd bod disgleirdeb personoliaethau cyffredin cefn gwlad Cymru yn ddigon amlwg i un o anian Mrs Meyrick, ac mai ffolineb rhagfarnllyd 'crach foneddigion' ffroenuchel â'u gwnâi'n ddall i'r gwerthoedd oedd o wir bwys mewn cymdeithas.

Er hynny, fel y gwelwyd yn hanes Rhianon, mewn gwirionedd, yr unig ffordd i ferched gwerinol, heb safle na phroffesiwn, ddringo i ddosbarth uwch adeg ieuenctid Gwyneth Vaughan oedd drwy briodi dynion o ddosbarth uwch. Dyna a wnaeth hi pan briododd John Hughes a'i annog i fynd yn feddyg. Ond darganfu nad mêl i gyd oedd i wraig orfod dibynnu ar statws ei gŵr, fel y gwelir yn ei herthygl yn *Young Wales*, lle dywed: 'Let us train our girls as we train up the boys. Give the women some one thing that is real in their lives. Let us not rest content until every girl holds in her hands a breadwinning weapon.'[10] Dyma gadarnhad pellach o'r farn a fynegodd am y bancwr o Efrog Newydd yn y *Welsh Weekly*. Tystiolaeth o ddiffuantrwydd ei datganiadau oedd iddi weithio'n ddiflino i sicrhau addysg uwch i'w merch, Laura. Erbyn cyfnod ei chyfres olaf 'Troad y Rhod', ymunodd Nora a Siarlot yn gwbl agored mewn ymgyrch etholiadol ar drothwy mudiad Cymru Fydd. Erbyn hynny '[y]r oedd gorwelion newydd wedi ymagor o flaen merched Cymru, a gwnaeth rhai ohonynt yn fawr o'u cyfle, gan esgyn i swyddi proffesiynol, weithiau o gefndir gwerinol a dosbarth gweithiol.'[11]

Tynged Gwyneth Vaughan oedd cael ei geni o flaen ei hamser. '[P]e cawsai ddechreu byw y blynyddoedd hyn' meddai ei brawd yn

1912, 'ni fuasai fawr o dro yn graddio yn y Brifysgol.'[12] Yr oedd hi ei hunan yn ymwybodol o'i hanfanteision, a gellir synhwyro weithiau na wnaeth erioed ddygymod â'i hanffodusrwydd, fel y gwelir yn ei cholofn 'Cornel y Ford Gron', yn 1906. 'Digon tebyg y gelwir fy syniadau yn Philistaidd', meddai:

> ond fy mhrofiad i yw fod llawer o ferched na welsant y tu fewn i goleg yn eu holl fywyd yn fwy diwylliedig o'r hanner . . . na'r genethod ieuainc sydd byth a beunydd yn 'ffagio' chwedl hwythau i gasglu gwybodaeth nad yw ond un bur arwynebol ar y goreu.[13]

Profodd ddilysrwydd ei 'syniadau'. Drwy ei gallu naturiol, ei chof eithriadol a'i phersonoliaeth benderfynol, erbyn 1906 roedd Gwyneth Vaughan yn fwy diwylliedig na'r mwyafrif o'i chyd-wladwyr. Addysgodd ei hunan, ac er nad oedd, am nifer o resymau, mewn sefyllfa i ddilyn proffesiwn, esgynnodd i lwyfan deallusion ei chenedl, a'i 'hysbryd', fel y dywedodd ei brawd 'mor uchelfrydig ag eiddo unrhyw dywysog a anwyd erioed'.

Yn wahanol i Gwyneth Vaughan, elwodd S.M.S. ar yr holl fanteision a sicrhawyd iddi fel merch i rieni llawer uwch eu stâd nag amaethwyr ffuglennol Llys Gwenllian, Y Foty a'r Hafod Oleu. Drwy brynu Cwrt Mawr, roedd teulu S.M.S. nid yn unig wedi ysgwyddo rôl arweinwyr cymdeithas, ond wedi disodli'r Sgweieriaid fel tirfeddianwyr. Haenau uwch Methodistaidd a Rhyddfrydol Cymru oedd eu cyfeillion, ac fel un a fu'n ddigon ffodus, o'r crud, i fod yn rhan o ideoleg ddominyddol ei chyfnod, ni welir unrhyw awydd na rheidrwydd personol yn llenyddiaeth merch hynaf Cwrt Mawr i ennyn edmygedd ei darllenwyr drwy gyflwyno'i hunan na'i theulu fel paragonau i'w hefelychu gan ei chyd-Gymry. Gellid dweud amdani hi, hwyrach, fel y dywedodd W. J. Gruffydd am ei brawd: 'Un o rinweddau amlwg J. H. Davies oedd y rhinwedd honno . . . sy'n wrthwyneb i snobyddiaeth . . . yr oedd mor hollol sicr ohono'i hun ac o'i safle fel nad oedd iddo, yn llythrennol, ddim cyfaredd yng ngradd na swydd yr un dyn.'[14]

Yn wir, wrth edrych yn ôl ar ei bywyd yn ei chyfres led-hunangofiannol, 'Autobiography of Angharad', ni ellir llai na synhwyro nodyn beirniadol ym mhortread S.M.S. o werthoedd teulu Penlan. Wfftiodd Angharad ragfarnau ei modryb Catherine pan benderfynodd ei chadw draw oddi wrth blant y pentre, a sarhaus oedd ei hagwedd tuag at y 'governess' aneffeithiol, Miss Jones, a gyflogwyd i'w haddysgu. Hwyrach mai cadarnhad o wendidau'r drefn honno a barodd i blant ieuengaf Cwrt Mawr gael eu hanfon i ysgol gynradd leol Llangeitho, gan ddynodi diwedd hen arferiad Seisnig o gyflogi 'governess', wrth i ymgyfraniad Ymneilltuwyr gynyddu fel aelodau dylanwadol ar Fyrddau ysgolion Cymru.

Fferm gymharol fawr ei maint oedd Penlan, cartref Angharad. Drwy benderfyniad ei modryb i roi gwell addysg iddi hi na phlant llai ffodus y pentref – er nad rhoi dadansoddiad o strwythur cymdeithasol Pont yr Ebol oedd bwriad S.M.S. – amlygir y bwlch oedd wedi tyfu erbyn hynny o fewn rhengoedd Ymneilltuaeth. Am enghraifft o'r datblygiadau hyn mewn bywyd go iawn gellir ymweld â Rhydlewis yng Ngheredigion yn nawdegau'r bedwaredd ganrif ar bymtheg a chymharu amgylchiadau Caradoc Evans (ei fam unig yn crafu bywoliaeth ar dyddyn Lanlas Uchaf ar y rhostir ar gyrion y pentre)[15] â'i gyd-ddisgybl, Moelona (Elizabeth Mary Jones), a fagwyd ar fferm lewyrchus y Moelon, yng nghanol y pentref, a'i brawd hynaf 'Owen Glandwr' eisoes yn bregethwr mawr ei barch.[16] Amlygir yr haenau oedd yn bodoli o fewn un pentref bach yng ngorllewin Cymru pan geisiodd y ddau am swydd disgybl-athro. Moelona â'i cafodd, a gellid dadlau mai rhagfarn y diaconiaid a'r prifathro, ill dau yn mynychu'r un capel, fu'n gyfrifol am ei llwyddiant fel aelod o deulu llawer mwy parchus na theulu Lanlas Uchaf, a'i statws cymharol uwchraddol wedi dileu ei hanfantais o fod yn ferch.

Heb amheuaeth, roedd S.M.S., a ddaeth yn gymaint rhan o'r Symudiad Ymosodol yn ne Cymru yn 1892, yn ymwybodol o'r 'ffurfioldeb a'r parchusrwydd "dosbarth-canol" a gydiai'n gynyddol yn y Methodistiaid, a'r byd crefyddol ym Mhrydain yn gyffredinol, erbyn canol y bedwaredd ganrif ar bymtheg'.[17] Mewn ymateb i'r gagendor rhwng y ddau ddosbarth, mor gynnar â 1856, ymdrechodd William Booth (1829–1912), sefydlydd Byddin yr Iachawdwriaeth, i 'greu diwylliant poblogaidd Cristnogol ar gyfer y dosbarth gweithiol'.[18] Yn yr un modd, lluniodd S.M.S. ei hanesion poblogaidd Cristnogol hithau i werin gyffredin Cymru.

Rhybuddio yn erbyn manteision 'llidiardau mawr, haearn', 'gerddi godidog' ac addysg mewn 'boarding school', a wnaeth merch freintiedig plasty Cwrt Mawr â'i lôn goediog, yng nghanol ysblander gwledig Ceredigion. Yn ei golwg hi, y perygl o newid dosbarth cymdeithasol oedd colli crefydd, gyda chanlyniadau dirdynnol, fel yn hanes Myfanwy Pritchard Ty'n'ronnen yn 'Bedd Myfanwy', a'i rhieni heb 'ddim crefydd yn agos [atynt]'.[19] Yn y stori 'Dihangfa Dic Penrhiw' mae'r neges yn eglur – ffolineb oedd i ferch fach ddiniwed, anwybodus fel Miriam roi ei ffydd yn Mr Preston, gan ddisgwyl esgyn yn sydyn i gylchoedd Seisnig, Eglwysig dosbarth-canol Lloegr. Ac er na wnaeth S.M.S. nacáu llwyddiant academaidd i genhedlaeth o blant addawol cefn gwlad yn ei ffuglen, dangosodd ochr negyddol y fath ddatblygiad wrth bortreadu'r pellter a ddatblygodd yn y berthynas rhwng Let a'i mab disglair Edward yn 'Cennad Dros Dduw' a rhwng Idwal Prys a'i rieni yn 'Mewn Cadwynau'.

Dau ddosbarth, i bob pwrpas, oedd o wir ddiddordeb i S.M.S. – y dosbarth crefyddol a'r dosbarth digrefydd y gellid gosod holl boblogaethau pentrefi gwasgaredig gorllewin Cymru o'u mewn yn ôl eu cyflwr ysbrydol. Nid peth hawdd oedd esgyn o'r naill i'r llall. Fel Peggy yn y stori 'Merch y Brenin' rhaid oedd mynd 'drwy ffwrn boeth cystudd' ar y ffordd i fyny, ond yr oedd yr ysgol o fewn cyrraedd pawb, ac nid oedd angen cyfoeth nac addysg ffurfiol i'w dringo. Bywyd anodd a gafodd Lisa Bennet hefyd, a fu farw o flaen ei hamser, a hithau Sali Coed Tân cyn ei thröedigaeth. Ond nid ennyn cydymdeimlad y darllenwyr tuag at eu caledi oedd nod S.M.S. ond eu darbwyllo fod crefydd yr un mor bwysig, a llawn mor hygyrch i Peggy a Lisa a Sali ag i bob un arall, pa haen bynnag o gymdeithas yr oeddent yn perthyn iddi.

Megis yn Llanestyn a Phentre Alun, crefydd oedd y lefelwr mawr yng nghymdeithas Abernant. Yn y gyfres 'Chronicles of Abernant', prysura S.M.S. i bwysleisio cyfartaledd Kezia, morwyn Mr Edmunds, fel un o blant Duw; ni chafodd Kezia unrhyw anhawster i ddewis ei geiriau wrth ddwrdio'i meistr oherwydd natur ddyrys ei bregethau. A gan fod Kezia'n mynychu'r un capel â Mr Edmunds a'i fam, a'i bod hi a'i meistres, mae'n debyg, yn cyd-gerdded i'r gwasanaeth ar y Sul, roedd eu perthynas yn un glòs, ac un o bleserau mawr eu bywyd, dan yr un to, oedd trafod a threfnu dyfodol eu gweinidog gyda'i gilydd.

Nid yw Martha Jones, Caerfor, ychwaith yn canolbwyntio ar statws cymdeithasol anffodusion digrefydd y dosbarth gweithiol yr aeth i weithio yn eu plith yn ardal Heol Ddu. Difyr yn hytrach na chondemniol yw disgrifiadau lliwgar S.M.S. o'u hamgylchiadau truenus. Eu codi drwy dröedigaeth i gyflwr meddwl gwynfydedig, rhagorach na'r oll y gellid ei brynu ag arian, oedd galwedigaeth Chwiorydd y Bobl, nodweddion gwerthfawrocach na chlod ac edmygedd cyhoeddus. Y llwybr a ddewisodd Sali Coed Tân, er enghraifft, yn dilyn ei thrawsnewidiad, oedd symud i'r tloty a'i golud oedd gwylio hen wragedd yn adennill eu gallu i 'wenu yn serchog' wrth ei gweld yn nesáu â'i hwyneb yn llawn o'r 'llawenydd sydd yn tarddu o orseddfainc Duw a'r Oen'.[20] Dyrchafwyd cryddion a theilwriaid a thyddynwyr S.M.S. yn 'dywysogion gyda Duw', gwragedd gweddw'n 'etholedig arglwyddesau', ac enillodd 'hen ferched' stad briodasol wrth ateb gwahoddiad y priodfab o 'blasty'r Brenin'.

Heblaw am hen Famau Methodistaidd Gwyneth Vaughan, sydd hefyd wedi esgyn i safleoedd uwchlaw ystyriaethau bydol, go wahanol yw'r pwyslais a'r gofod a roddir yn llenyddiaeth y ddwy i arwyddocâd dosbarth cymdeithasol, a hyn, fel y nodwyd, yn adlewyrchiad o'u statws cymdeithasol hwy eu hunain. Wrth symud ymlaen i edrych ar swyddogaeth crefydd yn eu hysgrifennu daw'r gwahaniaethau sylfaenol rhwng y ddwy yn fwyfwy amlwg.

Crefydd: Dau Ddiwygiad

O gofio dylanwad Ymneilltuaeth ar gyhoeddwyr ac awduron Cymraeg y bedwaredd ganrif ar bymtheg a dechrau'r ugeinfed, nid yw safle canolog crefydd yng ngwaith Gwyneth Vaughan ac S.M.S. yn syndod i neb. Mwy annisgwyl oedd ymddangosiad *O Gorlannau y Defaid* a *Y Diwygiad ym Mhentre Alun* o fewn cwta ddwy flynedd i'w gilydd yn 1905 a 1907, ill dwy yn portreadu, mewn ffuglen, ddau o'r digwyddiadau pwysicaf yn hanes modern Cymru, sef Diwygiad 1859 a Diwygiad 1904–5.

Nofel ddwys ei gwead yw *O Gorlannau y Defaid*, a Gwyneth Vaughan, yn ôl ei harfer, wedi ei thanio gan ei dyletswydd i drwytho pobl Cymru ym mhob agwedd o hanes eu cenedl. Fel y dywedodd yn y rhagymadrodd i'w llyfr, 'Dewisais adeg Diwygiad Crefyddol 1859 am y dymunwn roddi i ieuenctyd Cymru yr oes hon ryw ddrych-feddwl am dano . . . gan amcanu at gadw ambell rai o'r pethau eilw y Doethor John Rhys yn *vanishing landmarks* ar gof a chadw.'[21] Nid dyhead am ddiwygiad arall oedd yn bennaf gyfrifol am ei phender-fyniad i ysgrifennu *O Gorlannau y Defaid*, ond cyfle i atgoffa'i darllenwyr am eu gorffennol

> glân ei foesau . . . mewn cyfnod o gyfnewid, pan yw hen arferion a safonau yn cilio . . . math o brotest yn erbyn y chwyldroi gwallgo sydd wedi bod ar bopeth oedd yn gynefin i aelodau'r genhedlaeth hon ym mlynyddoedd eu hieuenctid.[22]

Er ei bod wrth reswm, mewn nofel o'r fath, yn ymddiddori yn y dröedigaeth Gristnogol, ar adegau collir golwg o hanfod y Diwygiad am fod materion eraill yn goddiweddyd yr awydd i achub eneidiau. Pan ddywed y gweinidog Richard Humphreys[23] wrth Robert Fychan, '"Robert bach, oeddit ti ddim yn clywed trwst adenydd y cerubiaid heno?"' ni ellir bod yn gwbl hyderus fod y darllenwyr wedi ei glywed. A phan etyb Robert Fychan, '"Fûm i erioed yn nes i weiddi, 'O anadl tyred' na phan oeddit ti yn erfyn ar yr ieuenctyd dd'od i'r cyfarfod gweddi,"'[24] nid yw ei eiriau'n taro deuddeg rywsut; ni ellir teimlo'r angerdd oedd yn elfen annatod o orfoledd tröedigaeth. A diddorol nodi na wnaeth Gwyneth Vaughan gyfeirio at Ddiwygiad 1904–5 mewn unrhyw gyhoeddiad wedi hynny. Ni ragwelodd am funud y buasai un o'r *'vanishing landmarks'* y cyfeirir ato yn ei 'Rhagymadrodd' yn ailymddangos ymhen tri mis o gwblhau ei nofel. Nid oedd yn gysylltiedig, fel S.M.S., â'r cyfarfodydd a gynhaliwyd gan efengylwyr yn y degawd a ragflaenodd ddrama Diwygiad 1904–5, cyfnod o bryder 'am ddirywiad yn egni'r eglwysi; cyfnod a welodd y dyhead am ddiwygiad arall yn dyfnhau a chryfhau', a galwadau ar i 'Ben Mawr yr Eglwys ei Hunan ddatguddio ei fraich fel yn y dyddiau gynt a fu, ac amlygu ei alluowgrwydd'.[25]

Pan gyrhaeddodd y Diwygiad hwnnw wedi'r mawr ddisgwyl, yr oedd S.M.S. yno yng nghanol y cyffro ac ni ellid cael cyferbyniad mwy trawiadol rhwng dwy awdures nag absenoldeb unrhyw gyfeiriad at y Diwygiad yn llenyddiaeth Gwyneth Vaughan, o'i gymharu â'r ddwy gyfres a ysgrifennodd S.M.S. ar fyrder am gymeriadau a ddarganfu ystyr i'w bywyd drwyddo. Gwyddai S.M.S. drwy brofiad personol holl broses y dröedigaeth Gristnogol, sut i'w meddiannu, a'r bendithion y gellid eu sicrhau drwyddi.[26] Dyma'r elfennau allweddol a ffurfiodd iddi ffynhonnell lenyddol gyfoethog, ac a ddarparodd iddi lawnder o ddeunydd crai, y gellid ei ddefnyddio i lunio hanesion difyr a bywiog – ar bwnc difrifol.

Cryfder storïau S.M.S. am y Diwygiad oedd y modd y cysylltodd y dröedigaeth ag argyfyngau penodol ym mywyd ei chymeriadau, profiadau y medrai darllenwyr uniaethu â hwynt, fel yn hanes Rachel pan ofynnodd Martha iddi am siwt ei mab – disgrifiad sydd gymaint yn fwy argyhoeddiadol na'r sgwrs rhwng y gweinidog a Robert Gruffydd yn *O Gorlannau y Defaid*. 'Yr oedd tywyllwch wedi gorchuddio ei chwbl – byd, nefoedd, Duw,' medd y traethydd. Ond yn dilyn diwrnodau mewn iselder ac anobaith:

> [F]e ddaeth fflachiad o oleuni i'w henaid; digon i'w helpu i ganfod y bryn fan draw, a'i groes Ef. Ac wele! wrth edrych ar y groes yr oedd y tywyllwch yn ffoi, a'r wawr yn codi. Gwelodd wyneb yr Hwn sydd 'yn rhagori ar ddeng mil, oll yn hawddgar . . . Hi a welodd, hi a synodd, hi a garodd! Ac yr oedd yn medru dweud gyda seintiau eraill, 'Efe a roddes i mi orffwysfa drwy ei dristwch a bywyd trwy ei angau.'[27]

Ymffrostiodd Methodistiaid Cymru yn ymroddiad a dwyster eu hefengylwraig ddawnus. Meddai'r bardd a'r pregethwr Methodist, Iolo Caernarfon am S.M.S., gan fanteisio unwaith eto ar y cyfle i fawrygu ei enwad, a'i hoff deulu, y gellid olrhain eu gwreidd-iau crefyddol yn ôl i ddyddiau Peter Williams a Thomas Charles o'r Bala:

> O dan ddylanwad dy athrylith gref,
> Mae Gwalia yn ymgodi tua'r nef.
> . . .
> Nid yw ein ffordd mor arw ac mor faith;
> Mae Duw yn nes at Gymru drwy dy waith.[28]

Enwadaeth

Naturiol i S.M.S., hefyd, fel un y rhagordeiniwyd ei dyfodol gan rwydwaith o gysylltiadau dosbarth canol y Methodistiaid Calfinaidd, ymfalchïo mewn enwad a dynnodd sylw'r byd at Gymru drwy ei ddiwygiadau chwyldroadol dirifedi. Gan mai ysgrifennu yn ddieithriad, naill ai i gylchgronau'r enwad hwnnw a wnaeth, neu gyhoeddiadau cefnogol i'r achos, adnabu ei chynulleidfa fel cefn ei llaw, a gwyddai sut i ennyn balchder ei darllenwyr yn rhagoriaethau Methodistiaeth.

Ar draul yr Eglwys Wladol yn fwy aml na heb y dyrchafodd ei henwad ei hun, nid drwy fod yn gas na beirniadol, ond drwy ddefnyddio'i hiwmor bachog i fynegi'r hyn y gwyddai fyddai'n diddanu ei darllenwyr. Yn straeon Llanestyn, Benja Jones y Teiliwr oedd ei llefarydd – gŵr unplyg, cadarn ei ffydd, y gellid maddau iddo yn ei henaint am eithafrwydd ei deimladau tuag at yr enwad a'i troes yn 'dywysog gyda Duw' yn ei ieuenctid. Pan glywodd Benja, felly, fod rhyw Eglwyswr wedi marw'n ddyn 'hapus iawn', prin y medrai gredu'r peth:

'Wel, wel', meddai, ''roeddwn yn gwybod ers llawer dydd fod yr Arglwydd yn gwneud pethau rhyfedd, ond 'ddylies i erioed y gallai wneud cymaint â hyn. Ond, 'rhoswch chi, hen wraig dduwiol iawn oedd ei fam-gu, Methodist *right* hefyd. Rown i yn meddwl fod yna rywbeth tu ôl "y ffydd . . . a drigodd yn gyntaf yn dy nain Lois." Mae Duw yn ateb gweddïau Ei bobl er gwaetha'r Eglwys a'r cwbl!'[29]

Ac yn 'Teulu Rhosllidiart', stori am ddau frawd a chwaer a oedd wedi cyflawni pob trosedd o dan haul, meddai S.M.S. â'i thafod yn ei boch, 'Yr oedd hyd yn nod Benja Jones wedi dyweyd ei fod ef yn teimlo fod mwy o obaith am achubiaeth *aelod o'r Llan* nag o deulu Rhosllidiart; ac nid oedd yn bosibl dyweyd yn gryfach na hynyna.'[30] Ond er mwyn gwneud chwarae teg ag Eglwys y Llan, a rhoi cyfle i S.M.S. ddangos nad oedd y sefydliad hwnnw, yn ei thyb, yn ddrwg i gyd, daeth Mr Maurice i Lanestyn fel 'Rheithor y Plwyf' gan lenwi bwlch, dros dro, yn absenoldeb gweinidog Methodistaidd, i fynd i ymweld â chleifion yr ardal. Byrdwn y stori yw bod Mr Maurice wedi llwyddo, lle methodd Benja, i ddarbwyllo Shoni Llwyd am y pwysigrwydd o 'gael teimlo ei berygl cyn croesi'r afon'.[31] Ymwelodd y ffeirad yn ddyddiol â'r claf ar ei wely angau, gan roi adnod iddo bob nos 'i weithio fel surdoes yng nghalon yr hen bechadur'.[32] Eisteddai yn ei ymyl yn amyneddgar, hyd nes yn y diwedd dechreuodd Shoni, a fu gynt mor wrthryfelgar, 'edrych gyda phleser at ymweliadau Mr Maurice, ac yn raddol daeth allan o'r tywyllwch i rywfaint o oleuni, digon, fodd bynnag, i'w gynorthwyo i ymddiried yn haeddiant Iesu Grist'.[33] Ildiodd Benja. Ni fedrai guddio'i edmygedd, ac meddai wrth ei gyfaill mynwesol Huw y Crydd, 'Shwt mae e'n leicio'r Eglwys yna, 'rwy' ddim yn deall; ond rwy'n credu y bydd yr Arglwydd yn maddeu hyny iddo.'[34]

Nid oedd Huw yn poeni am bynciau fel etholedigaeth, ac enwadaeth. Ei ymateb syml ef oedd 'fod llai o bwys fe alle, p'un ai Methodist neu Eglwyswr fyswn ni [...] y peth pwysig yw ein bod yn dilyn ôl traed yr Iesu'.[35] Benja, fodd bynnag, a gaiff y gair olaf. '"Mae e'n debyg iawn i Abïah, mab Jeroboam" [meddai wrth Huw am Mr Maurice,] "yn byw yn dduwiol yng nghanol y llygredd, ond leiciwn i ddim dweud cymint am un Eglwyswr arall."'[36] Dylid cofio, wrth ystyried agwedd Benja tuag at yr Eglwys, ei fod yn perthyn i'r genhedlaeth a gythruddwyd gan adroddiadau cyhuddgar y Llyfrau Gleision yn 1847, a ddaeth ag enwadau'r Ymneilltuwyr at ei gilydd am y tro cyntaf o dan faner Gymreig, i wrthsefyll yr 'arall' Eglwysig, Seisnig.

Roedd gan Gwyneth Vaughan hefyd frith gof am yr adeg pan 'ddechreuodd Calfiniaid a'r Wesleyaid, Bedyddwyr a'r Annibynwyr wenu ar ei gilydd'. Ond 'llwynog ydoedd', meddai, 'fel y geilw'r ffermwyr ambell i ddiwrnod heulog yng nghanol tywydd mawr',[37] ac yn ei phrofiad hi, 'roedd yr elyniaeth rhwng enwadau'r Ymneilltuwyr yn llawer amlycach nag unrhyw fygythiad o du'r Eglwys Wladol. Prawf o oruchafiaeth y 'tywydd mawr' oedd i Gwyneth Vaughan, y Fethodist, gael ei chyhuddo mewn llythyr a anfonwyd at 'Cornel y Ford Gron' o 'greu hanes er mwyn difrïo'r Bedyddwyr'. Sail y cyhuddiad oedd pennod yn ei nofel *O Gorlannau y Defaid* sy'n disgrifio bedydd merch ifanc ag un ysgyfant mewn llyn ar ddiwrnod garw. Gwylltiodd ei thad, Eglwyswr traddodiadol, pan ddarganfu ei ferch yn crynu ar lan y dŵr, a rhagwelodd ei marwolaeth dri mis yn ddiweddarach. '"Paid ti a dŵad yn agos ata i, Mari,"' gwaeddodd ar ei wraig, oedd yn 'Fedyddwraig selog', '"ne' mi ro'i flaen troed i ti y cofi di am dano fo. Rhyw hen goblers, a seiri, a theilwriaid yn cymryd arnyn ddysgu'r Efengyl yn lle mynd i Eglwys y plwy', fel y dylsan nhw."'[38]

Â Gwyneth Vaughan i gryn drafferth i egluro mai ymgais oedd yr hanesyn i roi darlun o 'un hen gymeriad caredig ond hynod o ryfedd yn fy llyfr', a dangos 'sut un oedd yr hen frawd yn ei holl gysylltiad . . . Dweyd hanes oedd yn bod wneuthum i', meddai 'a'i ddweyd yn llawer ysgafnach nag yr oedd mewn gwirionedd . . . Meddaf y parch mwyaf i'r Bedyddwyr a'u credo . . . ni choleddodd fy meddwl i un dychymyg am daflu un sarhad ar enwad y mae rhai o'm cyfeillion goreu yn perthyn iddo.'[39]

Mae eglurhad Gwyneth Vaughan yn dileu unrhyw syniad mai enwadaeth oedd wrth wraidd y stori hon. Yn wir nid oes daw ar ei dicter pan wêl unrhyw enwad yn camddefnyddio'i bŵer, fel y mynegir gan ei chymeriad dychmygol, Artaxerxes, yn 'Pobl a Gyfarfyddais' yn *Papur Pawb*[40] lle mae'n ymosod ar ffigurau amlwg cenedlaethol am wahaniaethu ar sail enwadaeth. A chwe blynedd yn ddiweddarach, o dan ei henw hi ei hunan, â mor bell â chynghori bachgen ifanc i gael ei addysg yn Lloegr, gan nad oedd 'teilyngdod fawr werth i chwi yng Nghymru os na fydd gennych ddynion dylanwadol yn tynnu'r gwifrau'. 'Goreu po gyntaf', ychwanega, 'y tynnir y llen oddiar lawer tric iselwael i roddi ein "dynion ni" mewn lleoedd nas gallant eu llenwi i un pwrpas wna les i'r wlad.'[41]

Byr ei hamynedd, a dweud y lleiaf, felly, oedd Gwyneth Vaughan â'r rhai a roddai gymaint o bwys ar enwadaeth fel iddynt anghofio hanfodion Cristnogaeth. Petai hi wedi bod yn un o gymeriadau pentref Llanestyn, buasai Huw y Crydd – y cymeriad eangfrydig a ddefnyddid gan S.M.S. i gyflwyno'r ochr arall i'r geiniog i Fethodistiaid pybyr y pentref – wedi cael llefarydd huawdl i gyflwyno'i ddadl. 'Pa waeth yn mha gapel yr addola yr oll ohonom', meddai yn 'Cornel y Ford Gron', 'os ydym yn addoli, ac yn ceisio byw ein proffes yn ein bywyd? . . . Mae da wedi dyfod cyn hyn o bob enwad yng Nghymru, o'r Eglwys Sefydlog hefyd . . . rhai y byddai eu henwau yn perarogli fyth ac yn dragywydd.'[42] Ac ni fedr ymatal rhag defnyddio Dewi'r Foty â'i radd ardderchog o 'Rydychain' i ailadrodd a phwysleisio'i phwynt mewn ffuglen. '"Mi fase'n braf ag un eglwys gyffredinol i bawb i addoli yn symlrwydd eu calon [meddai Dewi wrth Bob]. Mynnwn, pe gallwn, wneyd i ffwrdd â'r holl gulni, pa le bynnag ei ceir; pob rhagfarn, a phob penboethni enwadol."'[43]

I brofi nad 'Methodist cul' oedd Robert Fychan, ei ewythr, croniclir yr hanesyn am ymweliad Mr Brown y Person â'r Foty i fynegi ei awydd ef a'r deon i dderbyn Dewi'n aelod o Eglwys Loegr; dyna'r lle gorau, meddent, iddo wireddu ei lawn botensial. Y noson honno rhydd Robert Fychan y cynnig gerbron y bachgen disglair. '"[B]yddai yn llawer iawn haws i ti Dewi,"' meddai, '"gael llwybr clir i dy Feibl Diwygiedig yn Eglwys Loegr."'[44] Ond er gwaethaf meddwl agored Gwyneth Vaughan, a'i pharodrwydd i gyfathrebu â phob enwad ac Eglwys, gan gydnabod cyfraniadau y 'rhai y byddai eu henwau yn perarogli fyth ac yn dragywydd' ac er iddi ysgrifennu cyfresi i'r cyfnodolion Eglwysig, *Yr Haul* a'r *Perl*, ni fedrai ganiatáu i Dewi fynd yn esgob.[45] Yn hytrach, dygir i gof wendidau'r Eglwys Wladol, fel y'u mynegwyd gan Artaxerxes, yn 'Pobl a Gyfarfyddais', megis yr arferiad o gynnal eu cyfarfodydd 'yn yr iaith estronol' am eu bod yn 'penodi Esgobion Seisnig na ddeallant Gymraeg', a'u hoffter o 'gymeryd ochor gyda'r gwŷr mawr yn lle gyda'r werin'.[46]

Gwrthod gwahoddiad y 'boneddigion', felly, a wnaeth Dewi, er ei fod yntau hefyd erbyn hyn, ar yr olwg allanol, yn un o'r 'gwŷr mawr', yn byw yn y plasty a adenillodd drwy gyffesiad ac edifeirwch y Sais, George Ransome, a ddygodd eiddo ei dad drwy dwyll. Glynodd y diwinydd ifanc wrth werthoedd ei fagwraeth. Nid oedd ganddo ddiddordeb mewn ymuno â 'regiment wedi ymrestru ochr yn ochr â'r landlord yn erbyn lles a buddiannau y bobl'.[47] Hollbwysig iddo ef oedd sicrhau'r rhyddid 'i ddweyd [ei] farn o blaid y gwan os bydd mawrion y tir yn ei orthrymu', ac roedd yn benderfynol hefyd na châi dim ei rwystro rhag codi ei lais 'o ochr fy iaith, fy ngwlad, fy nghenedl os bydd eisieu'.[48] Gwelai Dewi Ymneilltuaeth fel hafan Cymreictod a noddfa i bobl gyffredin cefn gwlad. Y Sgweiar ac aelodau'r Eglwys oedd yn siarad Saesneg yn *O Gorlannau y Defaid*, a'r werin a'r capeli'n dal yn uniaith Gymraeg. Hwn oedd y cyfnod cyn i ffaeleddau'r Eglwys Wladol ddechrau 'bwyta mewn i wreiddiau Ymneilltuaeth yng Nghymru'; cyn i '[b]obl ifanc [d]roi eu cefnau ar yr iaith, a mynd i "finishing schools" a'r capeli wedyn yn "troi i'r Saesneg ar eu cyfer"'.[49] Mewn gair, i Gwyneth Vaughan elfen bwysicaf Ymneilltuaeth Cymru oedd ei bod yn gweithredu drwy gyfrwng y Gymraeg, ond ei ffydd, nid yr iaith a ddefnyddiwyd i'w mynegi, oedd o'r pwys pennaf i S.M.S. fel y gwelwn yn y gymhariaeth nesaf.

Yr Iaith Gymraeg a Gwladgarwch

Cyfyng-gyngor i Ymneilltuwyr mwyaf ymroddedig y Gymru Gymraeg, a gaiff gryn sylw yn llenyddiaeth S.M.S., oedd presenoldeb cynyddol yr iaith Saesneg. Nid gweld pobl ifainc yn 'troi eu cefnau ar yr iaith' oedd eu prif ofid, ond eu gweld yn troi eu cefnau ar gapeli Cymraeg eu henwadau, a chael eu llyncu gan Eglwys Loegr, neu hyd yn oed golli eu ffydd yn gyfan-gwbl. Dyna paham y pwysleisiodd golygydd y *Monthly Treasury* yn ei rifyn cyntaf un nad oedd angen yr iaith Gymraeg ar Fethodistiaid yng Nghymru i fod yn llwyddiannus. Ymdrechodd S.M.S. i wireddu honiad ei golygydd gydag arddeliad; ei hymrwymiad i barhad yr enwad – a welai fel cyfrwng a benodwyd gan Dduw i achub dynolryw rhag distryw – â'i hanogodd i ysgrifennu ei hanesion niferus i'r *Monthly Treasury*.

Gwyddom eisoes am gapel Methodistiaid Saesneg Gwenallt Street, Abernant, a'i weinidog Maurice Edmunds. Yn un o storïau eraill 'Chronicles of Abernant', 'The Pride of Deborah Parry', mae Deborah a'i chwaer Cecilia – dwy a gafodd well addysg na'u cyfoedion – yn symud o Rehoboth, capel Cymraeg yr Annibynnwyr, i gapel Saesneg y Methodistiaid yn Gwenallt Street fel rhan o'r cynllun i gadw pobl ifainc yn driw i'r achos. Mae'n amlwg nad oedd Mr Davies, gweinidog capel Rehoboth, yn dal dig wrth wylio'r datblygiadau hyn, gan y gwyddom ei fod ef a Maurice Edmunds yn cyfarfod yn gyson ac yn sgwrsio tan oriau mân y bore – enghraifft brin o gyfeillgarwch rhwng enwadau yn ffuglen S.M.S. Yma fe'i pwysleisir er mwyn cadarnhau ymhellach neges S.M.S. i'w darllenwyr di-Gymraeg;

yr oedd hyd yn oed yr Annibynnwyr Cymraeg yn cefnogi ymdrechion y Methodistiaid i sicrhau gwasanaeth priodol ar eu cyfer. Sylwer mai hen ŵr oedd Mr Davies o'i gymharu â Mr Edmunds, a hyn hwyrach yn symbol o'r iaith Gymraeg yn cael ei gwthio o'r neilltu er mwyn gwneud lle i'r Saesneg, oedd yn mynd o nerth i nerth.

Gellid dadlau hefyd mai cam pellach tuag at gynorthwyo Saeson a Chymry di-Gymraeg i ymgartrefu mewn ardaloedd Cymraeg yw techneg unigryw S.M.S. o leoli ei hanesion Cymraeg a Saesneg yn yr un trefi a phentrefi, megis Tremerlin ac Abernant. Er mai Cymraeg yw iaith y trigolion yn y gyfres Saesneg 'Sketches from Wales' yn y *Monthly Treasury*, drwy ysgrifennu amdanynt yn Saesneg, hyrwyddir delwedd ddelfrydol o gymunedau'n goresgyn gwahaniaethau ieithyddol a chael eu huno a'u hasio drwy werthoedd crefyddol cyffredin.

Felly hefyd ym mhennod gyntaf ail gyfres 'Chwedl Pegi Gib' i'r *Drysorfa*. Wrth i John adael ei gartref yn Nhremerlin i fod yn fyfyriwr yn Abernant, prysura S.M.S. i sefydlu natur ddwyieithog y dref honno; bron cyn iddo gael amser i ddisgyn o'i gerbyd, caiff John grynodeb gan fyfyriwr hŷn o holl enwadau Cymraeg a Saesneg Abernant, a disgrifiadau manwl a difyr o weinidogion pob un. Ymhelaethir ar y thema hon yn hanesion Saesneg Abergirmew, lle mae'r mwyafrif o'r cymeriadau, Twmi'r Llidiart yn eu plith, wedi aberthu eu hiaith – trysor gwerthfawr, a fu'n eiddo iddynt o'r crud – er mwyn yr achos. I grynhoi, gellir nodi fod S.M.S., am gyfnod rhwng 1894 a 1900, wedi ymroi i hyrwyddo ymgyrch y *Monthly Treasury* dros gynnal a chadw crefydd y Cymry, os nad eu hiaith, drwy ei chyfresi i'r cylchgrawn hwnnw – 'Sketches from Wales', 'Chronicles of Abernant', a'i chyfres o storïau yn 1900 a leolir yn Abergirmew.

Gwahanol iawn oedd pryderon Gwyneth Vaughan. Dyma'r adeg pan oedd hi, a llu o'i chyfoedion, yn poeni am effeithiau niweidiol y mewnlifiad Saesneg ar barhad yr iaith Gymraeg a gwerthoedd Cymreig, fel y gwelir yn niddordeb llawer o Gymry ymroddgar y cyfnod yn yr adfywiad Celtaidd. Gofid am barhad yr iaith ar aelwydydd Cymru a sbardunodd Gwyneth Vaughan i sefydlu 'Undeb y Ddraig Goch' ar y cyd â Mallt Williams. Gwelsant Seisnigeiddio crefydd fel yr elfen fwyaf niweidiol oll fel y mynegir yn ei datganiad dirmygus wrth ohebydd o'r enw Cymro:

> Tebyg iawn wir, os bydd yn yr ardal ryw fath o Sais neu Saesnes rhaid rhoddi'r testyn a darn o bregeth yn Saesneg iddynt, a gwneud dosbarth Seisnig yn yr Ysgol Sul ar eu cyfer, fe allai y bydd hynny yn anhwylusdod,

> ac fe allai fod aml i hen bererin yn yr oedfa na wyddent air o Saesneg, ond pa bwys yw hynny o'i gymharu a'r ffaith fawr ogoneddus fod yna ryw Sais wedi anrhydeddu ein haddoldy, a ninnau yn barod i droi popeth y tu gwrthwyneb allan er ei fwyn druan, gwasaidd fel yr ydym.[50]

Dri mis yn ddiweddarach yr un yw ei chynddaredd. '[H]yn a wn i, fel chwithau, fod rhyw afiaith ryfedd yn meddiannu Cymry i Saisnig-eiddio pethau crefydd', meddai wrth ohebydd o'r enw 'Daniel', 'a gore po gyntaf i ni siarad yn bur blaen wrth y Sais-Gymry yma, canys bu gan grefydd Cymru hyd yma ran bur dda yng nghadwraeth yr iaith Gymraeg.'[51]

Ni ellir gwahanu crefydd Gwyneth Vaughan oddi wrth ei hymrwymiad i'w hiaith, sydd yn ei dro yn rhan annatod o'i gwlad-garwch, a gwelir fel yr oedd yr elfennau yma'n gwau i'w gilydd mewn datganiad nodweddiadol o'i heiddo yn y *Cymro*. 'Gall cenedl fechan ddewr', meddai:

> os bydd iddi gadw ei hunan yn gref ac iach, heb fyned yn foethus a balch ac 'anghofio o honot Dduw dy iachawdwriaeth; ac na chofiaist graig dy gadernid', eto fod yn allu yn hanes y byd, i beri i genhedloedd gofio fod Cymru yn rhywbeth mwy na darn o Loegr, a'i phobl yn deilwng o Hywel Dda. Cofiwch yr hen ddihareb 'Cas gŵr na charo'r wlad a'i maco.'[52]

Aralleiriad o'r ddihareb hon – yn ddigon eironig hwyrach – a welir ar dudalen flaen *Llon a Lleddf*, lle dywed S.M.S. wrth gyflwyno'r llyfr hwn i'w thad, 'Canys ef a garodd ein Cenedl ni' – arwydd, mae'n debyg, o'i chariad hithau tuag at ei hiaith a'i gwlad. Gellir amddiffyn safiad S.M.S. dros gadw Methodistiaid di-Gymraeg o fewn y gorlan drwy nodi na wnaeth unwaith argymell troi capeli Cymraeg yn gapeli Saesneg, arferiad y gellir cael enghraifft ohono mewn bywyd go iawn yn yr hysbysiad i bregethwyr Methodistaidd yn y *Monthly Treasury* yn 1897, lle dywedir: 'Ministers who have engagements at Dinas Powys, near Cardiff are informed that in future all Sunday services will be conducted in English.'[53] Agor capeli newydd oedd ei dull hi o gwrdd â gofynion trigolion di-Gymraeg, ac er fod hyn wedi tarfu ar arferion oes rhai unigolion, go brin ei bod yn fwriad ganddi '[d]roi popeth y tu gwrth wyneb allan'. Gellir synhwyro'i thristwch wrth weld 'cymdeithas wedi myned yn druenus o unffurf yr olwg arni';[54] mae'n gresynu wrth weld cymdogaethau cyfain yn tyfu'n ddwyieithog, a heb amheuaeth Cymreictod hen gymeriadau crefyddol ei hieuenctid a rydd iddynt y gwreiddioldeb a ystyriai fel nodwedd oedd yn werth ei thrysori yn ei ffuglen.

Gellir dadlau hefyd mai tystiolaeth o'i chariad at y 'wlad a'i maco' oedd y cyfresi dirifedi a ysgrifennodd mewn Cymraeg naturiol, darllenadwy, y ddawn a enynnodd edmygedd Mari Ellis.[55] Yn wir, cymeriadau nad oedd yn 'hyddysg yn yr iaith Saesoneg' oedd ffefrynnau S.M.S, megis Betsy'r Dyffryn, Llanestyn, a drws ei chartref bob amser yn agored i rai mewn trafferthion, nodwedd a ddaeth yn amlwg mewn cyfres fer, tair pennod, hynod ddifyr, o'r enw 'Master'.[56] Yn dilyn dylanwad andwyol y diwylliant Seisnig arno, distrywiwyd hapusrwydd Roger pan ddarganfu Alice, ei wraig grefyddol, ddi-Gymraeg, fod ei gŵr, ar ôl symud i Lundain ac ymgolli ym mywyd masnachol, materol y ddinas honno, wedi diystyru amgylchiadau'r tad a roddodd iddo'i geiniog olaf cyn symud i fyw i'r tloty. Fel canlyniad, mae'r briodas yn chwalu. At Betsy'r Dyffryn, nôl adre yn Llanestyn ei blentyndod y troes Roger am gyngor, a hynny'n dilyn cyfnod yn y carchar yn Lloegr am gamweinyddiaeth ariannol. Yn Llanestyn gellid ail-ddarganfod y gwerthoedd ysbrydol â'i achubodd rhag dyfodol o ddiflastod, a dyna'r fan i ddod o hyd i arwresau ac arwyr cadarn, egwyddorol, uniaith Gymraeg, y gellir dibynnu arnynt mewn argyfwng.

Er nad yw S.M.S. yn sôn am gampau arwrol arweinyddion Cymru Fu, a huodledd areithiau Tywysogion y gorffennol pell i'w llwythi Celtaidd, cyfeiriodd at bentref Tremerlin, fel y nodwyd eisoes, fel man geni llawer o 'dywysogion' ysbrydol. Ac yn ei ffordd ei hunan, llwydda hithau hefyd, fel Gwyneth Vaughan, i ennyn balchder ei darllenwyr yn hen hanes eu cenedl, yn ôl i ddyddiau John Penry, y Ficer Pritchard, William Wroth, William Erbury, Walter Cradoc a Vavassor Powel.[57]

Rhyddfrydiaeth a Mudiad Cymru Fydd

Dyddiadau mwy gwleidyddol eu harwyddocâd sydd o'r pwys pennaf i Gwyneth Vaughan fodd bynnag. Gellir olrhain ei gwreiddiau Rhyddfrydol, cenedlaetholgar yn ôl i Etholiad hanesyddol 1868, pan welodd â'i llygaid ei hunan, yn un ar bymtheg oed, ormes y 'meistri tir estronol'. Fe'i magwyd ymhlith y 'merthyron' a aberthodd bopeth er mwyn sicrhau y 'breintiau presennol' iddi hi a'i chenhedlaeth, a chywilydd o beth, yn ei golwg, oedd gweld plant a rhieni o'i hamgylch nad oeddent erioed wedi clywed sôn amdanynt.[58] I lenwi'r bwlch yn eu gwybodaeth, ysgrifennodd *Plant y Gorthrwm*, nofel ag ynddi'r deunydd i gynyddu a chyfoethogi hunaniaeth genedlaethol ei darllenwyr hyd y dydd heddiw.

Nid yw Gwyneth Vaughan byth yn colli cyfle i dynnu sylw at yr annhegwch oedd yn bodoli ym mywydau gwerin y Gymru Gymraeg. Mewn sgwrs rhwng Nisien Wyn (bachgen a fagwyd ym Mro Cynan) a Robert Gruffydd yr Hafod Oleu, er enghraifft, trafodir y gwahaniaeth rhwng rhenti'r Cymry a'r Saeson, a deuir i'r casgliad mai 'rhyw fath o ddial' oedd y gorbris Cymreig 'ar y bobl am eu cenedlaetholdeb'. A phan soniodd Nisien Wyn am y peth wrth dad ei ddisgybl, tra oedd yn byw ar y Cyfandir, meddai hwnnw 'yn ei iaith ei hun':

> 'My boy, those evils must be remedied, but they must be remedied by Welshmen. We can sympathize, we can encourage, but the work must be your own. The redemption of a nation can only be accomplished by her own children. And what a glorious work you have before you.'[59]

Er mai Sais, yn 1868, yn sôn am 'Welshmen', a ynganodd y geiriau hyn yn *Plant y Gorthrwm*, mae'r cyfeiriad at 'blant Cymru', wrth gwrs, yn golygu merched yn ogystal â bechgyn, fel a ddaeth yn amlwg yn y rôl flaenllaw a roddwyd i Rianon yn y nofel hon, yn y 'gwaith gogoneddus' o achub Cymru. Er nad oedd ganddi bleidlais, yr oedd ganddi lais, ac fe'i defnyddiodd i ddylanwadu nid yn unig ar Syr Tudur Llwyd, ond ar un o bregethwyr enwocaf y genedl, oedd hefyd yn wleidydd – gŵr goleuedig, a lwyddodd drwy ei areithiau i chwalu syniadau ynfyd nad oedd â wnelo 'gweinidogion y Gair â gwleidyddiaeth'.[60] Digon tebyg fod y cymeriad hwn yn seiliedig ar Henry Richard oedd yn weinidog gyda'r Annibynwyr cyn cael ei ethol yn 1868 yn Aelod Seneddol dros y Rhyddfrydwyr, gwleidydd a chanddo ddiddordeb arbennig mewn addysg.[61] Dyma sy'n egluro, mae'n debyg, awydd Rhianon i fynegi ei phryder wrtho am safle israddol y rhyw fenywaidd, a phrinder addysg ar gyfer merched Cymru. Gwnaeth argraff mawr ar y pregethwr, a welodd 'hedyn egwan yng nghalon un ferch ieuanc . . . a dyf yn bren mawr yn y man, yn llawn o ddail a blodau, ac wedi hynny y ffrwyth addfed yn pwyso'r brigau'.[62] Disgrifiad addas iawn o Gwyneth Vaughan ei hunan oedd hwn, a ddaeth ymhen amser yn un o'r prysuraf ymhlith y deng mil o aelodau Undeb Rhyddfrydol y Merched. Yn 1895 ymgorfforwyd yr Undeb yn rhan o Gynghrair Cenedlaethol Cymru Fydd, a '[ph]asiwyd

IN FUTURE, THIS MAGAZINE WILL BE ISSUED ON THE FIRST OF EACH MONTH.

VOL. IV. No. 40.] APRIL, 1898. [PRICE THREEPENCE.

YOUNG WALES

A National Periodical.

Edited by J. HUGH EDWARDS.

The Bound Volume of "YOUNG WALES" for 1897,—comprising our Diamond Jubilee Number—is now ready, and will be sent Post Free for Five Shillings.

Contents.

The Fascinations of Comparative Philology.
By W. T. G. L.

Taffy's Impressions of Sandy as an Ecclesiastic.
By REV. T. EYNON DAVIES.

The Welsh Intermediate Schools Circle.
By J. TREVOR OWEN, M.A. (Headmaster, County School, Carnarvon.)

"Stones from Babylon."
II.—"A DAUGHTER OF REBECCA."
By TEDDY BACH.

Welsh Land Reform.
By RICHARD JONES (Member of the Welsh Land Commission.)

"S. M. S."

Contents.

Our Sunday Note Book.
By WILLIAM GEORGE.

The Night of Welsh History.
By ERNEST RHYS.

Christian Literature, its Function and Task in the Present Day.
By PROFESSOR K. LENTZNER, PH.D.

Among the Welsh Members.
HOME RULE ALL ROUND.
By T. ARTEMUS JONES.

Howell's Song to Myfanwy. (*Cân Hywel i Myfanwy*).
By PROFESSOR J. YOUNG EVANS, M.A.

"Faithful unto Death."
By RHYS RHYDDERCH.

CARNARVON:
Printed by the Welsh National Press Company, Limited. "Express" Office.

8. *S.M.S., darlun o glawr* Young Wales, *Ebrill 1898.*

penderfyniad Cochfarf (Caerdydd), i sicrhau yr un hawliau dinesig i ferched ag a ganiateir i ddynion.'[63] Adlewyrchir natur wleidyddol a brwdfrydedd optimistaidd Gwyneth Vaughan yn ei herthygl 'Women and their Questions',[64] yn *Young Wales* lle mae'n llawenhau yn agwedd aelodau gwrywaidd Cymru Fydd tuag at y Gymraes, ac yn edrych ymlaen yn obeithiol at gyfartaledd rhwng y rhywiau yng Nghymru'r dyfodol.

Pan ddaeth Henry Richard yn Aelod Seneddol yn 1868, dim ond pedair oed oedd S.M.S., ond erbyn hynny mae'n ddigon amlwg fod ei rhieni o'r un feddylfryd â'u cymydog enwog o Dregaron pan ddywedodd, 'the Nonconformists of Wales are the people of Wales',[65] a'r Blaid Ryddfrydol wedi apelio atynt o'r cychwyn cyntaf oherwydd ei gwreiddiau Anghydffurfiol, a'i hawydd i weld datgysylltiad yr Eglwys a diddymiad y degwm. Etifeddodd S.M.S. wleidyddiaeth ei theulu, ac o dro i dro amlygir ei hymlyniadau Rhyddfrydol mewn dull llawn hiwmor yn ei llenyddiaeth, fel yn ei disgrifiad o Benja, a edrychai ar Doriaeth 'fel rhyw offeryn anfoesol ynglŷn â'r Eglwys, ac yn amser y lecsiwn byddai yn annog y bobl i fod yn Rhyddfrydwyr oherwydd mai Rhyddfrydwr oedd Iesu Grist. "'Does dim dwywaith am hynny: [meddai] aeth cyfreithiau a seremonïau'r Hen Destament yn chwilfriw mân o dan Ei ddwylo. O! ïe, *Whig o'r right sort* oedd Iesu Grist!"'[66]

Ymrwymiad Cwrt Mawr i amcanion Rhyddfrydiaeth a ddaeth â David Lloyd George ar ymweliad â Llangeitho, pan synnodd i weld teulu o'u statws hwy yn byw mewn man a ymddangosai iddo ef fel pen draw'r byd. A diddordeb dau deulu yn yr un blaid wleidyddol fu'n gyfrifol am y briodas rhwng T. E. Ellis ac Annie Davies, chwaer S.M.S., achlysur a seliodd gefnogaeth S.M.S. i fudiad Cymru Fydd; fel y dywedodd yn 'The Autobiography of Angharad' wrth edrych yn ôl at ei hieuenctid yng nghwmni ei chyfaill Tom, 'Tom and I were great home-rulers in those days.'[67] Yn unol â'r datganiad hwnnw, cyfrannodd y gyfres 'Welsh Rural Sketches' i *Young Wales*, ac, fel Gwyneth Vaughan, cytunodd hefyd i gyfrannu i dudalen menywod y cylchgrawn hwnnw.[68] Ond fel un a fuddsoddodd ei holl egni mewn materion crefyddol, nid oedd S.M.S. mewn gwirionedd yn ymddiddori rhyw lawer mewn pleidiau gwleidyddol ac etholiadau seneddol. Gellir datgan gyda chryn hyder mae'r unig frwydr o wir ddiddordeb iddi hi a'i chyd-efengylwyr oedd honno rhwng Duw a Satan, a rhoesant eu holl ffydd yn ei unig asiant – Iesu Grist carismataidd, ymgyrchydd ei Dad ar y ddaear hyd dragwyddoldeb.

O gadw hyn mewn golwg, tasg anodd mae'n debyg i S.M.S. yn 'Sketches from Wales' yn *Young Wales* oedd gwyro oddi ar ei llwybr arferol o roi lle canolog i'r dröedigaeth Gristnogol. Yn wir, ymddengys fod golygydd cylchgrawn a ymgyrchai dros bŵer gwleidyddol yn awyddus i S.M.S. ymatal rhag gwthio gweddi fel pŵer amgenach ar gyfer datrys problemau dynolryw. Mae'r hanesyn 'A Tragedy Averted'[69] yn enghraifft bwrpasol. Fersiwn cynharach o'r stori am

Dic Penhriw yw hon am Sais-Gymro o'r enw Vivien Tudor yn dod i aros am gyfnod ym Mhentre Rhedyn, gan dwyllo Maggie – y ferch yr oedd Dick mewn cariad â hi – â'i eiriau teg. Un dydd, cyrhaeddodd yr Americanes Miss Fielding y pentre, ac aeth si ar led mai hon oedd darpar-wraig Mr Tudor. Cynddeiriogwyd Dick pan ddeallodd y sefyllfa. Ar ddydd priodas Mr Tudor a Miss Fielding, fel yn y ddwy stori ddiweddarach, penderfynodd saethu'r priodfab. Ond daeth y Dr Edwards, cyfaill i'r teulu i'r adwy gan roi dós o ffisig cryf i Dick ar y slei. Cysgodd drwy gydol y seremoni briodasol, a drannoeth, o dan ddylanwad y feddyginiaeth, roedd wedi callio a'i nwyd lofruddiog wedi ei dileu.

Nid dyma ddull arferol efengylydd fel S.M.S. o roi bachgen ifanc ar y llwybr cul, ac fel y gwelsom, gofalodd wneud iawn am y cam pan ail-ysgrifennodd yr un stori o dan yr enw 'Dihangfa Dic Penrhiw' yn 1905, ac eto yn y fersiwn Saesneg i'r *Torch*, 'The Escape of Dick Penrhiw', yn 1908. Yn niffuantrwydd y ddau fersiwn diwygiedig, hawdd i'r darllenwyr uniaethu â'r ferch ifanc, Katie, a achubodd Dick drwy fynd ag ef i gyfarfod yn y capel, a boddhaol yw gweld y berthynas rhwng y ddau'n aeddfedu. Ond yn stori *Young Wales*, 'A Tragedy Averted', aeth Dick i fyw i Kansas. Fe'i dilynwyd cyn hir gan Maggie a daeth Dick yn ŵr i un a ddisgrifir fel 'a wax doll of amazing beauty, but wholly foolish and insipid'.[70] 'I felt very angry and very disappointed,' medd y traethydd wrth orffen ei stori, a cheir y teimlad nad oedd ysgrifennu'r fath hanesyn wrth fodd calon S.M.S. Siomedig hefyd i'w darllenwyr oedd y fath ddiweddglo brysiog, annodweddiadol o awdur oedd fel arfer mor ofalus o'i chymeriadau.

Y Ddynes Newydd a Delweddau o'r Gymraes

Ni ofynnwyd i S.M.S., fodd bynnag, gyfaddawdu yn ei phortreadau cadarnhaol o'r Gymraes yn y cylchgrawn *Young Wales*, a hyn yn arwydd pellach o gefnogaeth arweinwyr Cymru Fydd i'w aelodau benywaidd. Neilltuir tair pennod o'r gyfres hon i'r hanes am Nancy Rogers yn wynebu cynddaredd nawddoglyd Mr Morris, diacon mwyaf pwerus yr holl ardal. Dyma un o'r delweddau benywaidd mwyaf mentergar yn llenyddiaeth Cymraes y cyfnod – arwydd clir o bresenoldeb mudiad y Ddynes Newydd a ddisgrifiwyd gan Ellen Hughes yn 1894 fel dim byd llai na 'chwyldroad cymdeithasol'.[71]

Roedd dwy a ddilynodd lwybrau gwahanol iawn mewn meysydd eraill yn gydradd gytûn yn eu hawydd i gynyddu ymwybyddiaeth y Gymraes o'i gallu i newid cymdeithas. Drwy gyd-ddigwyddiad rhyfedd, ymddangosodd y ddwy stori gyntaf a gyhoeddodd Gwyneth Vaughan ac S.M.S. yn yr un cylchgrawn, sef *The Christian Standard*, a hynny o fewn misoedd i'w gilydd, un yn niwedd 1891 a'r llall ar ddechrau 1892. Gan mai'r ddiod feddwol oedd un o'r problemau cymdeithasol cyntaf i ddenu sylw awduron benywaidd Cymru, naturiol ddigon oedd i'r ddwy ddewis effeithiau trychinebus alcoholiaeth fel canolbwynt yr hanesion cynnar hyn. O hynny ymlaen, er eu bod yn rhannu'r un amcanion fel cynrychiolyddion y Ddynes Newydd, ac eithrio *Young Wales*, ni wnaeth y naill na'r llall fyth gyhoeddi eu gwaith yn yr un cylchgronau.

Ni olygai hyn, fodd bynnag, nad oeddent weithiau'n ymddiddori yn yr un achosion, ac fe'u gwelwn yn uno, drwy gyfrwng gwahanol gyhoeddiadau, yn eu gwrthryfel yn erbyn delwedd yr Angyles Seisnig a wthiwyd gan awduron dosbarth canol Lloegr ar eu darllenwyr, delwedd a swynodd gymaint o lenorion gwrywaidd dynwaredol Cymru – 'an idealized fictional wife . . . young, dependent, almost childlike'.[72] Gwahanol iawn fodd bynnag, oedd menywod annibynnol Gwyneth Vaughan ac S.M.S., llawer ohonynt yn wragedd diwyd, canol oed, a'u cyfrifoldebau cymunedol wedi dileu unrhyw nodweddion plentynnaidd yn eu natur. Hoelion wyth cymdeithas oedd y rhain ac ymunodd rhai o'u cyd-awduresau â Gwyneth Vaughan ac S.M.S. yn eu galwad ar i'r Gymraes ysgwyddo cyfrifoldebau cymdeithasol, yn eu plith Ellen Hughes a lawenychodd wrth weld y Gymraes yn meddiannu'r '"allan fawr", gyda'i holl brydferthion a'i rhyfeddodau',[73] a Ruth, a ymfalchïodd yn ei cholofn yn *Y Goleuad* wrth 'weled mai "y byd" yw "plwyf" ein chwiorydd hyn'.[74]

Petai Coventry Patmore, awdur cerdd Saesneg fwyaf poblogaidd oes Victoria, 'The Angel in the House', wedi clywed Sarah Thomas yn tanseilio awdurdod dynion Llanestyn fel cynhalwyr yn y stori 'Gwraig y Tŷ Capel', gan beri i'r blaenoriaid chwerthin 'fel bechgyn',[75] byddai wedi troi yn ei fedd. Agoriad llygad i'r hen ffyddloniaid oedd cymeriad fel hon â'i barn ar y stad briodasol yn torri pob rheol gonfensiynol. Fel y dywedodd Sarah wrth un o'r pregethwyr a ddaeth i gadw'r Sul ym Mhentre Alun:

> 'Dydw i ddim yn credu yn y gwasanaeth priodi yna: gofyn i ddynes â synnwyr yn ei phen addo ufuddhau i ddyn dwl . . . Pan welwch chi Twm,

fe fyddwch yn cyd-weld â fi. O drugaredd, peswch wnes i pan roedd y pregethwr yn gofyn i fi ufuddhau i Twm, a ddwedodd e ddim. Yr wy' i yn credu fod y dyn yn gweld cystal â fi mor ffôl oedd disgwyl arna i fod yn forwyn fach i sort Twm, a doedd e ddim eisiau rhoi cyfle i mi ddweud celwydd.'[76]

Ac fel un oedd erbyn hyn ar ei thrydydd gŵr, roedd Sarah mewn sefyllfa ddelfrydol i rybuddio Mair, merch ifanc ar fin priodi, o'r hyn sydd i'w ddisgwyl ar ôl i'r sglein bylu. '"Gwaith rhyfedd yw'r priodi yma . . . mae'n union fel trochi yn y môr yn yr haf. Mae'r haul yn twynnu uwch ben, ac yr ydych yn meddwl fod y dŵr hyd yn oed yn boeth, ond mor gynted ag yr ewch i fewn, yr ydych yn cael mai oer iawn ydyw'r hen fôr."'[77] A thebyg iawn oedd dadrithiad Rebeccah yn y stori 'Rebeccah Parri'.[78] '"Fe'm mherswadiodd i mai sidan ydoedd . . . a hen frethyn cyffredin iawn yw e,"'[79] meddai am ei gŵr hunan-dybus wrth ei ffrind, '"os bydd *ffwl* yn y tŷ, 'does dim posib ei guddio; ac yr wy' i yn meddwl gallswn i ddioddef unrhyw beth yn well na chael fy nghlymu wrth ddyn y mae pawb yn chwerthin am ei ben."'[80]

Ni ellir amau edmygedd a hoffter S.M.S. a Gwyneth Vaughan, fel ei gilydd, o fenywod â digon o weledigaeth i osgoi cael eu 'clymu' a'u caethiwo mewn priodas. Un o'r rhain oedd Peggy, yn stori S.M.S., 'Merch y Brenin', a ddewisodd aros yn ddibriod, '"nid o herwydd na che's i *ddigon* o gynnygion [meddai] ond am fy mod i yn leicio bywyd sengl"'.[81] A dygir i gof chwerthin braf Maurice Edmunds pan ddywedodd Kezia wrtho, '"I thank the Lord I've been delivered from the love of man."'[82] Darbwyllwyd darllenwyr yr *Haul* hefyd gan Gwyneth Vaughan o'r anfanteision o gael dyn o dan draed. Pan alwodd Twm Wiliam y fforestwr un noson i weld Begi, yn y stori 'Twm Wiliam', yn 'Bryn Ardudwy a'i Bobl', ei amcan oedd '[rh]oi ei het ar yr hoel',[83] a'i draed o dan y bwrdd. Ychydig a wyddai Twm, druan, fod Begi'n meddu ar 'ysbryd pur, annibynnol', ac mai ofer fyddai ceisio 'ei pherswadio i aberthu ei rhyddid'.[84] '"Y fi yn unig"', meddai Begi wrtho, '"nag ydw i, neno'r dyn annwyl!"'[85] Aeth byddardod a styfnigrwydd penstiff Twm yn drech na hi, ac yn ei dicter, gafaelodd yn yr ystôl dri throed, 'a bu dda gan Twm gael dianc â'i esgyrn yn gyfan'.[86]

Ymhelaethir ar anfanteision y stâd briodasol gan Gwyneth Vaughan yn ei disgrifiadau o'r anghytbwysedd a fodolai mor aml yn y berthynas rhwng gŵr a gwraig. Yn y stori 'Yr Hen Deiliwr', yn 'Bryn

Ardudwy a'i Bobl', tra oedd yn eistedd yn y cysgodion o olwg pob un, gwnâi Sian ddau ddilledyn am bob un a wnâi ei gŵr, Sion Bryn Ifan – y teiliwr, amlwg, swyddogol.[87] Un dydd pan aeth Sian yn rhy wael i weithio, daeth yn amlwg, dros nos, mai gwaith o safon eilradd oedd gwaith Sion, a sylweddolodd yr holl ardal mai ei wraig mewn gwirionedd oedd y 'ffon fara'. Yn yr un modd, yn yr un gyfres, ni fynegodd gof Bryn Ardudwy erioed ei werthfawrogiad o ragoriaeth ei wraig Susan yn y grefft o 'guro haiarn'.[88] Bwriad Gwyneth Vaughan mewn cymariaethau o'r fath oedd codi proffil y menywod haeddiannol hyn: medrai dynion ddefnyddio'u gwryweidd-dra fel prawf digonol o'u cymhwyster, tra na châi menywod unrhyw gydnabyddiaeth, hyd yn oed pan oeddent ddwywaith yn fwy cynhyrchiol na'u gwŷr yn yr un grefft.

Mewn gwrthgyferbyniad i Sian a Siwsan, yn *O Gorlannau y Defaid*, cyflwynir ni i Gras y Tyrpeg. Nid oedd encilio i'r cysgodion yn rhan o natur na galwedigaeth Gras, fel a ddaw'n amlwg pan â Robert Fychan a Bob i'w gweld adeg y Diwygiad yn y gobaith o ddenu'r hen wraig anystywallt – oedd yn eu hatgoffa o 'gawres o wlad y Mabinogi' i ailgydio mewn crefydd. Chwaer o'r un anian â Gras oedd 'cawres' S.M.S., Lisa Bennet herfeiddiol, a'r un oedd cenhadaeth Wini o Bentre Alun pan aeth i ben y mynydd yn y gobaith o ysbrydoli Lisa i weld ei 'Cheidwad'. Er nad oedd caledi bywyd Gwen yn Llanestyn i'w gymharu ag amgylchiadau Gras a Lisa, fel penteulu, gellir ei hychwanegu hithau at y menywod hyn, gan greu triawd hollol annerbyniol yng ngolwg dynion siofinistiaidd fel Dr Hywel, meddyg lleol Bro Dawel yn *O Gorlannau y Defaid*, a ystyriai'r fath ffenomenon fel natur yn 'troi fel chwrligwgen'. Ond i'r 'Ddynes Newydd', â'r dadleuon ar flaen ei bysedd, adlewyrchiad oedd y fath agweddau confensiynol o'r modd yr oedd y system batriarchaidd wedi llunio, er ei lles ei hunan, nodweddion a welwyd gan gymdeithas fel rhai addas i'w menywod.[89]

Gellir barnu fod swyddogaethau a safle Gras a Lisa a Gwen yn eu cymunedau'n arwydd o arafwch y 'sfferau ar wahân' i gyrraedd cefn gwlad Cymru. Nid peth anarferol yn ail hanner y bedwaredd ganrif ar bymtheg, yn ôl pob golwg, oedd menywod annibynnol fel Gras a Lisa a Gwen yn gwneud gwaith dynion, a hefyd wragedd priod fel Sian a Siwsan yn cydweithio â'u gwŷr mewn swyddi a ystyriwyd yn y ganrif ganlynol yn waith dynion. Fel yn y stori gyfres 'Cysgodau y Blynyddoedd Gynt' synhwyrwn nad oedd yr atgofion am gyfranogiad blaengar menywod mewn achlysuron torfol cosbedigaethol wedi llwyr ddiflannu o isymwybod trigolion Bryn Ardudwy, Bro Dawel a Llangynan – atgofion yn deillio o'r cyfnod cyn i Fethodistiaeth gynhyrchu math arall o Gymraes eofn a blaengar.

Yn *Plant y Gorthrwm*, ceir adlais o bŵer menywod y gorffennol yn ymddygiad Elin yn llafarganu a bygwth bedd cynnar i gefnogwyr Tattenhall, yr ymgeisydd Torïaidd, elfen na chaiff sylw yn llenyddiaeth S.M.S. gan nad oedd yn ymddiddori fel Gwyneth Vaughan mewn hen draddodiadau ac ofergoelion. Hwyrach fod Gwyneth Vaughan yn gwybod yn dda am yr arferiad yr ysgrifennodd yr hanesydd Rosemary A. N. Jones amdano yn *Our Mothers' Land*, am achos ym Mro Morgannwg, nôl ar droad y ddeunawfed ganrif lle cosbwyd gŵr a gwraig – y gŵr am ildio i'r wraig a ymosododd arno am fynd allan i ddiota, a'r wraig am feiddio rheoli ei gŵr. Yn yr erthygl hon dyfynnir y 'Barnwr' answyddogol a gyhoeddodd mewn llys ffug, 'All the danger is from the WOMEN . . . it is no light matter keeping the breeches from them.'[90] Ym marn Rosemary Jones, mae'n bosibl i'r arferiad hwn o gystwyo menywod a dynion, fel ei gilydd, barhau i fyny at chwarter cyntaf y bedwaredd ganrif ar bymtheg, i'r adeg pan oedd cymeriadau benywaidd pwerus fel Sidi'r Sipsi'n dal i godi arswyd ar y rhai a fentrai ei chroesi, o feudy Llys Gwenllian.

Pan gyfeiriwyd at fenywod yn 'gwisgo'r bais a'r clos', gwawdio gwŷr gwan heb awdurdod yn eu cartrefi eu hunain, yn ei hanfod, oedd bwriad y fath derm – un cyfarwydd, mae'n debyg, i gymdogion Margaret Pennant, Llys Gwenllian, dynes y bernid ei bod o dras uwch na'i gŵr fel yr un a etifeddodd y fferm oddi wrth rieni gwell eu byd na rhieni Lewis Pennant. Gellir dadlau, felly, mai awydd Margaret Pennant i sefydlu Lewis Pennant fel ffigur awdurdodol a barodd iddi ddatgan 'nad elai yr un gorchymyn allan [oddi wrthi hi] ymhellach na chytiau'r moch'. Daeth y dywediad yn rhyw fath o ddihareb yn yr ardal, ac meddai 'aml i wraig ffermwr yn y parthau hynny o'r wlad, os byddai'r gwr yn rhy dueddol i roddi'r bais amdano'i hun "siawns na fedra inna fynd cyn belled a'r cytiau moch, chwedl gwraig y Llys"'.[91] Cynyddir dilysrwydd y ddadl gan Lewis Pennant ei hunan, a arferai ddweud 'cydrhwng rhyw ddifrif a chwarae fod yn rhaid iddo fod yn ofalus neu y byddai mewn perygl o golli ei le, mai rhyw ben stiward oedd'.[92]

Â Gwyneth Vaughan yn ei blaen i amddiffyn safiad Margaret Pennant, gan roi rhesymau ymarferol dros ganiatáu i Lewis Pennant benderfynu ar bopeth y tu hwnt i gytiau'r moch. 'Feallai mai dyna'r rheswm paham yr oedd y fath drefnusrwydd tua'r Llys, yn y tŷ ac allan', meddai, 'am fod perffaith gyd-ddealltwriaeth cydrhwng y meistr a'r feistres ynghylch eu gwahanol ddyledswyddau hwy eu hunain a'u gweinidogion', gan ychwanegu, 'Yn llawer rhy fynnych, aiff gwaith pawb yn waith neb.'[93]

Prysura, fodd bynnag, i'n sicrhau fod diddordebau diwylliannol Margaret Pennant yn mynd ymhell y tu hwnt i glos y ffermdy. Rhoddodd enwau tywysogesau a thywysogion Cymru ar ei phlant, ac 'aeth bob cam o'r ffordd i'r Deheudir pan yn eneth ieuanc, yn unig er mwyn cael golwg ar y fan a elwir hyd heddyw yn Faes Gwenllian', ei hoff arwres o blith merched Cymru Fu. Ni fedrai ddeall 'beth sydd arnom ni Gymry yn taflu'n pethau gorau'n hunain o'r neilltu, ac yn rhoi pethau sala'r Saeson yn 'u lle nhw'. Trafodwyd materion cyfoes ar yr aelwyd, a Lewis Pennant wrth ei fodd yn gwrando ar ei wraig yn trafod hanes Cymru ac yn dadlau dros ei gwlad.

Wrth synhwyro dedwyddwch y berthynas rhwng S.M.S. a John Saunders o'i gymharu â'r berthynas ymddangosiadol llai boddhaol rhwng Gwyneth Vaughan a John Hughes Jones, ac o gofio pwysigrwydd ei theulu iddi, diddorol nodi mai esgeuluso aelwydydd dedwydd a wnaeth S.M.S. yn ei llenyddiaeth. Nid oes sôn am famau a thadau cariadus yn magu nythaid o blant da. Yn hytrach, llond y lle o gymeriadau benywaidd annibynnol oedd yn 'gwybod sut i fyw' a apeliodd at S.M.S., gwragedd a merched fel Gwen, Peggy, Betsy'r Dyffryn, Mrs Powell, Wini, Let, Lisa Bennet, Sali Coed Tân, Pegi Gib, Kezia a Mrs Maurice; mae'r rhestr yn ddiddiwedd. Hyd yn oed yn ei storïau cyfres, hwy na'i hanesion arferol, ni fanteisiodd ar y cyfle i wthio delfryd gonfensiynol o fywyd teuluol fel esiampl i'w darllenwyr. Byw gyda'i chwaer gwynfanllyd a wnâi Pegi Gib, ac anghonfensiynol a dweud y lleiaf oedd ei phenderfyniad byrbwyll i gipio baban o'r tloty. Plentyn amddifad oedd Angharad hefyd yn 'The Autobiography of Angharad'; dwy ddynes o ddaliadau cadarn fel mam a mam-gu S.M.S. ei hunan a'i magodd, a'i thad-cu yn gymeriad annwyl ac addfwyn y gellid troi ato am gysur a chwmnïaeth. Portreadu bywyd teuluoedd ardal Pont yr Ebol fel yr oedd a wnaeth, yn llawn cymhlethdodau a gwrthdrawiadau. Nid priodi i greu aelwyd Gymraeg i fagu plant a fyddai'n hybu parhad yr iaith a wnaeth Angharad a Tom; llawer mwy diddorol a boddhaol yng ngolwg S.M.S. oedd eu gweld yn cyflawni'r nod a daniodd eu dychymyg ym more oes, a mynd allan i'r India i fod yn genhadon.

Mae'n amlwg fod Gwyneth Vaughan ac S.M.S. yn mwynhau ysgrifennu am eu cymeriadau benywaidd am eu bod yn eu hadnabod mor dda. Fel canlyniad cyfleir diffuantrwydd dwy awdures oedd yn deall teimladau dyfnaf eu chwiorydd – torcalonnus a gorfoleddus, doniol a difrifol. O'r herwydd, fe'u harbedwyd rhag yr angen i droi at ddelweddau dynwaredol, confensiynol am ysbrydoliaeth, a hyn yn rhoi naturioldeb i'r merched a'r menywod sydd, mewn cymhariaeth â'u cyfoedion gwrywaidd, yn rhedeg pentrefi ffuglennol cefn gwlad Cymru.

Traethyddion S.M.S. a Gwyneth Vaughan

A chadw mewn golwg hoffter S.M.S. o'i chymeriadau benywaidd, a'i hagwedd gymharol nawddoglyd tuag at ei chymeriadau gwrywaidd, cwestiwn na ellir ei anwybyddu yw pam yr adroddir holl hanesion Llanestyn a Phentre Alun, Abernant a Phentre Rhedyn gan ddynion. Un ateb posibl yw natur y gwaith y disgwylir i'w thraethyddion ei gyflawni. Yn rhinwedd eu swydd byddai'n rhaid iddynt gymysgu'n gyson â bechgyn a merched, dynion a gwragedd – priod a dibriod – gweddwon, diaconiaid a phregethwyr, a threulio oriau bwygilydd yn trin a thrafod eu helyntion diweddaraf, cyn mynd adre i baratoi llawysgrif i'w hanfon at y golygydd. Fel y gwyddom, nid oedd gan fenywod cyffredin cefn gwlad, er gwaetha'r gwelliannau yn eu haddysg, amser hamdden ar gyfer y fath weithgareddau yn y cyfnod a gofnodir, a go brin y byddai dynes gymharol ddysgedig, Fethodistaidd, yn gwastraffu ei hamser yn hel tai i gasglu'r fath straeon. Rhaid cofio hefyd nad oedd gan fenywod yn y cyfnod hwn brofiad o ysgrifennu a llenydda.

Diddorol nodi fodd bynnag bod Ifan Cadwgan, Llanestyn, a Griffith Roberts, Pentre Alun, bob amser yn barod i weld sefyllfaoedd o safbwynt y menywod. Er enghraifft, amddiffyn hawl y gwragedd i aros ar eu pennau eu hunain yn y festri, nid annog y blaenoriaid 'i fynd acw i'w cynorthwyo' a wnaeth Griffith Roberts yn y stori 'Gwragedd y Blaenoriaid'. Ac er nad oedd fel arfer byth 'yn gwrthsefyll y blaenoriaid', teimlodd bod rheidrwydd arno wneud hynny ar yr achlysur hwn, er y gwyddai na chai faddeuant yn hawdd gan Edwart Hywel, 'Dyn . . . sydd yn teimlo ei swydd o'i goryn i'w sawdl',[94] cymeriad hunanbwysig na fyddai fyth yn tycio i'w anrhydeddu â statws traethydd Pentre Alun.

Cyfaddawdodd S.M.S., felly, drwy ddewis dynion fel traethyddion oedd yn berchen ar nodweddion y gellir eu disgrifio fel rhai confensiynol 'fenywaidd' – parodrwydd i wrando, cydymdeimlo, a chynghori petai angen. Nodwedd arall hollbwysig oedd y gallu i gadw cyfrinach. Doedd 'dim *secrets*' yn Llanestyn,[95] a gan y gellid dibynnu ar Ifan a Griffith i beidio â datgelu gwybodaeth, medrai'r trigolion rannu eu hofnau dwysaf â hwynt, a hefyd, wrth gwrs, â'r darllenwyr. Yn hyn o beth roeddent yn cyflawni dylestwyddau oedd yn mynd ymhell y tu hwnt i'w cymwysterau fel colofnyddion. Meddai Mrs Powel wrth y traethydd yn y stori 'Gwragedd y Blaenoriaid', 'Nid wyf yn bwriadu dweud wrth neb ond wrthoch chi, Griffith Roberts, am y cyfarfod neithiwr.'[96] Yn y stori 'Helbul Robert Jones',[97] pan gyfaddefodd Robert Jones nad 'peth hawdd yw siarad am bethau mewnol', gwelir dealltwriaeth y traethydd o'r natur ddynol. 'Ni ddywedais yr un gair', meddai, 'Os ydoedd Robert am siarad, yr oedd croesaw iddo; ond nid oeddwn am gymell ei gyfrinach. Mewn ychydig aeth ymlaen.'[98] A phan oedd rhywbeth 'yn gwasgu ar feddwl Henri', yn 'Aberth Gwirfoddol',[99] un o storïau Llanestyn, at Ifan y trodd. '"Ifan"', meddai, '"yr wy' i wedi cael siom dychrynllyd. Wn i ddim a oes hawl gen i ddweud y cwbl wrthot ti; ond mae'n rhaid i mi arllwys fy nghwyn yng nghlustiau rhywun."'[100]

Pan symudwn o Bentre Alun a Llanestyn i dref ddiwydiannol Caerfor, mae S.M.S. hefyd yn newid ei thraethydd. Rhaid oedd cael person egnïol penderfynol a fedrai wneud mwy na gwrando a chynghori a chydymdeimlo, ac roedd Martha, cyfnither Griffith Roberts, yn ateb y galw i'r dim. Roedd rheolau llym yn y llochesau lle gweithiai Martha ymhlith menywod digartref, felly rhaid oedd dewis cymeriad ymarferol oedd yn hoffi rhoi cyfarwyddiadau. Nid oedd mynediad i ddynion i'r llochesau, a gan mai i'r *Gymraes* yr ysgrifennodd S.M.S. 'Storïau Dyddlyfr Martha Jones', peth hollol naturiol oedd defnyddio traethydd benywaidd.

Yn y stori 'Gwraig Watkin Jones' cawn gwrdd â thraethydd arall benywaidd, sef Mrs Watkin Jones, gwraig i flaenor, a chwaer i'r traethydd Griffith Roberts. Roedd wedi symud i fyw i Gwmbrethyn, ac yn berchen ar stôr o hanesion am y Diwygiad yn yr ardal. Ansicr yw agwedd ei brawd tuag at allu ei chwaer i ysgrifennu stori, ac meddai '"ysgrifenna yr hanes yna; os bydd gwallau, paid gofalu, – rhaid i bawb ddechre."'[101] Aflonyddwyd ei chwaer gan ymgais ymddangosiadol ei brawd i'w bychanu. '"Rhai enbyd o hunandybus yw'r gwŷr yma, hyd yn oed y goreu o honynt"', meddai. '"Am Saesneg! Wel fedra'i ddim ysgrifennu llawer yn yr iaith honno, bid siwr, ond mi ddyl'swn allu gwneud rhywbeth yn Gymraeg, rhag cywilydd i mi."'[102] Aeth Mrs Watkin Jones yn ei blaen i wrthbrofi amheuon ei brawd Robert Griffith. Ysgrifennodd hanesion Cymraeg llawn mor ddifyr ag yntau am brofiadau dychweledigion Cwmbrethyn, gan weithredu fel esiampl i ddarllenwyr benywaidd *Yr Ymwelydd Misol*. Gobaith S.M.S., mae'n debyg, oedd eu hysbrydoli i oresgyn eu diffyg hunanhyder a bwrw ati i ymuno â'r dynion yn eu hymdrechion llenyddol, oedd mor amlwg yng nghylchgronau Cymraeg y cyfnod.

Nid oedd hunan-amheuaeth yn un o nodweddion Mrs Benson, traethydd hanesion Saesneg 'Tales of Shabby Street', gwraig allblyg y gweinidog a fu'n flaengar yn y dasg o sefydlu'r 'Mission Hall' yn Turnpike Street. Rhoddodd ei chymwysterau a'i phersonoliaeth yr awdurdod iddi weithredu hefyd fel traethydd, yn enwedig o gofio nodweddion cymharol aneffeithiol y gwirfoddolwyr gwrywaidd. 'He was a constant source of irritation and annoyance', meddir am ŵr bach smala o'r enw Solly, 'and yet we could not close our doors against him, for, with all his faults and failings, the little man was truly devoted to the Mission.'[103]

Gwyddom mai dyn addfwyn a 'gymerai bethau'n dawel' oedd tad S.M.S. ac mai dynes 'llawn pendantrwydd' oedd ei mam. Cymeriad hamddenol oedd John Saunders, ei gŵr, a 'gwachul' ac agos iawn at ei fam oedd y brawd nesaf ati mewn oed a fu farw yn ei arddegau. Mae Ifan Cadwgan a Robert Griffith yn berchen ar gyfuniad o'r nodweddion hyn ac yn adlewyrchu profiad personol S.M.S. o'r dynion yn ei bywyd. Eistedd gyda'i fam a'i chwaer, er enghraifft, a wnâi Ifan wrth benderfynu ar 'yr ysgrif newydd yr oeddwn am barotoi i'r *Drysorfa* erbyn mis Gorphenaf . . . i geisio cael cyfarwydd-iadau [ganddynt]'.[104] Fel ei mam, menywod 'llawn pendantrwydd' oedd traethyddion Caerfor a Seatown, ac wrth gwrs, gwyddai S.M.S. o brofiad personol bod rhedeg cartrefi i ferched oedd mewn perygl o syrthio i ddwylo'r awdurdodau yn galw am drefnydd hyderus llawn egni, a'r gallu i gyfathrebu ac ysgwyddo cyfrifoldebau.

Anodd gwybod p'un ai ydyw Martha a Mrs Benson yn adlewyrchu personoliaeth S.M.S. ai peidio. Yr unig ddwy gyfres led-hunangofiannol o'i heiddo yw 'Geneth yr Orsaf', a 'The Autobiography of Angharad', y gyntaf yn rhoi syniad da i ni o'i chydymdeimlad â merched ifainc, ac o'i hymwybyddiaeth o'u trafferthion wrth iddynt dyfu i fyny mewn cymdeithas batriarchaidd, ddiffygiol mewn cyfleoedd, a llawn peryglon o'r herwydd. Darlun o ferch ddyfeisgar, lawn asbri yw ei phortread o Angharad, nad yw'n ofni herio'r drefn, a chanddi ddigon o hyder i wrthryfela yn erbyn annhegwch o du oedolion. Ond ar y cyfan, cadw o'r golwg a chroesawu ei chymeriadau i berchenogi'r llwyfan a dweud eu dweud a wnaeth S.M.S.

Cwbl wahanol yn hyn o beth yw llenyddiaeth Gwyneth Vaughan. Yn ei thair stori-freuddwyd, er enghraifft, cawn yr argraff mai hi ei hunan yw'r traethydd a'r prif gymeriad ym mhob un, a thrwyddynt datgelir ei barn ar yr Eisteddfod Genedlaethol a'i diddordeb mewn hybu'r iaith Gymraeg, a'i pherthynas agos â'i harwr, y Deon Howell, (sy'n eironig o gofio ei fod ef yn perthyn yn nes trwy briodas i S.M.S.). Felly hefyd, yn y ddwy stori Saesneg greadigol gyntaf o'i heiddo, 'Our Bob' a 'A Day in Llandrindod', hi, fel egin-awdures, gellir dadlau, yw Margaret Vaughan, prif gymeriad y stori yn ogystal â'r traethydd. A sylwer fel y sefydla ei hannibyniaeth drwy deithio gyda'i brawd, nid ei gŵr – yntau, fel John Hughes Jones, yn feddyg teulu. Yn y gwesty lle'r arhosant, nid yw Margaret Vaughan yn caniatáu i swildod na diffyg hyder amharu ar ei mwynhad wrth iddi anwybyddu confensiwn ac ymuno â chriw detholedig o bregethwyr ac Aelod Seneddol.

Yn ei nofel *Plant y Gorthrwm*, a'i dwy stori-gyfres 'Cysgodau y Blynyddoedd Gynt' a 'Troad y Rhod', traethydd hollwybodus sy'n adrodd y stori, ac yn rhinwedd ei rôl fel gwleidydd a sylwebydd cymdeithasol roedd hwn yn benderfyniad a weddai i'r dim i Gwyneth Vaughan, â'u bryd ar addysgu ei darllenwyr. Eithriad yw ei nofel gyntaf, *O Gorlannau y Defaid*, hanesyn a adroddir gan Bob, sydd fel aelod mabwysiedig y Foty'n fachgen gwybodus yn ei arddegau cyn i'r nofel gychwyn, a hyn yn ei roi mewn gwell sefyllfa na phlant naturiol Luned a Robert Fychan i gyflwyno'r stori mewn dull gwrthrychol.

Fodd bynnag, er iddi ddewis traethydd penodol, ni fedr Gwyneth Vaughan ymatal rhag defnyddio Bob hefyd fel cyfrwng i fynegi ei barn ei hunan. O gofio mai ar ei phrifiant yr oedd y nofel fel ffurf lenyddol boblogaidd yng Nghymru yr adeg honno, nid yw hyn yn syndod; mae'n werth nodi nad awduron Cymru yw'r unig rai oedd yn euog o leisio barn bersonol mewn ffuglen. Yn awyrgylch llawer mwy datblygedig y nofel Saesneg, gellir priodoli'r un nodwedd i Virginia Woolf. '[C]omments are made', meddir am *Jacob's Room*, 'not by the characters themselves but by their author . . . She is still, like her forerunners, though less continuously, present as commentator.'[105] Ac meddai Katie Gramich am benderfyniad George Eliot i osod *Middlemarch* mewn cyfnod hanner canrif cyn dyddiad ei chyhoeddi yn 1872, '[This] gave her an opportunity to comment on the social changes which had occurred between "then" and "now"', ac ychwanega:

'[S]o Gwyneth Vaughan takes the same opportunity, in this case in order to belabour the contemporary Welsh for their lack of patriotism, their Anglicization, their secularization and their aspirations to gentility.'[106]

Er ei bod yn adnabyddus am ei siarad plaen, neilltuir rhai o sylwadau mwyaf condemniol Gwyneth Vaughan i'r cyfresi a ysgrifennodd o dan ffugenw, a hynny mae'n debyg am iddi gael ei brifo gan ymosodiad personol y Bedyddwyr arni yn y *Goleuad*, yn 1894. Drwy guddio y tu cefn i'r pregethwr John Artaxerxes yn *Papur Pawb* yn 1900, yn y gyfres 'Pobl a Gyfarfyddais', manteisiodd i'r eithaf ar ei hanhysbysedd gan roi llais i syniadau dadleuol fel safon israddol beirdd cyfoes, diffyg deallusrwydd aelodau gwrywaidd byrddau ysgolion, rhagrith blaenoriaid a 'chlicyddiaeth' enwadol. Ac yn yr un modd yn ei cholofn 'Syniadau Hen Gymro' i'r *Cymro* yn 1903, twyll y beirniaid yng nghystadleuaeth y Gadair a'r Goron a ddaeth o dan y lach, '"Pregethwyr i gyd!"'[107]

Wrth symud ymlaen i sôn am arddull lenyddol Gwyneth Vaughan ac S.M.S., unwaith eto, amlygir eu dulliau neilltuol o ddiddanu ac argyhoeddi eu darllenwyr – drwy eu hiwmor, eu defnydd o dafodiaith a deialog, gwreiddioldeb eu cymeriadau amrywiol, rhamant, a'r gwahanol ffurfiau a ddewiswyd ganddynt i ddweud eu storïau.

Arddull a Ffurf: Hiwmor

Amlwg i bawb yw'r moesoldeb sy'n rhan gynhenid o holl weithiau Gwyneth Vaughan ac S.M.S., ond ni wnaeth hyn eu hatal rhag rhoi 'mynegiant i'r ystor o hiwmor sy'n gynhenid ynom fel cenedl', tasg amhosibl i lenorion y cyfnod ym marn un beirniad llenyddol yn 1925, oherwydd 'y gafael cryf', yn ei dyb ef, a gafodd diwygiadau crefyddol ar 'enaid y genedl'. [108]

Gellir dadlau i'r gwrthwyneb, drwy ddangos fod crefydd, mewn gwirionedd, yn aml iawn yn sail i ddoniolwch ffuglen S.M.S., ac i Gwyneth Vaughan ddefnyddio'i thalentau fel dychanwraig grafog i filwrio yn erbyn y rhai a geisiai danseilio gwerthoedd a moesoldeb 'cynhenid y genedl'. Fel dwy a swynodd y miloedd o lwyfannau cyhoeddus, gwyddai Gwyneth Vaughan ac S.M.S. sut i ddwyn perswâd ar eu darllenwyr drwy ddogn o hiwmor cyrhaeddgar, ac nid oes prinder enghreifftiau i ddangos eu dawn.

Un o hoff dargedau Gwyneth Vaughan oedd meddygon 'cwacs', a gâi ganiatâd i 'dwyllo pobl o'u harian a'u moesoldeb' drwy hysbysebu yng nghylchgronau Cymru. Aeth mor bell â dymuno gweld y 'newydd-iaduron yma'n marw' yn hytrach na 'byw dan y fath amodau'. Ond, meddai yn ei dull dihafal, gan ychwanegu pinsiaid o sbeis i gadw darllenwyr Anghydffurfiol o'i phlaid: 'Peth rhyfedd na fuasai'r cwacs hyn yn adferteisio'u hunain fel rhai yn gallu rhoi bywyd tragwyddol i bobl.'[109]

Ffraethineb ergydiol, dychanol, sy'n nodweddu hiwmor Gwyneth Vaughan, a chynildeb tawelach traethyddion addfwynach sy'n llenwi tudalennau S.M.S. Mewn gwrthgyferbyniad i honiad D. Myrddin Davies, defnyddiodd S.M.S. 'afael cryf' eu crefydd ar ei chymeriadau i adrodd stori ddigri. Fe'n difyrrwyd gan gred ddiffuant Benja yn Rhyddfrydiaeth Iesu Grist, a'i ryfeddod o glywed am aelod o Eglwys y Llan yn marw'n ddyn hapus; daeth gwên i'n hwynebau wrth ddarllen am gyfyng-gyngor Pegi Gib pan glywodd John yn adrodd yr adnod dyngedfennol am anwiredd yng nghapel Tremerlin; tostur-iasom dros y gwragedd fu wrthi'n ddiwyd am oriau'n sgwrio'r capel, funudau cyn i John yrru praidd o ddefaid i lendid y sêt fawr. Fe'n difyrrwyd gan y gath ym muddai gorddi'r wraig annymunol Mrs Price (ei gŵr yn gapelwr rhagrithiol, hynod amhoblogaidd), ac fe'n plesiwyd pan ddiflannodd y pregethwr ifanc, hunandybus i'r parlwr, yn dilyn huodledd beirniadaeth Ruth Tŷ Capel ar wendidau ei bregeth.

Fel y gellid disgwyl, carfan a deimlodd rym huodledd ffeminyddol Gwyneth Vaughan oedd merched ifainc (balch ac anfoesol yn ei barn) a fynnai efelychu arferion Saesnesau dosbarth canol Lloegr. Fe'u gwawdiodd am wisgo hetiau mawrion, a'u rhwystrai rhag mynd i mewn i 'dramcar' neu 'gario baban' yn ddiogel, a phwy a ŵyr na lwyddodd i godi cywilydd ar un neu ddwy, drwy ddychanu'r fath wallgofrwydd mewn darlun doniol: 'Teimlaf demtasiwn weithiau', meddai, 'i fyned allan am dro â'r ddysgl fwyaf a feddaf ar fy mhen, a meipen neu ddwy, ac aden gŵydd arni.'[110]

Defnyddio'i menywod craffaf a wnaeth S.M.S. i wthio'i syniadau ar ei darllenwyr. Pan gyflwynodd Sarah Thomas ei llith eironig i'r blaenoriaid ar wendidau dynion fel 'cynhalwyr', gwelwyd mai cwbl ddi-sail oedd y goel fod marwolaeth gŵr o reidrwydd yn golled ddirdynnol i'w wraig. A hybu hyder merched ifainc oedd bwriad geiriau Nancy yn 'Welsh Rural Sketches', pan ddywed yng nghanol sgwrs ddigon ysgafn ei natur, 'Oh! I don't know that I've ever thought women were equal to men. I've thought many times that they were a good deal better.'[111]

Carfan arall y defnyddiodd Gwyneth Vaughan ei dawn ddychanol i'w gwatwar oedd y Saeson nawddoglyd a Sais-Gymry â'u bryd ar danseilio 'enaid y genedl', ac yn ei stori 'Gweledigaeth y Babell Wag' mae'n defnyddio eu geiriau hwy eu hunain i wneud ei phwynt:

> 'I say! It's a thousand pities. The old Eisteddfod is dead. Eh!' medd un wrth y llall. 'But these Welsh people are a deuced queer lot. By Jove! They have a sort of a notion that they are a separate nation, old man! Queer people! Haw! . . . Awfully sorry it's dead. Were you at the last Derby?'[112]

Hyrwyddo gwladgarwch a balchder ei darllenwyr fel Cymry Cymraeg drwy gymariaethau syml a doniol o'r clos a'r gegin a'r pantri a wnaeth S.M.S., megis beirniadaeth Gwen o ddiflastod llaeth Llundain, a'r wyau na 'buase iâr Gymreig ddim yn foddlon eu haddef'.[113] Barn Sarah Tŷ Capel oedd y gellid cymharu pobl nad oedd 'byth yn gweld bai' â menyn Saesneg 'heb ronyn o halen ynddo i roddi blâs'.[114] Yn y modd hwn mae S.M.S. yn closio at ei darllenwyr drwy gymariaethau o fywyd bob dydd yn syth o aelwydydd trigolion Llanestyn a Phentre Alun.

Tafodiaith a Deialog

A'u traed yn gadarn ar loriau cartrefi a chapeli Cymru, a swyn a syndod cant a mil o gyfrinachau wedi eu storio ar gof a chadw yn barod i'w trosglwyddo o fis i fis i'r darllenwyr, un o nodweddion amlycaf Ifan Cadwgan a Griffith Roberts fel traethyddion yw naturioldeb lleferydd eu cymeriadau. Gallu S.M.S. i glustfeinio ar 'yr idiomau a'r troeon ymadrodd pert', chwedl Mari Ellis, 'sy'n gwneud ei llyfrau mor ddifyr i'w darllen'.[115] Yr un oedd edmygedd Mari Ellis o iaith gyfoethog Gwyneth Vaughan. 'Mae ymddiddan y bobol gyffredin yn ddiddanwch pur,' meddai. 'Maent mor naturiol ac mor Gymreig . . . Rydan ni'n arfer cymaint efo Cymraeg llipa, di-liw y dyddia yma, mi wnâi les i ni ddarllen nofelau Gwyneth Vaughan er mwyn yr iaith.'[116] Tipyn o gamp o gofio newydd-deb y 'ffug-chwedl' fel ffurf lenyddol yn y Gymru Gymraeg oedd i Gwyneth Vaughan ac S.M.S. lwyddo i'w hystwytho i'r fath raddau mewn cymhariaeth ag ymdrechion cynharach eu mamau llenyddol. Tystiolaeth o'u dawn oedd deialog gredadwy eu cymeriadau siaradus a sicrhaodd, drwy eu huodledd, le yn llenyddiaeth y genedl a chalonnau darllenwyr.

Gan fod cylchrediad cenedlaethol i'r cylchgronau a gyhoeddodd eu hanesion, rhaid bod Gwyneth Vaughan yn ymwybodol o ddieithrwch tafodiaith Meirionnydd i ddarllenwyr Ceredigion, ac S.M.S. hithau'n sylweddoli nad pawb ym Meirionnydd oedd yn gyfarwydd ag 'idiomau pert' Ceredigion. Yn y cyd-destun hwn, mae'n werth nodi erthygl Kate Roberts ar swyddogaeth tafodiaith mewn llenyddiaeth yn *Y Llenor* yn 1931. '[N]i ddylid tynnu gormod o sylw at y dafodiaith mewn stori,' meddai. 'Ni ddylai dynnu sylw i ffwrdd oddi wrth y stori.'[117] Enghraifft gynnar o'r nodwedd hon yw *Llythyrau 'Rhen Ffarmwr*, a gyhoeddwyd yn yr *Amserau* gan Gwilym Hiraethog rhwng 1848 ac 1851, un o hoff awduron Dyddgu yn *Plant y Gorthrwm*.[118] I ni heddiw, fodd bynnag, wrth ddarllen y 'llythyrau hyn', ni ellir anwybyddu tafodiaith Bro Hiraethog yn hanner cyntaf y bedwaredd ganrif ar bymtheg, a hynny, fel yr awgrymodd Kate Roberts, yn amharu i raddau, gellid dadlau, ar fwynhad y darllenydd. Mae'n debyg fod Gwyneth Vaughan ac S.M.S. yn ymwybodol o hyn, ac wedi ystyried yn ofalus yr angen i fod yn ddarllenadwy i bawb, gan osgoi'r demtasiwn i fynd yn or-blwyfol ac yn or-dafodieithol.

Ni wnaeth glynu wrth eu gwahanol dafodieithoedd fodd bynnag, arwain at unffurfiaeth; diddorol sylwi fel y medrai Gwyneth Vaughan ac S.M.S. gyfleu amrywiaeth y cymeriadau oedd yn byw yn eu pentrefi drwy eu dull o siarad. Cymharol sanctaidd a di-liw eu lleferydd oedd eu blaenoriaid amlycaf, ynghyd ag ambell bregethwr a ymddangosai o bryd i'w gilydd. Rhoddodd y gymysgedd o iaith lafar ac iaith y Beibl hynodrwydd i'r hen famau Methodistaidd y gellir eu clywed, fel y nodwyd gan Mari Ellis, yn 'saethu adnodau' at ei gilydd. Ac uchel eu cloch a holl-bresennol drwy eu datganiadau gwreiddiol, annisgwyl, oedd personoliaethau mwyaf ecsentrig y gymuned, rhai yn aelodau o'u capel lleol ac eraill yn wrthgilwyr. Mewn cyfarfyddiadau rhwng trigolion o gefndiroedd gwahanol, gwelir S.M.S. a Gwyneth Vaughan ar eu gorau.

Dyfynnwyd eisoes y ddeialog rhwng Wini a Lisa pan ddarganfuom fod yr asyn yn bwysicach i Lisa Bennet nag apeliadau efengylyddol Wini. Mewn hanesyn arall o gyfnod Diwygiad 1904–5 yn *Yr Ymwelydd Misol* ceir enghraifft o ddau a ddaeth wyneb yn wyneb un dydd, na fyddai eu llwybrau fyth wedi croesi oni bai am hunanbwysigrwydd dyn o'r enw Jobiah Jenkins – sef Poli Pat a'r blaenor William Griffith.[119]

Uchelgais Jobiah oedd bod yn fwy poblogaidd na neb arall ym Mhentre Alun. I'r perwyl hwnnw, a gan 'fod Mrs Powel yn edrych ar ol y saint' aeth Jobiah un cam ymhellach gan fynd 'i chwilio am y pechaduriaid',[120] a hoeliodd ei sylw ar Mari Williams neu 'Poli Pat' fel y'i gelwid – cymeriad 'yr oedd yn anhawdd meddwl am un pechod nad ydoedd . . . wedi bod yn euog o hono'.[121] O'r diwedd daeth y dydd pan yr oedd Poli, ym marn Jobiah, wedi gweld y goleuni, a gwnaeth y camgymeriad o'i dwyn o flaen ei gwell i gael ei holi gan y blaenor William Griffith, a fynegodd ei lawenydd o weld Poli 'yn hawlio rhan y plant'.[122]

> 'Ydech chi yn gofidio llawer am eich pechodau, Poli fach?' [gofynnodd].
> 'Nagw i wir, William Griffith', meddai Poli yn shonc, 'mae digon o waith gen i i dreio byw o ddwrnod i ddwrnod, heb drafferthu am y dyddiau sydd wedi mynd heibio.'
> 'Ie, Mari fach', ebai'r hen ŵr, 'ond mae'n rhaid edifarhau am eich pechod . . . yr unig le diogel iddyn nhw yw o dan y Gwaed.'
> Edrychodd Poli yn syn iawn. 'Rwy'n gwybod', meddai, 'fod pobol yn dweud llawer o bethau am danna i . . . Nid fi oedd yn gyfrifol am waed Shani beth bynnag ddwedan nhw, ond ryfeddwn i damaid nas gallwn i roi mys ar y gwalch yma heno yn y cyfarfod.'
> 'Nid cyfeirio at waed un person dynol yr oeddwn i Mari; yr ydych wedi clywed', meddai William Griffith, 'am waed Crist, y gwaed a gollwyd ar Galfaria er eich mwyn chi a finnau.'
> 'O, yn wir', meddai Poli yn ddidaro, 'mae pethau rhyfedd yn digwydd.'
> Edrychodd y blaenoriaid ar eu gilydd; 'doedd neb yn cofio gweled un fel hon yn gofyn am le mewn eglwys![123]

Mewn sefyllfa debyg yn y nofel *O Gorlannau y Defaid* mae Robert Fychan yn asesu cymhwyster ysbrydol un arall a 'ddaeth i hawlio rhan y plant', un o ddychweledigion Diwygiad 1859, anghyfarwydd â'r iaith a weddai mewn seiat:

> Safodd ein hewythr yn ymyl Elin Wiliam y Plu. 'Gawn ni air heno gennoch chi, Elin Wiliam? rydech chithe'n dilyn y golofn, ac mi fydd yn dda gan bawb yma glywed ych llais chi.'
> 'Yn wir, Rhobat Fychan, mae'n llais i yn ddigon tebyg i rugan rych heno, 'rydw i wedi bod mron â thagu trwy'r dydd yn trin plu Cefn Du, a dwn i ddim be'r andros sy ar 'u plu nhw – pa'm rhaid iddyn nhw fod mor llychlyd: ma'n blesar trin plu y Foty acw bob amsar.'[124]

Gwelir fod geirfa a throadau ymadrodd gwerinol Poli ac Elin yn datgelu eu swyddogaethau cymdeithasol; gorchwylion beunyddiol oedd ar eu meddwl, nid pechod ac edifeirwch, Calfaria a gwaed y groes. Mewn gair, yr elfen sylfaenol y gellid drwyddi wahanu cymeriadau Cymraeg eu hiaith yn llenyddiaeth Gwyneth Vaughan ac S.M.S. oddi wrth ei gilydd, oedd drwy asesu i ba raddau y defnyddiant iaith y Beibl yn eu sgyrsiau bob dydd. Er bod Begi'r pabwyr a Boba'n ddwy ddynes ddiddysg ac mor faterol dlawd â Lisa a Poli ac Elin y Plu, ni ellir fyth ddychmygu'r tair olaf yn ymweld â chartrefi Begi a Boba am sgwrs ac i gyfnewid syniadau. Llawer mwy credadwy i'r darllenwyr fyddai gosod Begi a Boba ochr yn ochr â Luned a Robert Fychan, Gwen a Robert Gruffydd ar lwyfan arweinwyr crefyddol mwyaf deallusol eu cymunedau.

Dau na fedrai fyth ymuno â hwynt ar y llwyfan hwnnw oedd Syr William Prys a Syr Tudur Llwyd. Testun sbort, heb amheuaeth, i ddarllenwyr Gwyneth Vaughan fyddai gwrando ar y tirfeddianwyr yma'n annerch cynulleidfa drwy gyfrwng eu Cymraeg carbwl. Mewn dull deifiol, wedi ei leddfu gan ei hoffter amlwg o'r ddau hen sgweiar yma, defnyddia Gwyneth Vaughan yr iaith Gymraeg fel offeryn cenedlaetholgar; yn hytrach nag amlygu rhagoriaeth dybiedig y Sais-Gymry uniaith am eu bod yn siarad Saesneg yn well na gwerin Cymru, dengys mor anfanteisiol iddynt, mewn gwirionedd, yw eu hanwybodaeth o'r iaith Gymraeg, cymhwyster oedd yn eiddo i'w holl denantiaid.

Fel un a ysgrifennodd gymaint o hanesion Saesneg am gefn gwlad Cymru, her y bu'n rhaid i S.M.S. fynd i'r afael â hi – ac sydd o ddiddordeb mewn trafodaeth am dafodiaith – oedd yr anhawster o gyfleu pentrefi Cymraeg eu hiaith drwy gyfrwng yr iaith Saesneg mewn ffordd gredadwy. Cyfle i dorri tir newydd yn llenyddiaeth Cymru oedd sefyllfa fel hon i Garadoc Evans a aeth ati yn ei ddull dihafal i fathu cystrawennau a dywediadau amhersain, gan greu cymunedau unigryw, a'i troes, dros nos, yn ffigwr amlwg a dadleuol drwy ei hyfdra a'i feiddgarwch. Nid oedd yn natur S.M.S. i dynnu sylw ati hi ei hunan drwy ddulliau anghonfensiynol, ond ceir prawf o'i chyfyng gyngor yn ei stori gyntaf yn y gyfres 'Welsh Rural Sketches', i *Young Wales*.[125] Enghraifft o'r hyn a eilw Christine Jones yn 'llenyddiaeth mewn tafodiaith'[126] yw'r stori hon, lle mae'r traethydd yn rhoi rhwydd hynt i hen ŵr cyffredin, dros ei bedwar ugain, i adrodd y stori o'i dechrau i'w diwedd mewn tafodiaith. Hwn yw'r hanesyn sy'n ein cyflwyno i Mr Morris, blaenor llym Pentre Rhedyn, ac wrth ddyfynnu darn am Mrs Rogers, y ddynes a roddodd bryd o dafod i Mr Morris, daw'n amlwg ar unwaith fod rhywbeth o'i le:

> But Mrs Rogers wor different; she'd got spirit 'nough for a dozen; an' though she come to chapel as reg'lar as the meetin'; she did manidge to make Mr Morris uneasy. It ud ha' bin easier for 'im, if they'd gone an' jined the Baptises, as' ad a chapel on the 'ill; but when some o' the members told Mrs Rogers, as that wor, wot they'd advise; she laughed, an' said as 'fools al'ays run away from their shadders, an' that she for one wouldn't cut off 'er nose ter spiter 'er face; an' she'd carry 'er burden to the Baptises ef she went there, an' she'd rather stay where she was.'[127]

Yn y dyfyniad hwn, saer o ddosbarth gwerinol cefn gwlad Cymru sy'n siarad, a dewisodd S.M.S. roi iddo iaith a fyddai'n ddigon addas i Sais o ddosbarth gweithiol Lloegr. Ond o gofio mai iaith y werin a siaredid gan y mwyafrif o Gymry Cymraeg o bob dosbarth yn y cyfnod hwn, a adlewyrchir mewn pentrefi fel Llanestyn, Pentre Alun a Thremerlin, nid yw'r stori hon yn taro deuddeg.Yn ffodus, nid oes angen myfyrio ymhellach ar y mater, gan fod Beriah G. Evans wedi gwneud hynny ar ein rhan. 'The Cymraeg spoken by the Welsh peasant', meddai:

> is far better and more accurate than is the English spoken by any ordinary peasant on the Saxon side of Offa's Dyke . . . But if you translate the accurate Welsh into accurate English you have tasteless condensed milk instead of the sweet and fragrant fluid from the udder. If you translate it into ungrammatical English you offer margarine, and call it 'real Welsh butter'.[128]

Cyfle i genedlaetholwr brwd fel Beriah G. Evans oedd datganiad fel hwn i ymosod ar y Sais-Gymry, drwy ddangos gwareidd-dra gwerin ddiwylliedig cefn gwlad Cymru o'u cymharu â dosbarth gweithiol Lloegr.

Mae'n debyg i S.M.S. sylweddoli mor anaddas oedd iaith fel hon ar gyfer creu darlun darllenadwy o gymuned Gymraeg cefn gwlad. Aeth blwyddyn heibio cyn iddi ysgrifennu'r ail bennod, ac yn awr yr athro lleol sy'n adrodd y storïau mewn iaith fwy safonol. Roedd cael aelod o ddosbarth canol yn siarad Saesneg gramadegol gywir fel cynrychiolydd o gymuned Gymraeg yn goresgyn yr anhawster. Er nad yw'r naill stori na'r llall, yn ei hanfod, yn llwyddo i ail-greu awyrgylch cefn gwlad, nid yw tafodiaith yr athro mor amlwg anaddas, ac felly nid yw'n 'tynnu sylw i ffwrdd oddi wrth y stori'.

Amlwg fod Gwyneth Vaughan, pan gyhoeddodd hithau ei stori gyntaf yn Saesneg am gymuned Gymraeg ei phlentyndod, yn 1893, wedi sylweddoli ar unwaith mai tasg amhosib oedd cyfleu Cymreictod ardal Talsarnau mewn hanesyn fel 'Our Bob', ac o hynny mlaen, ac eithrio'u storïau Celtaidd i *Celtia* a'r *Celtic Review*, ysgrifennodd ei holl ffuglen yn Gymraeg. Nid oedd hwn yn ddewis i S.M.S. gan mai un o'i gorchwylion llenyddol, fel efengylydd Fethodistaidd, oedd cadw poblogaethau uniaith Saesneg Cymru'n driw i'w henwad.

Rhamant

Yn ei heiddgarwch i brofi rhagoriaeth Cymraësau moesol, dilychwin cefn gwlad ar eu chwiorydd Saesneg a Seisnig – Margaret Pennant yn 'Cysgodau y Blynyddoedd Gynt'; Luned Fychan a'i merch Angharad yn *O Gorlannau y Defaid*, a Rhianon ac Olwen yn *Plant y Gorthrwm* – mae Gwyneth Vaughan ar adegau'n colli golwg ar hanfodion gwreiddioldeb a chreadigrwydd. '[R]haid cyfaddef', meddai Jane Aaron, 'ei thuedd gref i or-ramantu ei harwresau,'[129] i'r fath raddau, yn wir, fel i Mari Ellis awgrymu y gellid 'tagu' Angharad 'yn hollol ddigydwybod!'[130] I Thomas Parry, arwydd o 'snobyddiaeth' oedd y paragonau benywaidd hyn, ond mae Jane Aaron yn anghytuno. Yn hytrach meddai, gellir eu deall 'fel arwydd o'r straen a deimlai Gwyneth Vaughan wrth frwydro i gynnal delwedd aruchel o'r ferch yn ei bywyd personol yn ogystal â'i ffuglen'.[131]

Yn y cyd-destun hwn, ni ddylem anghofio honiad John Bennet Jones mai fel Margaret a Lewis Pennant, Luned a Robert Fychan, Gwen a Robert Gruffudd y byddai ei rieni ef, a'i chwaer, wedi ymddwyn mewn bywyd go iawn petaent yn yr un amgylchiadau â meistr a meistres Llys Gwenllian, Y Foty a'r Hafod Oleu. A gellir ystyried hefyd ddamcaniaeth Sian Rhiannon Williams fod paragonau benywaidd fel y rhain yn wir yn bodoli yn y Gymru Anghydffurfiol, o leiaf erbyn diwedd y ganrif – Cymraesau y byddai Ieuan Gwynedd ei hunan wedi bod yn falch o'u cydnabod.[132]

Fodd bynnag, er bod Gwyneth Vaughan yn rhamanteiddio'i phrif gymeriadau yn ei ffuglen, nid oedd yn euog o or-ramantu'r pentref gwledig. Fel un a fu'n aelod o Fwrdd Gwarcheidwaid Undeb Caernarfon rhwng 1894 a 1901, ac yn rhinwedd ei swydd fel aelod o Gyngor Dosbarth Gwyrfai a Chyd-bwyllgor Iechyd Sir Gaernarfon, heb sôn am ei gwybodaeth o effeithiau'r ddiod feddwol ar fywyd llawer o deuluoedd cefn gwlad, nid ymunodd ag awduron gwrywaidd Anghydffurfiol yn eu portreadau o holl bentrefi gwledig Cymru fel llecynnau prydferth heddychlon, a'r bobl oedd yn byw ynddynt yn eu hanfod yn ddedwydd eu hamgylchiadau. Dyma'r adeg yr arweiniodd O. M. Edwards ei gyd-awduron mewn ymdrech i 'godi'r hen wlad yn ei hôl' fel a drafodir gan Hywel Teifi Edwards yn ei lyfr *O'r Pentre Gwyn i Gwmderi*.[133] Anaml y dadorchuddiwyd unrhyw wirioneddau annymunol oherwydd yr oedd hwn yn 'gyfnod consernol wedi Brad Llyfrau Gleision 1847'.[134] Rhaid oedd cuddio gwendidau, gan nad oeddent yn 'ateb y pwrpas', ac os ymddangosai rhai, megis yn nychan deifiol Daniel Owen neu ymosodiadau ffyrnig Caradoc Evans, rhaid oedd smalio peidio â'u gweld yn achos y cyntaf, neu eu hanwybyddu'n gyfan gwbl, fel yn yr ail.[135]

Nid yw Gwyneth Vaughan, fodd bynnag, yn dewis cuddio'r ochr dywyll i fywyd cefn gwlad. Yn ei stori gyfres olaf, 'Troad y Rhod', er enghraifft, mewn bwthyn dinod ac annedwydd y trigai Malen dlawd yn un o strydoedd tlotaf Llan Elan. Ni welodd Mr Morris ddim byd rhamantus yn ei sefyllfa; ei fwriad ef, gyda help Ned, oedd taflu Malen allan o'i chartref a'i gadael ar drugaredd gwarcheidwaid y tloty. Nid oedd S.M.S, ychwaith, yn cydymffurfio â'r awydd i wyngalchu ei chymunedau. Nid swyno'i darllenwyr â'i chymeriadau hoffus yn unig a wnâi, ond eu sobri trwy ddangos effeithiau andwyol y caledi oedd yn llethu Ceredigion ar ymddygiad llawer o'r dioddefwyr. Yr hyn sy'n ei swyno hi yw potensial hen gymeriadau duwiol y gorffennol, a ysbrydolwyd gan gyffro diwygiadau 1840 ac 1859, i fod yn enghraifft i'r rhai oedd mewn perygl o 'farw allan o Grist' yn ei hoes hi.

Ymestyniad naturiol a hawdd ei ddeall yn llenyddiaeth wrywaidd y cyfnod oedd y tueddiad i ychwanegu at berffeithrwydd pentrefi a chymeriadau delfrydol y Gymru wledig drwy ramanteiddio byd natur, a'r cyfan, o'u gosod gyda'i gilydd, yn creu un darlun gwynfydedig. Roedd Gwyneth Vaughan hefyd yn caru natur, ac ni wnâi fyth golli cyfle i addysgu ei darllenwyr am ei ogoniannau. Ond, unwaith eto, dewis canolbwyntio ar wendidau Gwyneth Vaughan a wnaeth Thomas Parry, a'i chyhuddo o ramanteiddio natur drwy ddilyn patrymau llyfrau taith 'ganrif yn gynt . . . a'r cyfan', meddai, 'wedi ei gymell gan sentiment neu feddal-deimlad ffuantus'.[136] Annheg yw'r feirniadaeth hon, fel y gwelir, er enghraifft, yn nidwylledd Bob wrth edrych ar y wlad o'i gwmpas o ucheldiroedd Meirionnydd: 'Er teithio llawer gwlad, a gweled natur ar ei goreu mewn aml un ohonynt, . . .' meddai:

> nid wyf yn meddwl fy mod yn arfer gormodiaith pan yn dweyd na chynhyrfwyd fy enaid gymaint yn un man a phan yn sefyll ar ben mynydd y Fedwen ynghanol gwylltineb un o'r golygfëydd mwyaf rhamantus ym mysg bryniau'r grug. Aruthredd y mynyddoedd y tu cefn i mi, y mawnogydd ar fy neheulaw, y corlannau defaid a'r llynnoedd ar y chwith, y môr yn y pellder draw o'm blaen, a neb ond fy hunan yn yr unigedd ofnadwy yn preswylio'r uchelderau.[137]

Mewn cymhariaeth drawiadol, nid oedd amser gan S.M.S. i dalu sylw i fyd natur nac awydd i fyfyrio ar ei phrydferthwch. 'Y mae natur ddynol yn fy swyno tu hwnt i natur anianol,' meddai, ar gychwyn ei stori gyntaf yn *Y Diwygiad ym Mhentre Alun*. 'Peth cyfarwydd i ni, y dyddiau rhyfedd hyn, yw syllu ar bethau aruthrol, gwyrthiau sydd yn gwneud i Natur, er ei holl urddas, guddio ei phen a dweud yn ostyngedig, – "Ti biau'r goron."'[138] Mwy boddhaus iddi hi na syllu ar harddwch bryniau a dyffrynnoedd Ceredigion oedd 'gwylio ambell i ddyn yn gorchfygu – trwy nerth y Groes, – y diafol a'i holl lu, ac yn eistedd i lawr ar y diwedd "yn fwy na choncwerwr trwy yr Hwn a'i carodd."'[139]

Y stori gyfres fel ffurf lenyddol

Trawiadol yw prysurdeb S.M.S. i drosglwyddo'i neges efengylyddol i'w darllenwyr yn ei storïau byrion, sy'n mynd yn syth i wreiddyn y mater heb wastraffu geiriau, o'i gymharu ag arddull fwy traethiadol nofelau Gwyneth Vaughan â'i bryd ar gyfleu i genhedlaeth o bobl ifainc – drwy gyfoeth a choethder ei hysgrifennu – werth amhrisiadwy eu hiaith a'u hetifeddiaeth drwy gyfrwng stori gyfres lawer hwy. Mewn gair, teflir goleuni ar bwrpas eu hysgrifennu gan y ffurf a ddewiswyd ganddynt i gyfleu eu neges. Nid oes prinder trafodaeth ar y stori fer ymhlith beirniaid llenyddol Cymru, ond diddorol nodi fod y stori gyfres, oedd mor boblogaidd yng nghylchgronau'r bedwaredd ganrif ar bymtheg, heb dderbyn llawer o sylw hyd yn hyn fel ffurf lenyddol unigryw yn llenyddiaeth y cyfnod.

Fel canlyniad i'r cynnydd yn llythrennedd pob dosbarth yng Nghymru'n dilyn nifer o Ddeddfau Addysg pellgyrhaeddol, gwelwyd cynnydd hefyd ymhlith y rhai a fedrai ddarllen Saesneg, ac yr oedd hwn yn gyfnod o gystadleuaeth felly rhwng cylchgronau Cymraeg a Saesneg eu hiaith, a barodd gryn ofid am ddyfodol yr iaith Gymraeg.

Dro ar ôl tro pregethodd yr Ymneilltuwyr yn erbyn y deunydd anfoesol, anweddus, seciwlar ei natur, oedd yn goresgyn Cymru. Ond wedi dweud hynny, gorfodwyd golygyddion nad oedd yn hoffi ffug-chwedlau yn eu cylchgronau i ildio i'r drefn (gyda rhai eithriadau), a daeth y stori gyfres yn eitem mewn cylchgronau enwadol ac anenwadol.[140] Wrth gwrs, gan mai Ymneilltuwyr oedd yn rheoli'r wasg, a hefyd yn ysgrifennu'r hanesion, nid oedd berygl iddynt 'ddrygu neb', chwedl Gwyneth Vaughan am ei gwaith hi ei hunan. A gan fod storïau cyfres yn ymddangos ochr yn ochr ag erthyglau mewn cylchgronau parchus a chymeradwy, nid oedd angen i'r rhai â'u darllenai deimlo'n bechadurus. Wrth i'r awduron ddatblygu'r ddawn o orffen pennod ar nodyn disgwylgar, cyffrous, sicrhawyd gwerthiant y rhifyn nesaf, mantais anodd hyd yn oed i'r cyhoeddwyr mwyaf sych-dduwiol ei diystyru.

Yn hanesion Gwyneth Vaughan ac S.M.S. a leolwyd yng nghanol y bedwaredd ganrif ar bymtheg, prif ddifyrrwch y pentrefwyr yn eu horiau hamdden oedd trafod y bregeth ddiweddaraf o Sul i Sul. Meddai traethydd Llanestyn, 'Yr oedd cael clywed pregethwr dyeithr ar y Sabboth, a'r pleser o feirniadu ei bregeth ef ar hyd yr wythnos, yn awchlymu unrhywdeb ein dyddiau.'[141] Gyda dyfodiad y stori gyfres fel cyfrwng amgen o drosglwyddo gwybodaeth a difyrrwch i genhedlaeth lythrennog ddiweddarach, cafodd darllenwyr Gwyneth Vaughan ac S.M.S. gyfle i fyfyrio o wythnos i wythnos, ac o fis i fis, ar gynnwys penodau diweddaraf nifer o hanesion yng nghylch-gronau niferus y cyfnod, a thrafod eu cynnwys ymysg ei gilydd.

Yn wahanol i'r nofel, y gellid ei darllen o'i dechrau i'w diwedd mewn cyfnod byr, ac wedyn ei chymeradwyo i eraill, dim ond dych-mygu a dyfalu'r diweddglo rhwng penodau y gellid ei wneud mewn stori gyfres. Yn ystod y seibiannau hyn, wrth fynd ymlaen â'u bywyd bod dydd, byddai cymeriadau ffuglennol yn dod yn rhan o fyfyr-dodau darllenwyr, datblygiad nad oedd wrth fodd Thomas Arnold mewn pregeth yng Nghapel Rugby yn 1837 wrth iddo gyfeirio nôl at gyfnod cyn i'r stori gyfres ddod mor boblogaidd:

> [Not] being published periodically they did not occupy the mind for so long a time, nor keep alive so constant an expectation; nor, by this dwelling upon the mind, distilling themselves into it, as it were drop by drop, did they possess it so largely, colouring in many instances, its very language and affording frequent matter for conversation.[142]

Wrth i gymeriadau ffuglennol ddisodli arwyr y Beibl ym myfyrdodau a sgyrsiau darllenwyr, gwanhawyd awdurdod a gallu arweinyddion crefyddol, megis Thomas Arnold, dros aelodau eglwysi a chapeli. Daeth awduron ffuglen yn awr yn bresenoldebau pwerus yn eu bywydau, ac yn aml rhoddwyd awdur o dan bwysau i addasu ei gynlluniau gwreiddiol yn dilyn ymateb darllenwyr. Meddir, er enghraifft, am *Pickwick Papers*, pan daniwyd dychymyg y cyhoedd gan y cymeriad Sam Weller: 'Dickens already showing . . . true responsiveness to his audience . . . answered by making Sam central to the *Pickwick* adventures.'[143] Er mai cyfres o storïau, yn bennaf, oedd gweithiau S.M.S., ymddangosai'r un cymeriadau fwy nag unwaith yn hanesion Llanestyn hefyd, a chyfeiriwyd at Benja'r Teiliwr a Siôn y Crydd mewn cyhoeddiadau eraill. Eu poblogrwydd ymhlith darllenwyr Cymraeg a barodd i 'Ruth', yn ei cholofn yn y *Goleuad*, alw am gyfieithiad o'r hanesion hyn er mwyn cyflwyno darlun o ragoriaethau cefn gwlad Cymru i ddarllenwyr di-Gymraeg.

Elfen arall mewn bywyd go iawn yn Lloegr oes Fictoria, a adlewyrchid, meddir, yn y stori gyfres ddychmygol, oedd optimistiaeth yr ideoleg gyfalafol; o dan adain yr Ymerodraeth Brydeinig, disgwylid i fywydau unigolion wella wrth iddynt ymroi i gyrraedd y nod. '[The] perseverance and delay of gratification necessary for the middle-class economic success', meddir, 'were, in a sense, echoed in serial reading, which required readers to stay with a story a long time and to postpone learning a story's outcome.'[144] Efelychwyd y duedd hon yn storïau cyfres Gwyneth Vaughan drwy ei dyrchafiad o genhedlaeth iau, naill ai drwy briodas, neu drwy gymwysterau proffesiynol, a rhoddwyd cyfle i bobl ifainc, mewn argyfwng, adennill eu statws drwy waith caled a dyfalbarhad. Am enghraifft o hyn gellid troi at 'How the Poacher Paid his Debt' lle gwelsom Wil, dyn tlawd â nifer o blant i'w bwydo, yn ffoi i'r America'n dilyn ei wrthdrawiad meddw â chiper y plasty lleol. Ar ôl tyngu llw i ymwrthod â'r ddiod feddwol am byth, ymhen blynyddoedd daw nôl i'w famwlad yn ddyn newydd; nid stelcian o gwmpas fforestydd y tirfeddiannwr a wna bellach, ond cerdded i lawr y stryd, fraich ym mraich â'r cyfreithiwr lleol, a'i safle fel aelod o'r dosbarth canol, drwy ei ymdrechion dros gyfnod hir, wedi ei sicrhau. Yn yr un modd â Derfel Gwyn hefyd, yn 'Cysgodau y Blynyddoedd Gynt', i chwilio am ei ffortiwn yn America'n dilyn anfadwaith ei ewythr. Wedi hir ddisgwyl, ymhen blynyddoedd o waith caled, daw yn ôl i Lan Engan yn ddyn cyfoethog, a thrwy fuddsoddi ei gyfoeth er lles y pentrefwyr, rhydd iddynt hwythau hefyd gyfle i ddilyn ei esiampl a gweithio'n galed, cyn cyrraedd eu llawn botensial a derbyn eu gwobr.

Honnwyd hefyd mai'r un oedd agweddau mudiadau crefyddol: meddir 'Evangelical . . . ethics also insisted on steady application over great reaches of time to achieve distant rewards.'[145] Mae hyn yn sicr yn wir am stori gyfres S.M.S., 'The Autobiography of Angharad'. Yn dilyn plentyndod difreintiedig, gwelir Tom erbyn y bennod olaf yn cyflawni ei freuddwyd o ddod yn genhadwr, ac Angharad, yn dilyn cyfnodau o chwerwder ac amheuaeth, yn y pen draw'n darganfod gwir grefydd, a hithau a Tom fel gŵr a gwraig yn gwireddu eu huchelgais, ac yn 'mynd allan gyda'i gilydd' i'r India.

Cysyniad cyfoes arall a adlewyrchid yn natur y stori gyfres oedd y teimlad fod amser yn symud yn gynt ar y naill law, wrth i dechnolegau newydd, megis y rheilffyrdd, ddatblygu, ond ar y llaw arall yn symud yn arafach, wrth i astudiaethau cyfoes daearyddol, hanesyddol a gwyddonol ddatgelu taflwybr hirfaith dynolryw. Hwylus mewn oes o ruthr oedd darllen nofel ar ffurf stori gyfres, bennod wrth bennod, mewn amser byr, ond yn yr wybodaeth y gellid parhau i edrych ymlaen at ddiweddglo boddhaol dros gyfnod o flwyddyn, neu hyd yn oed ddwy. Dyma gyfnod a welodd ramantiaeth yn troi yn realaeth, wrth i ddarllenwyr symud yn ôl ac ymlaen o fyd dychmygol y stori, i'r byd real rhwng penodau, '[picking] up again a continuing story to be apprehended in much the same way they had been interpreting the reality presented in newspapers and letters and by word of mouth'.[146] Gellir honni fod y nodwedd hon yng ngwaith Gwyneth Vaughan yn tanseilio cyhuddiad Thomas Parry ei bod wedi aros yn rhigol y rhamantiaeth oedd yn nodweddu llenyddiaeth 'ganrif yn gynt'.

Wrth edrych yn ôl o'r ganrif hon ar gynnyrch llenyddol cylchgronau'r bedwaredd ganrif ar bymtheg yng Nghymru, gellir gwerthfawrogi elfennau a ddiystyrwyd ac a ddychanwyd gan genhedlaeth o lenorion a beirniaid llenyddol, addysgedig, uwch-ddeallusol dechrau'r ugeinfed. '[B]ellach mae ysgolheigion yn fwy trugarog o lawer wrth drafod y deunydd hwn, a thueddir y dyddiau hyn i osod y cynnyrch llenyddol hwn yn ei gyd-destun a'i gefndir cymdeithasol . . . Fel drych o feddwl y cyfnod',[147] gan agor ffenestri ar ffordd o fyw a blaenoriaethau Cymry'r bedwaredd ganrif ar bymtheg. A diolch i ddiddordeb y nifer bychan o academyddion a droes eu sylw at awduron benywaidd y ganrif, erbyn heddiw gellid cyfrif eu gweithiau llenyddol hwythau hefyd fel rhan o'r 'ganrif fwyaf cynhyrchiol yn holl hanes ein llên'.[148]

Diweddglo

Dwy o blith to o Gymraësau anghofiedig y bedwaredd ganrif ar bymtheg a ddiflannodd gyda'u chwiorydd o olwg y cyhoedd yn gynnar yn yr ugeinfed ganrif oedd Gwyneth Vaughan a Sara Maria Saunders. Cyflwynwyd y dadleuon dros adargraffu eu gweithiau ysgrifenedig yn y gobaith o dynnu sylw darllenwyr yr unfed ganrif ar hugain at eu bodolaeth a'u llenyddiaeth. Fel dwy 'Ddynes Newydd', un wedi dod i gysylltiad ag ymgyrchwragedd amlycaf prifddinas Lloegr yn ei hugeiniau cynnar, a'r llall wedi ei dylanwadu'n fwy gan syniadau efengylyddol o America'n dilyn ei hymweliadau cyson â'r Cyfandir hwnnw, yr oeddent, heb amheuaeth, o flaen eu hoes yn eu gwahanol feysydd. O'r herwydd, ni ellid amau eu statws fel aelodau goleuedig o'r mudiad ffeminyddol Cymreig, pwnc llosg oedd eisoes wedi croesi'r ffin o Loegr, gan ennyn trafodaethau penboeth. Nid pregethu i'r anwybodus felly, a wnâi Gwyneth Vaughan ac S.M.S., ond i griw o ddarllenwyr oedd yn ddigon hyddysg i ddeall a gwerthfawrogi eu neges.

Ar y nodyn optimistaidd hwnnw yr aethant ati i annog merched Cymru i ddeffro i'r hyn oedd yn digwydd o'u cwmpas, a bwrw ati i weithio er lles eu teuluoedd, eu cymunedau a'u cenedl. Fel dwy arloeswraig ymarferol, synnwyr cyffredin a phragmatiaeth oedd eu harwyddair, a datblygiad naturiol, o gofio'u blaengaredd yn y byd go iawn, oedd iddynt dorri tir newydd yn eu cyflwyniad o'r Gymraes yn eu ffuglen. Hyd yn oed ym mharagonau benywaidd mwyaf delfrydol Gwyneth Vaughan, ni chollir golwg ar eu dyletswyddau beunyddiol nac ychwaith eu cyfrifoldebau deallusol. Disgwylid iddynt gynnal, ar y naill law, werthoedd traddodiadol Cymraes Cymru Fu, ac ar y llaw arall symud eu cyd-Gymraësau ymlaen i'r ganrif nesaf. Yn yr un modd, yn ysgrifennu S.M.S., rhan annatod o swyddogaeth merched a menywod a brofodd dröedigaeth Gristnogol oedd sianelu eu hegni ysbrydol newydd i ddyrchafu eu chwiorydd i'r goleuni.

Yng nghyd-destun hunaniaeth genedlaethol, diddorol nodi'r gwahaniaethau trawiadol rhwng awduresau'r Gymry Gymraeg – a deimlai'r angen i fod yng nghanol bwrlwm cyffredinol eu cymunedau – ag awduresau dosbarth-canol Lloegr. Dirgelwch, mae'n siŵr i Gwyneth Vaughan ac S.M.S. fyddai datganiad fel yr eiddo Virginia Woolf pan ddywedodd 'as a woman I have no country',[1] neu deimladau dynes arall a ddyfynnwyd yn y llyfr *Feminist Forerunners*, pan honna,'I have no nationality'.[2] Tebycach yn wir oedd Gwyneth Vaughan ac S.M.S., yn hyn o beth, i'r menywod duon y cyfeiriwyd atynt yn yr un llyfr. 'While the prevailing images of white New Womanhood', meddir, 'encouraged middle-class white women to seek autonomy, pleasure, and consumption, black women's New Womanhood focused on building community and uplifting the race in the face of extreme discrimination and abuse.'[3] A hyd yn oed mor ddiweddar ag wythdegau'r ugeinfed ganrif, fel y nodir gan Jane Aaron wrth sôn am hunaniaeth menywod Cymru, gellid gweld agweddau tebyg. 'Putting women's issues first on the agenda, because they are issues which need addressing solely in order to correct gender inequalities rather than to improve the lot of a community' meddai, 'can still be experienced as a "foreign" pressure in some Welsh circles.'[4]

Cadarnhad yw'r dyfyniadau uchod o natur amrywiol hunaniaeth a ffeminyddiaeth sy'n gwahaniaethu ac yn datblygu yn ôl strwythur cymunedau, dosbarth cymdeithasol a gwahanol ddiwylliannau cenedlaethol, pwynt y gellid ychwanegu ato ddatganiad Ann Heilmann: '*The* New Woman did not exist', meddai, am y menywod a drafodir yn ei llyfr *Feminist Forerunners*. '. . . The ambiguities and contradictions resulting from the multiplicity of New Woman identities – across a range of individuals but also within each of the women studied – is central to the "stories" this collection sets out to tell and explore.'[5]

Ac yn wir, hyd yn oed yn hanes Gwyneth Vaughan ac S.M.S., torri eu cwysi eu hunain a wnaethant hwythau yn eu hymdrechion i gyflawni eu hamcanion, a hynny er iddynt gael eu magu o fewn yr un diwylliant cenedlaethol a'r un ideoleg ddominyddol. Seciwlar oedd canolfannau ymgyrchu Gwyneth Vaughan – llwyfannau gwleidyddol ac Eisteddfodol, ystafelloedd pwyllgora, cyfarfodydd dirwestol a chyngresau Celtaidd, – a hyn yn creu cymhariaeth drawiadol rhyngddi ag S.M.S. â'i chapeli a'i festrïoedd, ei neuaddau efengylyddol a'i chartrefi achubiaeth i ferched o dan arolygaeth chwiorydd y bobl.

Drwy eu gweithgareddau dygwyd y ddwy fel ei gilydd i ganol pobl gyffredin Cymru, a gan eu bod yn adnabod eu cymeriadau mor dda, llwyddasant, drwy ddefnyddio deialog a thafodiaith naturiol eu hardaloedd genedigol, i 'ddylunio ag ystwythder gymeriadau benywaidd cryf a chredadwy a fyddai wedi bod yn bolion dur yn ysgrifau eu rhagflaenwyr.'[6] Ond stori arall oedd cyflawni'r un gorchest drwy gyfrwng y Saesneg, a throes Gwyneth Vaughan ei chefn yn gynnar yn ei gyrfa ar bortreadu Cymry a chymunedau uniaith Gymraeg drwy gyfrwng yr iaith honno, dewis nad oedd ar gael i S.M.S. gan fod cadw Methodistiaid di-Gymraeg yn driw i'w henwad a'u crefydd yn bwysicach iddi hi na phob ystyriaeth arall. Llai boddhaol i ni fel Cymry Cymraeg, a fedrai werthfawrogi naturioldeb yr hanesion a ysgrifennodd yn ei mamiaith, oedd ei chyfresi Saesneg. Ond i Gymry di-Gymraeg ei chyfnod, na wyddai am yr anawsterau a'i hwynebai, nid amharwyd ar eu mwynhad, gan fod meistrolaeth S.M.S. o'r iaith Saesneg ysgrifenedig yn un o'r sgiliau a ddysgodd yn ysgolion bonedd Lloegr. A phrawf o boblogrwydd Gwyneth Vaughan ac S.M.S. oedd awydd golygyddion cylchgronau amlycaf Cymru i gyhoeddi eu gwaith yn ddi-dor dros gyfnod o flynyddoedd, yn cynnwys *Y Brython, Y Cymro, Cymru, Y Gymraes, Y Drysorfa* a'r *Ymwelydd Misol* ac, yn achos S.M.S., gylchgronau Saesneg Methodistiaid Calfinaidd Cymru.

Un o'r golygyddion hyn, a fynegodd ei edmygedd o ferched llengar diwedd y bedwaredd ganrif ar bymtheg, oedd O. M. Edwards. Meddai, pan ymddangosodd yr ail *Gymraes* o dan olygyddiaeth Ceridwen Peris: 'Yn awr, ar ail gychwyniad y *Gymraes*, gŵyr Cymru'n dda am Granogwen, S. M. Saunders, Morfudd Eryri, Winnie Parry, Ellen Hughes, Ceridwen Peris, a llawer ereill.'[7] Ond daeth tro ar fyd, a bu tawelwch mawr, fel a gyfleir mor gryno yn 1944 yn y llyfr *Hanes Llenyddiaeth Gymraeg hyd 1900* gan Thomas Parry, lle nad oes unrhyw drafodaeth o lenyddiaeth awduron benywaidd a dim sôn am *Gymraes* Ieuan Gwynedd, nac am *Frythones* Cranogwen, nac ail *Gymraes* Ceridwen Peris.

Wrth ystyried y rhesymau dros ddiflaniad Gwyneth Vaughan ac S.M.S. a'u chwiorydd, un ffactor esboniadol allweddol oedd y cysylltiad annatod rhwng llwyddiant a phoblogrwydd llenyddiaeth y Gymraes yn niwedd y bedwaredd ganrif ar bymtheg a llwyddiant Ymneilltuaeth a Rhyddfrydiaeth. Yr adeg honno, roedd amgylchiadau'n ffafriol i awduresau Cymraeg Cymru, gan iddynt, fel y soniwyd eisoes, uniaethu ag amcanion arweinyddion crefyddol a gwleidyddol eu dydd, oedd yn eu tro yn rheoli'r wasg. Mewn gair, roedd wyau awduresau Cymraeg Cymru i gyd mewn un fasged. Felly pan bylodd dylanwad yr Ymneilltuwyr a'r Rhyddfrydwyr, a fu, rhyngddynt, yn rheoli diwylliant y Gymru Gymraeg oddi ar ganol y bedwaredd ganrif ar bymtheg, naturiol i bwysigrwydd ysgrifennu gan fenywod yr ideoleg honno hefyd bylu.

Er gwaethaf diddordeb rhai Cristnogion sosialaidd nodedig yn amgylchiadau'r gweithwyr oedd wedi symud o gymunedau capelog cefn gwlad i'r cymoedd diwydiannol, yn y tymor hir gwanhaodd y cysylltiad rhwng Ymneilltuaeth a gwleidyddiaeth. Byrhoedlog fu dylanwadau Diwygiad 1904–5 ymhlith y to ifanc wrth i broblemau gorboblogi a thelerau gwaith anfoddhaol fynd â'u sylw, ac wrth i'r gymdeithas newid yn dilyn mewnfudiad o rannau eraill o Brydain a chyfandir Ewrop. Gydag amser, seciwlariaeth a sosialaeth ryngwladol a orfu.[8] Fel y dywedodd D. W. Bebbington, 'There were never again to be crusades by Nonconformists which were nationwide, sustained and impinged significantly on party politis. By 1910 the period of the Nonconconformist conscience had come to an end.'[9] Llais o'r gorffennol pell erbyn hynny oedd datganiad fel un J. Huw Edwards pan ragwelodd ar nodyn mor hyderus yn 1895 yn rhifyn cyntaf *Young Wales*, fenywod a dynion yn cydweithio mewn Cynulliad Cenedlaethol Cymreig.[10]

Ond ni fu'r cyfan yn ofer. Erbyn heddiw, mae'r Gymraes, fel ffigur dylanwadol yn llenyddiaeth a gwleidyddiaeth ei gwlad, wedi ail-lunio'i hunan mewn ymateb i alwadau canrif newydd yn ei hanes. Mae 1998 yn nodedig yn y cyswllt hwn. Dyma'r flwyddyn pan dynnwyd sylw'r byd at y nifer cyfartal o aelodau benywaidd a gwrywaidd yng Nghynulliad Cenedlaethol Cymru. A gellir mentro dweud, ond i ni dwrio nôl i'r gorffennol, fod mamau llenyddol a neiniau crefyddol llawer o'r rhain yn nechrau'r unfed ganrif ar hugain yn perthyn i feddylfryd a chredoau Cymraes diwedd y bedwaredd ganrif ar bymtheg. Fel y dywedodd Hywel Teifi Edwards, heb 'wybod ein stori' ni ellir amgyffred y syniad o genedl.[11] Wrth ffarwelio â Gwyneth Vaughan ac S.M.S. gellir teimlo'n ddigon hyderus eu bod hwy, drwy eu hymrwymiad, eu gweledigaeth a'u dyfalbarhad nid yn unig yn rhan allweddol o'r stori honno, ond hefyd wedi cyfrannu at ei chreadigaeth.

Nodiadau

Rhagymadrodd

[1] Gwyneth Vaughan, *O Gorlannau y Defaid* (Caerfyrddin: W. Spurrel a'i Fab, 1905); *Plant y Gorthrwm* (Caerdydd: The Educational Publishing Co., 1908); 'Cysgodau y Blynyddoedd Gynt', *Y Brython*, Chwefror 1907–Ebrill 1908, yn wythnosol; 'Troad y Rhod', *Y Brython* – cyfres anorffenedig a gyhoeddwyd rhwng Chwefror a Rhagfyr 1909 yn wythnosol.

[2] Thomas Parry, gweler *Hanes Llenyddiaeth Cymru hyd 1900* (Caerdydd: Gwasg Prifysgol Cymru, 1944).

1

Cyfraniad Cymraes Anghofiedig y Bedwaredd Ganrif ar Bymtheg i'w Chenedl

[1] Gweler Eryn Mant White, '"Myrdd o Wragedd": Merched a'r Diwygiad Methodistaidd', *Llên Cymru*, 20, 1997, 62–74; Eryn Mant White, 'Y Byd y Cnawd a'r Cythraul: Disgyblaeth a threfn seiadau Methodistaidd de-orllewin Cymru 1737–50', *Cof Cenedl VIII, Ysgrifau ar Hanes Cymru*, gol., Geraint H. Jenkins (Llandysul: Gomer, 1993), 69–102.

[2] Jane Aaron, *Pur fel y Dur: Y Gymraes yn Llên Menywod y Bedwaredd Ganrif ar Bymtheg* (Caerdydd: Gwasg Prifysgol Cymru, 1998), t. 33; Eryn Mant White, '"Myrdd o Wragedd": Merched a'r Diwygiad Methodistaidd', *Llên Cymru*, 20, 1997, 62.

[3] Eryn Mant White, '"Myrdd o Wragedd": Merched a'r Diwygiad Methodistaidd', 68.

[4] Mr R. Williams, Tanygrisiau, 'Y Seiat Brofiad ym mhlith y Methodistiaid Calfinaidd', *Y Drysorfa*, LXXIII/86 (1902), 547.

[5] Jane Williams (Ysgafell), 'Introduction', *An Autobiography of Elizabeth Davis: Betsy Cadwaladr, A Balaclava Nurse* (London: Hurst & Blackett, 1857; ailargraffiad Dinas Powys: Honno, 1987).

[6] Edward Thomas, *Mamau Methodistaidd* (Gwrecsam: Hughes a'i Fab, 1905).

[7] Lewis Edwards, 'Merched Cymru: Adolygiad o Lyfr Thomas Jones ar Ei Chwaer Margaret Jones yr Wyddgrug', *Y Traethodydd*, 1, 1845, 72.

[8] John Davies, *Hanes Cymru* (Llundain: Allen Lane, Penguin Press, 1990), t. 376. Yma nodir fod yr adroddiadau'n cynnwys cyfanswm o 1252 o dudalennau.

[9] Jane Aaron, *Pur fel y Dur*, t. 101. Gweler hefyd gydymdeimlad Hywel Teifi Edwards ag argyfwng y Gymraes Anghydffurfiol yn ei erthygl, 'Comisiynu'r Rhieingerdd Eisteddfodol, 1855–1858', yn *Llên Cymru*, 18, 1995, 277.

[10] Ibid., 100.

[11] Digiodd nifer o Eglwyswyr hefyd pan ddarllenasant yr Adroddiadau, yn eu plith yr hanesydd Jane Williams (Ysgafell). Gweler *Artegall; or the Remarks on the Reports of the Commissioners of Inquiry into the State of Education in Wales* (London: Longman and Co., 1848).

[12] William Williams, AS Coventry, brodor o sir Gaerfyrddin oedd yn gyfrifol am y cynnig a roddodd fod i'r Comisiwn a luniodd yr Adroddiad.

[13] Brinley Rees, gol., *Ieuan Gwynedd: Detholiad o'i Ryddiaith* (Caerdydd: Gwasg Prifysgol Cymru, 1957), t. 91. Gweler hefyd erthygl Lewis Edwards, 'Addysg yng Nghymru', *Y Traethodydd*, IV, 1848, 120: 'Y canolrif yn Lloegr yw 422. Y mae Cymru 19 o dan y Canolrif hwnnw, yr hyn sydd yn profi . . . fod anniweirdeb yn ffynu i raddau mwy yn Lloegr.'

[14] Lewis Edwards, 'Addysg yng Nghymru', 115. Nid yw Lewis Edwards mor gas tuag at y comisiynwyr eu hunain – anwybodaeth o Gymru yw eu pechod mwyaf hwy. Gelynion Ymneilltuaeth o fewn Cymru ei hunan, yn bennaf, a enynnodd ei gynddaredd.

[15] Ibid., 121.

[16] Ibid., 113.

[17] Sian Rhiannon Williams, 'The True "Cymraes" Images of Women in Women's Nineteenth-Century Welsh Periodicals', *Our Mothers' Land: Chapters in Welsh Women's History 1830-1939*, ed. Angela V. John (Cardiff: University of Wales Press, 1991), t. 70.

[18] Ibid., t. 69 – dyfyniad yw hwn o anerchiad Evan Jones (Ieuan Gwynedd), yn ei gyfarchiad i'w ddarllenwyr fel golygydd y *Gymraes* yn ei rifyn cyntaf yn 1850.

[19] John Davies, *Hanes Cymru*, t. 378. Yma nodir mai arweinwyr yr Anghydffurfwyr yn y cyfnod yma oedd unigolion fel Henry Richard, Hugh Owen, Hiraethog, S.R. a Lewis Edwards nad oeddent yn rhoi'r un pwyslais â'u canlynwyr ar Gymru fel cenedl ar wahân.

[20] W. Gareth Evans, *Education and Female Emancipation: The Welsh Experience, 1847–1914* (Cardiff: University of Wales Press, 1990), t. 13.

[21] Jane Aaron, *Pur fel y Dur*, t. 107.
[22] W. Gareth Evans, *Education and Female Emancipation*, t. 61 (dyfyniad o eiriau Bompas yn y Taunton Report, 8), t. 7.
[23] Jane Aaron, *Pur fel y Dur*, t. 197.
[24] W. Gareth Evans, *Education and Female Emancipation*, t. 142.
[25] Atgynhyrchir erthygl gan Dilys Lloyd Davies (Dilys Glynne Jones wedi hynny), yn *The Very Salt of Life*, eds Jane Aaron and Ursula Masson (Dinas Powys: Honno, 2007), tt. 123–36.
[26] Cyhoeddodd Elizabeth Phillips Hughes ddau lyfr ar addysg merched Cymru, sef *The Education of Welsh Women* (London: W. Speaight, 1887), a *The Education of a Nation* (London: A. and C. Black, 1919), a hefyd y traethawd 'The higher education of girls in Wales', *Transactions of the Liverpool National Eisteddfod, 1884* (Liverpool: Isaac Foulkes, 1885), tt. 40–62.
[27] Ellen Hughes, Llanengan, 'Merch – Ei Hawliau a'i Hiawnderau', *Cyfaill yr Aelwyd a'r Frythones*, 1, Cyfres Newydd 1892, 253. Yma mae Ellen Hughes yn ymateb i agwedd wawdlyd Tennyson tuag at 'ferched graddedig'.
[28] Mrs Wynford Philipps and Elsbeth Philipps, 'Progress of Women in Wales', *Young Wales*, 2, 1896, 64.
[29] Ibid.
[30] Anna Ionawr, 'Cyfran y Merched yn Ffurfiad Cymeriad Cenedl y Cymru', *Y Frythones*, 11, 1889, 346.
[31] Buddug (Catherine Jane Prichard), 'Paham yn arbenig y dylai merched bleidio dirwest', *Y Frythones*, 2, 1880, 369–70.
[32] Dyfyniad o Ceridwen Peris, *Er Cof a Gwerthfawrogiad o Lafur Mrs Mathews* (Liverpool: Hugh Evans a'i feibion ar ran UDMGC [1931]), t. 6, yn Ceridwen Lloyd-Morgan, 'From Temperance to Suffrage?', *Our Mothers' Land: Chapters in Welsh Women's History 1830–1939*, ed. Angela V. John, t. 148.
[33] Ceridwen Lloyd-Morgan, 'From Temperance to Suffrage?', t. 139.
[34] Ibid., t. 138.
[35] Ibid., t. 153.
[36] Ibid., t. 146.
[37] David Williams, *A History of Modern Wales* (London: John Murray, 1950), t. 278.
[38] Gweler Gareth Williams, 'The Disenchantment of the world: Innovation, Crisis and Change in Cardiganshire', *Ceredigion*, IX/4, (1983), 314; John Davies, *Hanes Cymru*, t. 451.
[39] J. Hugh Edwards, ôl-nodyn i erthygl Mrs Wynford Philipps, 'Notes on the work of Welsh Liberal women', *Young Wales*, 1, 1895, 19.
[40] Mrs Wynford Philipps, 'The Progress of Women in Wales', *Young Wales*, 2, 1896, 67.

[41] Mrs Wynford Philipps, 'News of the Suffrage Movement: Progress of Women in Wales', *Young Wales*, 2, 1896, 294.

[42] Mrs Wynford Philipps, 'Welsh Union Notes', *Young Wales*, 2, 1896, 67.

[43] Ibid.

[44] Mrs D. M. Richards, *The Duty of Women and Wives to try for places on the Parish Councils, &c.* (1894); taflen a atgynhyrchwyd yn *The Very Salt of Life*, tt. 180–3.

[45] Kay Cook and Neil Evans, '"The Petty Antics of the Bell-Ringing Boisterous Band"? The Women's Suffrage Movement in Wales, 1890–1918', *Our Mothers' Land*, ed. Angela V. John, t. 165.

[46] *Project Grace: Sources for Welsh Women's History*, 10 Units, University of *Wales*, Bangor. 1993, t. 12.

[47] Mrs Wynford Philipps, 'Progress of Women in Wales', *Young Wales*, 2, 1896, 67.

[48] Aled Gruffydd Jones, '"Meddylier am India": Tair Taith y Genhadaeth Gymreig yn Sylhet 1887–1947', *Trafodion Anrhydeddus Gymdeithas y Cymmrodorion 1997*, Cyfres Newydd, 4, 1998, 90; 'Dyrchafiad Merched', *Y Frythones*, 8, 1886, 236. Mae apêl Cenhadaeth Dramor y Methodistiaid Calfinaidd at fenywod yn cael ei hadlewyrchu'n aml ar dudalennau'r *Frythones*, fel yn yr erthygl yma. Cyfeirir at y 'Cenadaethau Dyngarol a Christ'nogol yn ymestyn eu dwylaw yn brysur at ferched y byd . . . Y maent hwythau yn gwrandaw – luoedd o honynt, ac yn myn'd allan'.

[49] Margaret Evans Roberts, 'Merched yn y Pwlpud', *Y Drych*, 4 Ionawr 1894 – adolygiad o ysgrif y Parch. R. H. Evans, Cambria, 'Dysgeidiaeth yr Iesu'; atgynhyrchwyd yn *The Very Salt of Life*, tt. 82–6.

[50] Gweler erthygl Jane Aaron, '"Anadnabyddus neu weddol anadnabyddus": Cyd-awduresau Ann Griffiths yn hanner cyntaf y bedwaredd ganrif ar bymtheg', *Cof Cenedl XII: Ysgrifau ar Hanes Cymru* (Llandysul: Gomer, 1997), tt. 103–36.

[51] Jane Aaron, *Pur fel y Dur*, t. 37.

[52] Jane Aaron, 'Anadnabyddus neu weddol anadnabyddus', *Cof Cenedl XII*, 1997, t. 106.

[53] Jane Aaron, *Pur fel y Dur*, t. 39. Gweler hefyd Elizabeth Elkin Grammer, ed. *Some Wild Visions: Autobiographies by Female Itinerant Evangelists in 19th-century America* (New York: Oxford University Press, 2003) am hanes nifer o efengylyddion benywaidd yn teithio o fan i fan yn America yn nechrau'r bedwaredd ganrif ar bymtheg.

[54] Yn ei hunangofiant, *'S Lawer Dydd* – (Llanelli: James Davies a'i Gwmni, 1931 [trydydd argraffiad]), nodir gan W. Llewelyn Williams iddo ddarganfod marwnadau ac emynau yn llyfr nodiadau ei fam-gu yn dilyn ei marwolaeth, 'na wyddai neb am danynt o'r blaen', t. 23.

[55] Meic Stephens, gol., *Cydymaith i Lenyddiaeth Cymru*, t. 286. Trawsgrifiodd John Hughes eiriau emynau Ann Griffiths a drosglwyddid iddo

gan ei wraig, Ruth, sef morwyn Ann Griffiths, oedd wedi eu dysgu ar ei chof.

[56] Jane Aaron, *Pur fel y Dur*, t. 38.

[57] Ailargraffwyd y casgliad yma o dan y teitl *Cerddi Jane Ellis* gan Honno, Gwasg i Fenywod Cymru, yn 2010 gyda rhagymadrodd gan Rhiannon Ifans.

[58] Elen Egryn, *Telyn Egryn*, gol., Ceridwen Lloyd-Morgan a Kathryn Hughes (Dinas Powys: Honno, 1998). Argraffwyd yn wreiddiol fel *Cyfansoddiadau Awenyddol Miss Ellin Evans, (Elen Egryn,) o Lanegryn*, gol., William Rees (Dolgellau: Evan Jones, 1850).

[59] [O. M. Edwards], 'Y Gymraes', *Cymru*, 6, 1894, 34.

[60] Ceridwen Lloyd-Morgan, 'Rhagymadrodd', *Telyn Egryn*, t. xix.

[61] Cranogwen, 'At Ein Darllenwyr', *Y Frythones*, 1, 1879, 5.

[62] Yn Jane Aaron, *Pur fel y Dur*, tt. 138-9, cyfeirir at draethawd gan Eliza Peter (1833–89), a gafodd ei geni yn yr un pentref â Chranogwen, chwe mlynedd o'i blaen. Ynddo, sef, 'Diwylliad y Rhyw Fenywaidd', *Y Beirniad*, 5, 1863, 152–62, mae'n argymell menywod Cymru i fynnu cael addysg 'er gwaethaf pob amgylchiad gwyrthwynebol', 162. Rhaid bod Cranogwen yn gwybod yn dda amdani, gan iddi gyfrannu i'r *Frythones*, ac efallai iddi gael ei hysbrydoli ganddi.

[63] Jane Aaron, 'A Review of the Contribution of Women to Welsh Life and Prospects for the Future', *Trafodion Anrhydeddus Gymdeithas y Cymmrodorion*, 2001, Cyfres Newydd 8 (2002), 188–204.

[64] Gellir darllen am waith yr awduresau hyn i gyd yn *Pur Fel y Dur*.

[65] Gweler Meic Stephens, gol., *Cydymaith i Lenyddiaeth Cymru*, t. 652, lle nodir bod Daniel Owen wedi ysgrifennu cofiant 'gwir' am ei fod 'yn llawer mwy derbyniol i ddarllenwyr Cymru na'r nofel'; gweler hefyd Norman Williams, 'Evan Roberts and the 1904–5 Revival', *Glamorgan Historian*,V, ed. Stewart Williams (Cowbridge: D. Brown and Sons Ltd., 1968), 31, lle cyfeirir at ddeg ar hugain o fenywod ifanc o Geinewydd oedd wedi rhoi'r gorau i ddarllen nofelau. 'In the context of 1904', meddir, 'one must remember that reading novels and flirting were often considered the work of the devil!'

[66] Margaret Jones (Myfanwy Meirion), 'Peryglon Merched Ieuainc yn y Trefydd Mawr', *Y Frythones*, 2, 1880, 210.

[67] Am ddadansoddiad o gryfderau a gwendidau'r awduresau hyn gweler *Pur fel y Dur*, yn bennaf yn y bennod '"Merch y Graig": Yr Awdures Gymreig', tt. 131–62.

2

Gwyneth Vaughan (1852–1910): Athrylith Ardudwy

[1] Dywed ei brawd, John Bennet Jones, yn ei erthygl 'Gwyneth Vaughan', yn y *Geninen*, XXX, Rhifyn Gŵyl Dewi, 1912, 43, ei bod 'yr hynaf o bump o blant', gan gyfeirio mewn un man at 'fy mrodyr a minnau'. Yn Archifdy Caernarfon o dan y teitl 'Guy Hughes, collection Gwyneth Vaughan and Hughes family of Pwllheli papers', dim ond pedwar a restrir, sef Gwyneth Vaughan, ei dau frawd, John Bennet Jones (1856–1918), Bennet Jones (1859–1905), a'i chwaer Laura (1865–79).

[2] Vesta, 'A Woman's World', *The Christian Commonwealth*, 8 February 1900; toriad papur newydd o Bapurau Guy Hughes, XD85/1/49. Ni nodir rhifyn na rhif y gyfrol. Mae'n bosibl mai naill ai Hwfa Môn, yr Archdderwydd ar y pryd, oedd y 'distinguished man of letters', neu Dyfed a'i ddilynodd yn y swydd.

[3] J. Bennet Jones, 'Gwyneth Vaughan', 43.

[4] Ibid.

[5] Ibid.

[6] Ibid.

[7] Ysgol Ty'n Llan oedd hon o dan reolaeth yr Eglwys Wladol. Fe'i lleolwyd wrth ymyl yr Eglwys, fel y gallai'r offeiriad a'i wraig gadw llygad ar bethau.

[8] Gwyneth Vaughan, 'Bryn Ardudwy a'i Bobl', *Yr Haul*, V/51 1903–VII/75, 1905 yn achlysurol.

[9] Gwyneth Vaughan, 'Ein Hysgolfeistri', 'Bryn Ardudwy a'i Bobl', *Yr Haul*, VI/65, 1904, 227.

[10] Ibid., 226.

[11] Ibid.

[12] Ibid., 227.

[13] Ibid.

[14] Ibid.

[15] Ibid.

[16] J. Bennet Jones, 'Gwyneth Vaughan', 43.

[17] Ibid.

[18] Gwyneth Vaughan, 'Ein Hysgolfeistri', 228.

[19] Ibid., 229.

[20] Sonnir gan Dewi Rowland Hughes, yn *Cymru Fydd 1886–1896* (Caerdydd: Gwasg Prifysgol Cymru, 2006), t. 6, am y modd yr oedd gorfodi iaith estron ar blant lleiafrifoedd yn niweidiol i'w datblygiad. 'Effaith y gyfundrefn addysg', meddai, 'oedd lladd balchder ysbryd ac annibyniaeth cymeriad y plant. Amcan yr holl addysg oedd llwyddo mewn

arholiadau, magu dyhead am ddyfod ymlaen yn y byd, tra'n meithrin llwfrdra dan yr wyneb.'

[21] Gwyneth Vaughan, 'Yr Hen Deiliwr', 'Bryn Ardudwy a'i Bobl', *Yr Haul*, V/59, 1903, 517–21.

[22] Ibid., 518.

[23] Gwyneth Vaughan, 'Gwenllian', 'Bryn Ardudwy a'i Bobl', *Yr Haul*, V/58, 1903, 215. Cadarnheir presenoldeb craswr ym Mryn y Felin gan ei brawd. Meddai, 'Byddai Robert Richard [y craswr] yn aros gyda ni ar hyd yr wythnos ac ym myned adref ar y Sul'; gweler 'Detholion o weithiau y diweddar John Bennet Jones, Penrhyndeudraeth', *Cymru*, 67, 1924, 119.

[24] Gwyneth Vaughan, 'Llanfair a Llan Ddewi', 'Bryn Ardudwy a'i Bobl', *Yr Haul*, V/54, 1903, 283.

[25] Ibid.

[26] Ibid.

[27] J. Bennet Jones, 'Gwyneth Vaughan', 44.

[28] Ibid.

[29] Dienw, 'Arwyr Cymru', 'Gwyneth Vaughan (1852–1910)', *Cymru*, 68, 1925, 109. Y ddau arwr arall a ddisgrifir yn y rhifyn hwn yw Ceiriog a Roger Edwards.

[30] 'Detholion o weithiau y diweddar John Bennet Jones, Penrhyndeudraeth', 119.

[31] Llyfrgell Genedlaethol Cymru 2009, *http://yba.llgc.org..uk/en/s-WYNN-NAN-1275.html*, y Bywgraffiadur Ar-lein.

[32] J. Bennet Jones, 'Gwyneth Vaughan', 43.

[33] Naill ai siop ddillad neu siop esgidiau, neu hwyrach siop yn gwerthu amrywiaeth o nwyddau oedd hon.

[34] J. Bennet Jones, 'Gwyneth Vaughan', 44.

[35] Gellir gweld copi o'r Ardystiad ym Mhapurau Guy Hughes, XD85/1/104.

[36] 'A Record of a quarter of a Century's work, Literary, and in the interest of Liberal Politics', 14 Ebrill 1908; gweler Papurau Guy Hughes, XD85/1/51. Rhestrir gweithgareddau Gwyneth Vaughan yn y cofnodion hyn, a ysgrifennwyd fel rhan o'i chais am bensiwn sifil.

[37] Dwy ddynes ddyngarol, gyfoethog, ddirwestol a ffeminyddol oedd Margaret Holden Illingworth a Patricia Maclaren. Telir teyrnged i'r olaf gan Gwyneth Vaughan ar ei marwolaeth yn 1906 yn 'Cornel y Ford Gron', *Y Cymro*, 22 Tachwedd 1906. 'Nis agorodd nef ei dorau i neb anwylach na thi', meddai, 'ceisiwn ninnau ddilyn ôl dy droed.'

[38] 'Gwen' – cyfweliad mewn toriad o 'Scrap Book', Gwyneth Vaughan, gweler Papurau Guy Hughes, XD/85/1/18–42; nid yw'n nodi pa bryd na dros ba achos y cyflwynwyd yr anerchiad, ond tebygol mai cyfeirio at yr ymgyrch ddirwestol a wna.

[39] Toriad heb ddyddiad o 'Scrap Book' Gwyneth Vaughan yn Archifdy Caernarfon, adran Toriadau Papur Newydd, XD85/1/18–42.

[40] Anhysbys, 'Mae Son Amdanynt', *Papur Pawb*, 10 Chwefror 1900, 4–5.

[41] 'A Report of a quarter of a Century's work, Literary, and in the interest of Liberal Politics'. Nid yw'n amlwg pam y cyfeiriodd Gwyneth Vaughan at Dreherbert fel ardal wledig; hwyrach mai camddehongliad y gohebydd oedd y fath ddatganiad.

[42] Vesta, 'A Woman's World', *The Christian Commonwealth*, 8 February 1900.

[43] Mallt Williams, 'Madame Gwyneth Vaughan', 'The Women of Wales' Circle', *Young Wales*, 7, 1901, lle dywedir '[She] has practised as a physician in England and Wales.' 188.

[44] Gwyneth Vaughan, 'Cornel y Ford Gron', *Y Cymro*, 22 Tachwedd 1906, 3.

[45] J. Bennet Jones, 'Gwyneth Vaughan', 44.

[46] 'Gwen', toriad o 'Scrap Book' Gwyneth Vaughan.

[47] Am fanylion am yr ymgyrch ymhlith arweinwyr Ymneilltuaeth ac Aelodau Seneddol Rhyddfrydol Cymru i sicrhau llwyddiant Deddf 1881, gweler W. R. Lambert, *Drink and Sobriety in Victorian Wales c.1820–c.1895* (Cardiff: University of Wales Press, 1983), tt. 212–45.

[48] '"Gwyneth Vaughan", The Welsh Authoress and Teetotaller', *Western Mail*, 1894 – toriad heb ddyddiad o'i 'Scrap Book'.

[49] 'A Record of a quarter of a Century's work, Literary, and in the interest of Liberal Politics'.

[50] 'Interview with Gwyneth Vaughan', *Brecon County Times and Radnorshire Echo*, November 10, 1893. Meddir, 'Some people called her a fanatic, "but," she said, "I think it is enough to make one a fanatic now and again."'

[51] 'A Record of a quarter of a Century's work, Literary, and in the interest of Liberal Politics'.

[52] Ibid.

[53] Mallt Williams, 'Madame Gwyneth Vaughan', 188.

[54] Gellir darllen am hanes datblygiad yr Undeb hwn yn erthygl Ceridwen Lloyd-Morgan, 'From Temperance to Suffrage?' yn *Our Mothers' Land: Chapters in Welsh Women's History* 1830–1939, ed. Angela V. John (Cardiff: University of Wales Press, 1991), tt. 135–58.

[55] J. Bennet Jones, 'Gwyneth Vaughan', 44. Gwyddys i Granogwen ymweld â Sasiwn yng ngogledd Cymru yn 1866 pan yr oedd Gwyneth Vaughan yn bedair ar ddeg mlwydd oed.

[56] Mallt Williams, 'Madame Gwyneth Vaughan', 188.

[57] 'Temperance Meeting at Merthyr', *Merthyr Times*, 19 May 1893.

[58] Gwyneth Vaughan, 'Cornel y Ford Gron', *Y Cymro*, 22 Tachwedd 1906.

[59] Ursula Masson, '"Hand in hand with the women, forward we will go"':

Welsh nationalism and feminism in the 1890s', *Women's History Review*, XII/3, 2003 (Online Publication Date: 01 September 2003), *http://www.informaworld.com/smpp/title~content=t716100726.*

60 Gwyneth Vaughan, 'Women and their Questions', 'Progress of Women in Wales', eds Mrs Wynford Philipps and Elsbeth Philipps, *Young Wales*, 3, 1897, 20.

61 'A Record of a quarter of a Century's work, Literary and in the interest of Liberal Politics'.

62 Ursula Masson, ed., '*Women's Rights and Womanly Duties*': *The Aberdare Women's Liberal Association 1891–1910* (Cardiff: South Wales Record Society, 2005), t. 204.

63 Ibid.

64 Yn ei llyfr *For Women, for Wales, and for Liberalism: Women in Liberal Politics in Wales 1880–1914* (Cardiff: University of Wales Press, 2010), rhydd Ursula Masson ddadansoddiad manwl ac arloesol o'r cysylltiad rhwng cenedlaetholdeb a ffeminyddiaeth yn rhengoedd Cymru Fydd yn y 1890au.

65 Ibid., t. 90.

66 Gwyneth Vaughan, 'Cornel y Ford Gron', *Y Cymro*, 31 Mai 1906.

67 Vesta, 'A Woman's World', 1900.

68 Elenna Hughes, 'Achau Gwyneth Vaughan', *Gwreiddiau Gwynedd*, II/55, 2008, 39.

69 J. Bennet Jones, 'Gwyneth Vaughan', 45.

70 Anhysbys, 'Mae Son Amdanynt', 5.

71 Gwyneth Vaughan, 'Yr Eisteddfod Genedlaethol – Awgrymiadau i'r Pwyllgorau Lleol', *Y Geninen*, XVIII/3, 1900, 192, 194.

72 Ibid., 193.

73 Ibid.

74 Gwyneth Vaughan, 'Cadair yr Eisteddfod Genedlaethol', *Y Geninen*, XVII/4, 1899, 250.

75 Ibid.

76 Ibid., 251.

77 Ibid.

78 Ibid.

79 Gwyneth Vaughan '"Nid Da Lle Gellir Gwell" (Arawd a draddodwyd yn Ngorsedd Beirdd Ynys Prydain, yn Merthyr Tydfil, 9 Awst 1901)', *Y Geninen*, XIX/4, 1901, 278–9.

80 Ibid., 278.

81 Gwyneth Vaughan yn ysgrifennu o dan y ffugenw 'Artaxerxes', 'Yr Eisteddfodwyr: Pobl a gyfarfyddais', *Papur Pawb*, 6 Hydref 1900, 8. Dyma bwnc y cyfeirir ato gan David Adams (Hawen) yn y 'Rhagarweiniad' yn *Cofnodion a Chyfansoddiadau Buddugol Eisteddfod Lerpwl 1900*, gol.,Vincent Evans, Cymdeithas yr Eisteddfod Genedlaethol,

1901, lle mae'n amddiffyn 'y bardd newydd'. 'Yr wyf yn ofni y gall fod ein rhagfarn yn ffafr y gorphenol yn ein dallu i raddau, ac yn ein hanalluogi i werthfawrogi rhagoriaethau rhai o'n beirdd a'n llenorion diweddar . . . Rhaid i bob gwir fardd neu gerddor fyddont yn torri tir newydd aros yn amyneddgar hyd nes y bydd i ddarlleniad o'u gweithiau gynhyrchu yn raddol y chwaeth fedr eu gwerthfawrogi.' xv.

[82] Gwyneth Vaughan, 'Our Welcome', *Celtia*, I/2 1901, 20.

[83] Ibid.

[84] Gwyneth Vaughan, *Celtia*, Congress Number, IV/6, 1904, 97.

[85] Gwyneth Vaughan, 'Colofn Merched yr Eryr', *Yr Eryr*, 4 Gorffennaf, 1894.

[86] Dywed mewn llythyr at Guy y gallai'r forwyn oedd yn gweithio yno olchi gymaint o ddillad ag yr oedd eu hangen arnynt, yn ôl y galw.

[87] Gweler Papurau Guy Hughes, XD85/1/1.

[88] Gwyneth Vaughan, Llythyr at ei mab Guy, 25 Mawrth 1893; gweler Papurau Guy Hughes, XD85/1/2.

[89] Evan Roberts, 'Newyddion Pwllheli', *Y Goleuad*, 1910 – toriad o Bapurau Guy Hughes, heb ddyddiad.

[90] Yn ei chyfweliad â 'Vesta', rhydd ei barn ar wragedd yn gweithio tu allan i'r cartref; er nad yw'n dweud bod hyn yn rhywbeth cwbl angenrheidiol, meddai, 'it is infinitely more degrading for a wife to have to stoop to coax a new bonnet or a new gown from an unwilling husband than to earn an independency of her own.'

[91] Gwyneth Vaughan, 'Y Ddwy Efail', 'Bryn Ardudwy a'i Bobl', *Yr Haul*, VII/73, 1905, 35.

[92] Vesta, 'A Woman's World'.

[93] Gwyneth Vaughan, 'Welsh Pulpit' [At y Golygydd], *Y Genedl Gymreig*, 7 Awst 1894, 6.

[94] 'Dewi', 'Gohebiaethau', *Y Goleuad*, 12 Medi 1894, 2.

[95] Gwyneth Vaughan, 'Dewi a'r "Welsh Pulpit": At Olygydd y Goleuad', *Y Goleuad*, 26 Medi 1894, 10.

[96] R. Bryn Williams yn dyfynnu Arthur Hughes yn *Rhyddiaith y Wladfa* (Dinbych: Gwasg Gee, 1949), tt. 53–4. 'Y digwyddiad pwysicaf i'r Wladfa yn llenyddol yn ystod y ganrif yma', medd R. Bryn Williams, 'oedd dyfod Arthur Hughes, mab Gwyneth Vaughan, yno', t. 50.

[97] Gwyneth Vaughan, 'The Ideal Man' (toriad o'i 'Scrap Book'), Papurau Guy Hughes, XD85/1/38.

[98] 'Death of Famous Welsh Authoress', *Liverpool Daily Post*, 26 April 1910.

[99] *Y Glorian*, 20 Ebrill 1910.

[100] *Dispatch*, 26 April 1910.

[101] *Y Brython*, 21 Mai 1908.

3

Sara Maria Saunders: Merch y Methodistiaid

[1] T. I. Ellis, *John Humphreys Davies (1871–1826)* (Lerpwl: Gwasg y Brython, 1963), t. 11. Ym marn T. I. Ellis, George Phillips oedd hwn, ficer Eglwys Fair, Hwlffordd, ar y pryd.

[2] Ibid., t. 11.

[3] Ibid., t. 12.

[4] Ibid. Ymgorfforwyd y coleg hwn yn 1949 ym Mhrifysgol Caergrawnt ac fe'i henwid yn Hughes Hall, er cof am ei phennaeth cyntaf o'r cyfnod pan y'i sefydlwyd yn 1885 fel Croft Cottage yn Newnham.

[5] Ibid., t. 13.

[6] Y Parch. John Lewis, 'Y Diweddar Barchedig David Charles, Caerfyrddin', *Y Drysorfa*, LXII/739, 1892, 169. Ysgrif goffa i fab David Charles yw hon lle cyfeirir at 'felin bapyr' ei dad, a losgodd 'bron yn llwyr' ryw fore Sadwrn, 169. David Charles oedd un o'r rhai a oedd yn gyfrifol am lunio Cyfansoddiad a Chyffes Ffydd y Methodistiaid yn 1823, a hynny yng nghartref ei ferch yn Aberystwyth. Gweler Meic Stephens, gol., *Cymdymaith i Lenyddiaeth Cymru*, t. 103.

[7] 'Y Diweddar Barch. David Charles, Caerfyrddin', *Y Drysorfa*, LXII/739, 1892, 169.

[8] Ibid.

[9] Priododd un o chwiorydd Eliza'r arlunydd Hugh Hughes, sy'n cyfrif, mae'n debyg am ei luniau niferus o'r teulu. Gweler Peter Lord, *Hugh Hughes (1790–1863)* (Llandysul: Gomer, 1995).

[10] T. I. Ellis, *John Humphreys Davies (1871–1826)*, t. 16. Dyfyniad gan W. Evans yn E. Wynne Parry, *Cofiant a Phregethau'r Parchedig David Charles Davies*, t. xiii.

[11] Ibid.

[12] Ibid.

[13] Peter Davies, 'Cwrt Mawr in the Nineteenth Century in the Parish of Llangeitho', *Cylchgrawn Hanes Teuluoedd Dyfed*, VII/I (2000), 20–23.

[14] T. I. Ellis, *John Humphreys Davies (1871–1826)*, t. 17. Hefyd gweler 'Atgofion Annie Davies', 4 – hanes ei phlentyndod. Mae'r copi gwreiddiol ym meddiant Mari Ellis.

[15] T. I. Ellis, *John Humphreys Davies (1871–1826)*, t. 18.

[16] J. J. Roberts (Iolo Caernarfon), 'Y Cwrt Mawr', *Cymru*, 6, 1894, 214.

[17] Parch. H. Hughes, Bryncir, 'Peter Williams', *Y Drysorfa*, 65, 1895, 457.

[18] T. I. Ellis, *John Humphreys Davies (1871–1926)*, t. 19.

[19] Annie Davies, 'Atgofion am Cwrt Mawr', 11.

[20] Ibid., 10.

[21] Ibid.

[22] Llythyr Mair at Mari Ellis, 1964.
[23] Annie Davies, 'Atgofion am Cwrt Mawr', 19.
[24] Ibid., 20.
[25] Mari Ellis, 'Cefn Gwlad: S.M.S. Awdures Enwog o Langeitho', *Country Quest* (February 1998), 30.
[26] D. W. Bebbington, 'Religion and National Feeling in Nineteenth-Century Wales and Scotland', *Studies in Church History, Religion and National Identity*, t. 18, ed. Stuart Mews (Oxford: Basil Blackwell, 1982), t. 492.
[27] Rhoddodd teulu Cwrt Mawr ddarn o dir i'r capel ar waelod y lôn, fel y gellid adeiladu ysgol Sul ger y fynedfa.
[28] Annie Davies, 'Atgofion am Cwrt Mawr', 17.
[29] Mari Ellis, 'S.M.S', Cefn Gwlad: Awdures Enwog o Langeitho', 30. Gweler hefyd Mari Ellis, gol., *Y Golau Gwan: Llythyrau Tom Ellis at Annie Davies* (1999).
[30] Sgwrs lafar rhwng awdur y gyfrol hon a'r hanesydd John Davies yn gynnar yn 2010. Mae'n werth nodi fod Annie wedi treulio blynyddoedd lawer yn Llundain – gweler erthygl Wyn Thomas, 'Annie "Cwrt Mawr" a Chantorion Aberystwyth', *Canu Gwerin*, 30, 2007.
[31] Mari Ellis, 'Cefn Gwlad, Awdures Enwog o Langeitho', 30.
[32] John Davies, *Hanes Cymru*, t. 422; W. Gareth Evans, *Education and Female Emancipation: The Welsh Experience, 1847–1914* (Cardiff: University of Wales Press, 1990), t. 208.
[33] Mari Ellis, 'T. E. Ellis a Cheredigion', *Ceredigion*, XIV/2, 2002, 33.
[34] The Viscountess Rhondda (Margaret Haig), *This was My World* (London: Macmillan, 1933), t. 83.
[35] Rev. E. Morgan A. M., Vicar of Syston, Leicestershire, *Brief Account of the Great Progress of Religion under the wonderful ministry of the late Rev. D. Rowlands of Llangeitho, Cardiganshire* (Leicester: H. Wright & C. Wellington Street, 1866), t. 38.
[36] Ibid.
[37] Am hanes bywyd Rosina Davies (oedd ryw bedair blynedd yn hŷn na S.M.S.) a'i gwaith fel efengylyddes o ddyddiau Byddin yr Iachawdwriaeth yng Nghymoedd de Cymru, gweler Rosina Davies, *The Story of My Life* (Llandysul: Gomer, 1942).
[38] 'Mrs Saunders a Mair Fach', *Y Gymraes*, 6, 1902, 161–3; dyfyniad yw hwn o erthygl a ysgrifennwyd bymtheng mlynedd ar ôl eu priodas i groesawu Mair, eu baban cyntaf, a manteisir ar y cyfle i dynnu sylw at statws y ddau deulu mewn cylchoedd Methodistaidd.
[39] Ymddangosodd adroddiad ar y briodas yn y *Cambrian News*, sef 'The Marriage of Miss Davies, Cwrt Mawr'. Mae copi teipiedig ohono ym meddiant Mari Ellis. Roedd teulu Lodwig Lewis a theulu John Saunders yn gyfeillion ers eu dyddiau yn Lerpwl, ac arwydd o barch Lodwig Lewis tuag at y teulu a barodd iddo enwi ei fab yn 'Saunders'.

Gweler E. Wyn James, 'Cwm Rhondda a Cheinewydd: Croth a Chrud Diwygiad 1904–5', *Cawr i'w Genedl: Cyfrol i Gyfarch yr Athro Hywel Teifi Edwards*, gol., Tegwyn Jones a Huw Walters (Llandysul: Gomer, 2008), t. 215, nodyn 41.

[40] Dywed ei merch Mair yn ei llythyr at Mari Ellis i'w rhieni ymweld ag America deirgwaith cyn ei geni hi yn 1901.

[41] 'The Women's Branch', *The Torch*, IV/6 1908, 108, lle cyfeirir at achlysur lansio The Kingswood-Treborth Home, 'on the 17th anniversary of the Forward Movement, founded in May, 1891, by the late Dr John Pugh.'

[42] E. Wyn James, 'Cwm Rhondda a Cheinewydd: Croth a Chrud Diwygiad 1904–5', *Cawr i'w Genedl: Cyfrol i Gyfarch yr Athro Hywel Teifi Edwards*, t. 209.

[43] Ibid., t. 210.

[44] Cyhoeddwyd y gyfres hon yn gyfrol o dan y teitl *Llon a Lleddf* (Treffynnon: P. M. Evans a'i Fab, 1897).

[45] Yn llythyr Mair ei merch at Mari Ellis, cyfeirir at y ffaith bod morynion gan ei mam.

[46] Anhysbys, 'Y Symudiad Ymosodol (Cangen y Merched)', *Y Drysorfa*, LXXVII/923, 1907, 404.

[47] S.M.S., 'Ymweliad Gipsy Smith ag Abertawe', *Y Traethodydd*, 63, 1903, 459.

[48] Parch. R. R. Davies, Capel y Drindod, 'Y Diwygiad yn Sir Aberteifi', *Y Drysorfa*, LXXV/892, 1905, 65.

[49] Russell Davies, *Secret Sins: Sex and Violence and Society in Carmarthenshire 1870–1920* (Cardiff: University of Wales Press, 1996), t. 194.

[50] Prys Morgan and David Thomas, *Wales – the Shaping of a Nation* (North Pomfret, USA: David & Charles Inc., 1984), t. 166; Russell Davies, *Secret Sins*, t. 194. Gweler hefyd John Davies, *Hanes Cymru*, tt. 485–6. Rhoddir dyddiad cychwyn y Diwygiad fel Chwefror 1904 gan John Davies, sef cyfeiriad at Gyfarfodydd Misol De Aberteifi, a arweiniodd ymhen chwe mis at dröedigaeth Evan Roberts.

[51] Russell Davies, *Secret Sins*, tt. 195–6.

[52] *Y Diwygiad ym Mhentre Alun, gydag ysgrifau ereill* (Gwrecsam: Hughes a'i Fab, 1907), a *Llithiau o Bentre Alun* (Gwrecsam: Hughes a'i Fab, 1908).

[53] 'The Women's Branch', *The Torch*, IV/6 1908, 108. Gweler hefyd gyfeiriad E. Wyn James at sêl Cristnogol John a Richard Cory yn 'Cwm Rhondda a Cheinewydd', t. 203.

[54] 'The Women's Branch', *The Torch*, IV/6 1908, 108.

[55] Enw ardal lofaol oedd Kingswood, ger Bryste, lle traddodwyd pregeth gyntaf George Whitfield yn yr awyr agored yn 1739, a dyna pam, mae'n debyg, y rhoddwyd yr enw Kingswood Treborth ar y cartref hwn yn Nhreganna.

[56] Rev. R. R. Roberts, B. A., Cardiff, 'Rev. J. M. Saunders, M.A: An Appreciation', *The Treasury*, VIII/1, 1920, 3.
[57] Rev. D. J. Albert, *The Story of St. David's Presbyterian Church, Auckland, 1864–1921* (Auckland: Clark and Matheson Printers and Binders, 1921), t. 65.
[58] Ibid.
[59] Ibid., tt. 60, 63. Ategwyd hoffter John Saunders o hanesion ei wraig yn llythyr Mair at Mari Ellis lle dywed, 'My father used to be fond of illustrations in his sermons . . . if he hadn't got just what he wanted he used to get my mother to write one for him. He remarked on several occasions, "I have every faith in your mother with her pen – but not with a needle!"'
[60] Parch. R. J. Williams, Liverpool, *Y Cenhadwr*, III/1, 1924, 14.
[61] Ar gael yn Llyfrgell Genedlaethol Cymru, rhif silff 2009/0546, 275.
[62] Anhysbys, 'Y Cronicl Cenhadol', *Y Drysorfa*, LXXV/894, 1905, 190.
[63] Rev. D. J. Albert, *The Story of St. David's Presbyterian Church, Auckland, 1864–1921*, t. 65.
[64] Anhysbys, *Y Cenhadwr*, Ionawr, 1924, 14.
[65] S.M.S., *A Bird's Eye View of our Foreign Fields* (Caernarvon: Calvinistic Methodist Book Agency, 1919); W. T. Ellis, *Rhamant ein Cenhadaeth Dramor* (Caernarfon: Llyfrfa'r Methodistiaid Calfinaidd, 1924).
[66] S.M.S., *Rhamant ein Cenhadaeth Dramor*, t. 41.
[67] Dyfyniad o draethawd Gwennan Schiavone, 277. Gweler hefyd *Y Cenhadwr*, III/1 1924, 14, lle dywedir, 'Y mae ei difrifwch dwys, ei hiwmor tawel, a'i phersonoliaeth swynol yn gwneud ei hapel ar ran y gwaith yn anorchfygol.' 14.
[68] *The Torch*, IV/7, 1908, 128.
[69] S. M. Saunders, 'Llythyr at Ferched Ieuainc Cymru', *Cymru: Heddyw ac Yfory*, gol., T. Stephens (Caerdydd: Western Mail, 1908), t. 149. Gweler 'The Women's Branch', *The Torch*, IV/ 2, 1908, 46, lle mynegir cefnogaeth menywod y Symudiad Ymosodol i amcanion y Swffragetiaid.
[70] Tudalen flaen, *Llon a Lleddf.*
[71] S.M.S., 'Rhagymadrodd', *Llon a Lleddf.*

4

Llenyddiaeth Gwyneth Vaughan

[1] 'Yn y Glyn: Gwyneth Vaughan', *Cymru*, 38, 1910, 97.
[2] Gwyneth Vaughan, 'Cornel y Ford Gron', *Y Cymro*, 29 Mawrth, 1906. Yng nghyd-destun yr arian bychan iawn a roddwyd i awduron a ysgrifennai drwy gyfrwng y Gymraeg y dywed Gwyneth Vaughan hyn wrth y llythyrwr 'Llenor' yn ei cholofn wythnosol i'r *Cymro*.

[3] Gwyneth Vaughan,'Works by Gwyneth Vaughan', teitlau'r erthyglau a'r ffuglen a ysgrifennodd rhwng 1891 a 1908, y gellir eu gweld yn Archifdy Caernarfon.

[4] Thomas Parry, 'Gwyneth Vaughan', *Cylchgrawn Cymdeithas Hanes a Chofnodion Sir Feirionnydd*, VIII/3, 1979, 225–36.

[5] Jane Aaron, *Pur Fel y Dur*, t. 134.

[6] Anhysbys, '"Go Forward"', *The Christian Standard*, I/1, 1891, 1.

[7] Annie Hughes Jones, 'Women and Temperance', *The Christian Standard*, I/3, 1891, 10.

[8] Ibid.

[9] Ibid.

[10] Lleolwyd y *Welsh Weekly* yn 19 Moira Terrace, Caerdydd, a'r *Christian Standard* yn 28 Moira Place.

[11] Anhysbys, 'Salutory', erthygl olygyddol rhifyn cyntaf y *Welsh Weekly*, 8 January 1892, 8. Rhestrir 23 o resymau dros ei brynu, yn eu plith: 'Because it affirms that religion is the foundation of true nationalism'; 'Because it aims to extend the revival of Welsh Nationalism into the sphere of religion'; a 'Because it is the friend of Revival Work.'

[12] GwynethVaughan, 'Our Bob: A Story of the North Wales Coast', *The Welsh Weekly*, 26 February 1892, 14. Ailadroddir y stori hon gan Gwyneth Vaughan mewn cyfres Gymraeg ddiweddarach, 'Bryn Ardudwy a'i Bobl', ac mae'n debyg ei bod yn seiliedig ar ddigwyddiad go iawn.

[13] Ibid.

[14] Gwyneth Vaughan, 'How the Poacher Paid his Debt', *Welsh Weekly*, cyfres pedair pennod a gyhoeddwyd rhwng 6 Mai a 27 Mai 1892.

[15] Gwyneth Vaughan, 'How the Poacher Paid His Debt', Chapter II, 13 May 1892, 14.

[16] Gwyneth Vaughan, 'How the Poacher Paid His Debt', Chapter IV, 27 May 1892, 14.

[17] Thomas Parry, 'Gwyneth Vaughan', 230.

[18] Gwyneth Vaughan, 'How the Poacher Paid his Debt', Chapter II, 14.

[19] Gwyneth Vaughan, 'A Day at Llandrindod', *The Welsh Weekly*, 1 April 1892, 14.

[20] Ibid.

[21] Winnie Parry, *Sioned* (Caernarfon: Cwmni y Cyhoeddwyr Cymreig, Swyddfa *Cymru*). Ymddangosodd gyntaf fel stori gyfres yn *Cymru*, 7–9, 1894–6, yn fisol. Fe'i hadargraffwyd gan Honno: Gwasg Menywod Cymru, yn 1988 a 2006.

[22] *Dowlais Weekly Gazette*, November 4, 1893, papur Anghydffurfiol ei naws ac ynddo un golofn Gymraeg ar faterion lleol o'r enw 'Ymgom' gan Llwydrudd.

[23] Dyma dystiolaeth o'r union adeg y mabwysiadodd yr enw Gwyneth Vaughan, ac yn sicr ar ôl cael ei derbyn yn aelod o Orsedd Beirdd Ynys Prydain yn 1895, daeth hwn yn enw arferol, cyffredinol arni.

[24] *The Dowlais Weekly Gazette*, 4 November 1893, 4.

[25] Gwyneth Vaughan, 'Colofn y Merched', *Yr Eryr*, 4 Gorffennaf 1894. Mae'r dyfyniad hwn yn ddiddorol am nad oedd llawer o edmygwyr Cranogwen yn cyfeirio'n benodol at ei ffeminyddiaeth.

[26] Thomas Parry, 'Gwyneth Vaughan', 229.

[27] Gwyneth Vaughan, 'The Ladies Column', *The Welsh Weekly*, 20 May 1892, 7.

[28] Ibid.

[29] Papur lleol yn gwasanaethu ardal y Bala a'r cylch oedd *Yr Eryr*.

[30] Gwyneth Vaughan, 'Colofn y Merched', *Yr Eryr*, 25 Gorffennaf 1894, 8.

[31] Ibid.

[32] Adleisir yr agwedd yma gan Ursula Masson pan gyfeiria at y menywod fel y rhai y daeth Gwyneth Vaughan o dan eu dylanwad fel 'elite and often London-based women'. Iddynt hwy fel i Gwyneth Vaughan, 'Temperance and women's suffrage were to be the key to a new society; ultimately members of these organisations believed that, until women had the parliamentary vote the transformation of society which they desired, would never come about.' 'Introduction', *The Aberdare Women's Liberal Association, 1891–1910*, 23.

[33] Gwyneth Vaughan, Colofn y Merched', *Yr Eryr*, 21 Tachwedd 1894, 8.

[34] Gwyneth Vaughan, 'Colofn y Merched' *Yr Eryr*, 11 Gorffennaf 1894, 8. Diddorol sylwi ar y gwahaniaeth rhwng agwedd Gwyneth Vaughan tuag at Dywysog Cymru a'r sylwadau mwy traddodiadol gan sylwebydd dienw yn y golofn 'Yr Eisteddfod', yn *Y Goleuad*, 18 Gorffennaf 1894, 8, lle dywedir: 'Fe allai y ceidw mewn cof pa fath yw gwyl genedlaethol pobl y rhan fechan hon o'r Ymerodraeth Brydeinig, ac y daw mewn amser i deimlo mwy o ddyddordeb ynom, ac o barch tuag atom o'i phlegid hi a'r hyn a ddywed.'

[35] Ibid.

[36] Gwyneth Vaughan, 'Cornel y Ford Gron', 7 Mawrth 1907, 6.

[37] Gwyneth Vaughan, 'Cornel y Ford Gron', 28 Chwefror 1907, 6.

[38] Ibid.

[39] Gwyneth Vaughan [yn ysgrifennu o dan y ffugenw Artaxerxes],'Ysbryd Dic Sion Dafydd: Pobl a Gyfarfyddais', *Papur Pawb*, 15 Medi 1900, 8.

[40] Gwyneth Vaughan, 'The Welsh Language – its Condition and Prospects', *Celtia*, 2, 1902, 62.

[41] Thomas Parry, 'Gwyneth Vaughan', 235.

[42] Gweler Ursula Masson, *'For Women, for Wales and for Liberalism': Women in Liberal Politics in Wales 1880–1914* (Caerdydd: Gwasg Prifysgol Cymru, 2010), t. 90.

[43] Gwyneth Vaughan, 'Yr Eisteddfod Genedlaethol – Awgrymiadau i'r Pwyllgorau Lleol', *Y Geninen*, XVIII/3, 1900, 194.

[44] Gwyneth Vaughan, 'Gweledigaeth y Babell Wag', *Cymru*, 20, 1902, 24–8.
[45] Ibid., 25.
[46] Gwyneth Vaughan, '"Nid Da Lle Gellir Gwell"', *Y Geninen*, XIX, 1901, 278.
[47] Ellis Wynne, *Gweledigaethau y Bardd Cwsc*, gol., Patrick J. Donovan a Gwyn Thomas, Cyfeillion Ellis Wynne, 1991, t. 7.
[48] Gwyneth Vaughan, 'Gweledigaeth y Babell Wag', *Cymru*, 22, 1902, 25.
[49] Ymddangosodd anghytundeb a rhwygiadau wedi hyn, ac ni lwyddwyd i gynnal y Gyngres arfaethedig yn yr Alban yn 1908.
[50] Gwyneth Vaughan, 'Breuddwyd Nos Nadolig', *Cymru*, 29, 1905, 245–8.
[51] *Celtia*, 1, 1901, 19.
[52] Cybi, dyfyniad o erthygl O. M. Edwards, 'Llyfrau a Llenorion', *Cymru*, 31, 1906, 49.
[53] Ibid.
[54] Gwyneth Vaughan, 'Y Waedd yn y Fonllech', *Cymru*, 32, 1907, 7–9.
[55] Ibid., 8.
[56] Ibid.
[57] Ibid.
[58] Ibid., 9.
[59] Gwyneth Vaughan, 'An Old Cymric Legend', *The Celtic Review*, 3, 1906, 154–60.
[60] Ibid.
[61] Ibid., 157.
[62] Gwyneth Vaughan, 'The Old Song and the New', *Am Bolg Solair* (Glasgow: Archibald Sinclair, 1907). Adargraffwyd yn *A View Across the Valley: Short Stories by Women from Wales c.1850–1950*, ed. Jane Aaron (Dinas Powys: Honno, 1999), t. 37–44.
[63] Gwyneth Vaughan, 'The Old Song and the New', *A View Across the Valley*, 40.
[64] Ibid., 42.
[65] Ibid.
[66] Gwyneth Vaughan, 'Our Welcome', *Celtia*, 1, 1901, 20 – dyfyniad o'r *Irish Daily Independent and Nation*.
[67] Gwyneth Vaughan, 'A Vision of Today', *Celtia*, 8, 1908, 35–7.
[68] Ibid.
[69] Gwyneth Vaughan, 'Merched Cymru Fu', *Y Brython*, 11 Mehefin 1908, 6.
[70] Gwyneth Vaughan, 'Rhagymadrodd', 'Merched Cymru Fu', *Y Brython*, 23 Ebrill 1908.
[71] Gwyneth Vaughan, 'Pennod 1 – Claudia: Merched Cymru Fu', *Y Brython*, 30 Ebrill 1908, 6.
[72] Gwyneth Vaughan, 'Pennod III – Buddug: Merched Cymru Fu', *Y Brython*, 14 Mai 1908, 6.

[73] Thomas Parry, 'Gwyneth Vaughan', 229.

[74] 'Cymry Amlwg', *Y Brython*, 21 Mai 1908.

[75] Gwyneth Vaughan, 'Bryn Ardudwy a'i Bobl', *Yr Haul*, V/51 1903, VII/75, 1905 yn achlysurol.

[76] Anthropos, *Y Pentre Gwyn* (Wrexham: Hughes and Son, 1920), t. 49. Cyhoeddwyd *Y Pentre Gwyn* yn wreiddiol yn 1909. Erbyn 1920 roedd wedi cyrraedd ei bumed argraffiad.

[77] Hywel Teifi Edwards, *O'r Pentre Gwyn i Gwmderi: Delwedd y pentref yn llenyddiaeth y Cymry* (Llandysul: Gomer, 2004), t. 20. Gweler hefyd: Hywel Teifi Edwards, 'O'r Pentre Gwyn i Llaregyb', *DiFfinio Dwy Lenyddiaeth Cymru*, gol., M. Wynn Thomas (Caerdydd: Gwasg Prifysgol Cymru, 1995), tt. 7–41.

[78] Anthropos, *Y Pentre Gwyn*, t. 49.

[79] Gwyneth Vaughan, 'Hunangofiant Blodau', *Perl y Plant*, yn ysbeidiol rhwng 1903 a 1905. Cylchgrawn yr Eglwys Wladol oedd hwn.

[80] Gwyneth Vaughan, 'Pennod X, Yspryd "Enwadaeth"': 'Pobl a Gyfarfyddais', *Papur Pawb*, 29 Medi 1900, 8. Gellir tybio bod ei hedmygedd o'i 'chyfaill' Eglwysig, Llawdden, y cyfeirir ato fwy nag unwaith yn ei hysgrifennu, wedi cryfhau ei theimladau gwrth-sectyddol.

[81] Gwyneth Vaughan, *O Gorlannau y Defaid* (Caerfyrddin: W. Spurrel a'i Fab, 1905). Cyhoeddwyd gyntaf yn *Y Cymro*, 1903–4, yn wythnosol.

[82] J. Bennett Jones, *Y Geninen*, XXX, 1912, Rhifyn Gŵyl Dewi, 43.

[83] Gwyneth Vaughan, 'Rhagymadrodd', *O Gorlannau y Defaid*.

[84] Gwyneth Vaughan, *O Gorlannau y Defaid*, t. 215. Dyma ddisgrifiad a rydd Gwyneth Vaughan yng ngenau'r cymeriad hoffus Begi, sy'n gwylio datblygiadau o'i bwthyn ar y mynydd.

[85] Gwyneth Vaughan, *O Gorlannau y Defaid*, t. 14. Roedd Luned Fychan yn enghraifft gynnar o'r Gymraes y cyfeirir ati gan Sian Rhiannon Williams pan ddywed, 'If the nineteenth-century "Cymraes" had, by 1900, become the kind of woman that Ieuan Gwynedd had hoped to create in 1850, the new horizons which had been opened up to her were certainly not infinite.' 'The True "Cymraes": Women's Nineteenth-Century Welsh Periodicals', *Our Mothers' Land*, ed. Angela V. John (Cardiff: University of Wales Press, 1991), 88. Ond rhaid cofio mai at ddiwedd y ganrif y cyfeiriai hi, nid at ei chanol fel yn hanes Luned Fychan.

[86] Gwyneth Vaughan, *O Gorlannau y Defaid*, t. 88.

[87] Ibid., t. 43.

[88] Ibid., t. 46.

[89] Ibid., t. 117. Un o nodweddion rhyfedd dull Syr William o siarad Cymraeg oedd galw 'hi' yn 'fo' a 'fo' yn 'hi.'

[90] Ibid., t. 219.

[91] Ibid., t. 221.

[92] Ibid., t. 222.
[93] Ibid., t. 227.
[94] Ibid.
[95] Ibid., t. 37.
[96] Ibid., t. 42.
[97] Ibid., t. 39.
[98] Ibid., t. 187.
[99] Ibid., t. 236.
[100] Ibid., t. 167.
[101] Ibid., t. 164.
[102] Ibid., t. 179.
[103] Gwyneth Vaughan, *Plant y Gorthrwm* (Caerdydd: The Educational Publishing Company, 1908). Cyhoeddwyd yn wreiddiol yn y *Cymro*, 1905–6.
[104] Thomas Parry, 'Gwyneth Vaughan', 232.
[105] Harold Idris Bell, 'The Welsh Literary Renascence of the Twentieth Century' (Sir John Rhys Memorial Lecture 1953). From the Proceedings of the British Academy XXXIX, 150. Yma meddai, 'There was at the beginning of the century a general desire for a novelist who might prove a worthy successor to Daniel Owen but, though one or two novels of some merit were published, like Gwyneth Vaughan's *Plant y Gorthrwm*, such a novelist was slow to make his appearance.'
[106] Daeth David Williams yn Aelod Seneddol Meirionnydd ym 1868 yn ddiwrthwynebiad, sy'n ein hatgoffa mai ffuglen ac nid ffaith yw'r nofel hon. Gweler D. Gareth Evans *A History of Wales, 1815–1906* (Cardiff: University of Wales Press, 1989), t. 290. Cyflwynir y llyfr *Plant y Gorthrwm* i fab David Williams, sef A. Osmond Williams a ddaeth yn Aelod Seneddol dros Feirionnydd ym 1900, 'gyda pharch ac edmygedd yr awdures'.
[107] Gwyneth Vaughan, *Plant y Gorthrwm*, t. 10.
[108] Ibid., t. 110. Mae'n debyg mai cyfeirio at Thomas Pennant, yr Arglwydd Penrhyn a wna Gwyneth Vaughan yma, a chanddo eiddo a chaethweision yn Jamaica.
[109] Ibid., t. 63.
[110] Ibid., t. 26.
[111] Ibid.
[112] Ibid., tt. 26–7.
[113] Jane Aaron, *Pur Fel y Dur*, tt. 18–19, lle cyfeirir at erthygl Buddug (Catherine Jane Prichard), 'Paham yn arbenig y dylai merched bleidio dirwest' (*Y Frythones*, 2, 1880, 369–70). Mewn stori gynnar i'r *Christian Standard*, fel y gwelsom, cyfeiriodd Gwyneth Vaughan hefyd at yr angen am griw o fenywod – 'terrible as an army with banners'.
[114] Gwyneth Vaughan, *Plant y Gorthrwm*, t. 89.

[115] Ibid., t. 90.
[116] Ibid., t. 94.
[117] Ibid., t. 67.
[118] Ibid., t. 86.
[119] Ibid., t. 93.
[120] Ibid., t. 28.
[121] Gweler Rosemary A. N. Jones, 'Women, Community and Collective Action: The "Ceffyl Pren" Tradition', yn *Our Mothers' Land*, tt. 17–41, sy'n dangos fel y gellid olrhain datblygiad y newidiadau yn swyddogaeth gymdeithasol menywod Cymru yn y bedwaredd ganrif ar bymtheg drwy astudio natur a maint eu cyfraniad yng nghosbedigaethau unigolion yr ystyriwyd bod eu hymddygiad yn annerbyniol.
[122] Gwyneth Vaughan, *Plant y Gorthrwm*, t. 96. Hen air am gosfa yw 'cwrbits' a ddefnyddiwyd ar lafar yng ngogledd Cymru.
[123] Ibid., t. 72.
[124] Ibid., t. 73.
[125] Jane Aaron, *Nineteenth-Century Women's Writing in Wales* (Cardiff: University of Wales Press 2007), t. 173.
[126] Gweler Katie Gramich, *Twentieth Century Women's Writing in Wales* (Cardiff: University of Wales Press, 2007), t. 33, lle dywed, 'there is a tension between the passionate nationalism enshrined in the texts and the equally passionate religious conviction which is also pacifist.' Byddai cyfnewid y geiriau 'passionate nationalism' am 'passionate feminism', yn y dyfyniad hwn hefyd yn briodol i ddisgrifio amharodrwydd cymeriadau Gwyneth Vaughan i gymryd rhan mewn gweithredu uniongyrchol, ymosodol.
[127] Gwyneth Vaughan, *Plant y Gorthrwm*, t. 154. Diddorol nodi mai David Lloyd-George oedd Canghellor y Trysorlys yr adeg hon, cymeriad a bortreadwyd gan Gwyneth Vaughan yn ei chyfres 'Troad y Rhod', mewn goleuni cymharol negyddol.
[128] Ibid., t. 158.
[129] Ibid., t. 160.
[130] Ibid., tt. 169–70.
[131] Ibid., t. 175.
[132] Jane Aaron, *Pur fel y Dur*, t. 213. Sonia Jane Aaron hefyd am yr erthyglau a ymddangosodd ar y pwnc yma'n gyson yn y *Frythones* a'r *Gymraes* yn ugain mlynedd olaf y bedwaredd ganrif ar bymtheg.
[133] Gwyneth Vaughan, *Plant y Gorthrwm*, t. 100.
[134] Gwyneth Vaughan, 'Cysgodau y Blynyddoedd Gynt', *Y Brython*, Chwefror 1907– Ebrill 1908, yn wythnosol.
[135] Gwyneth Vaughan, 'Cysgodau y Blynyddoedd Gynt', 15 Awst 1907, 6.
[136] Ibid., 1 Awst 1907, 6.
[137] Ibid., 6 Mehefin 1907, 6.

[138] Ibid., 5 Medi 1907, 6.
[139] Ibid., 21 Chwefror 1907, 6.
[140] Ibid., 25 Gorffennaf 1907, 6.
[141] Ibid., 12 Rhagfyr 1907, 6.
[142] Ibid., 11 Gorffennaf 1907, 6.
[143] Ibid., 12 Rhagfyr 1907, 6.
[144] R. Hughes Williams, 'Y Nofel yng Nghymru', y *Traethodydd*, 64, 1909, 123.
[145] Gwyneth Vaughan, 'Troad y Rhod', *Y Brython*, Chwefror 1907 – Ebrill 1908, yn wythnosol.
[146] John Bennett Jones, 'Gwyneth Vaughan', 45.
[147] Gwyneth Vaughan, 'Troad y Rhod', 27 Mai 1909, 6.
[148] Ibid., 22 Gorffennaf 1909, 6.
[149] Ibid.
[150] Gwyneth Vaughan, *Plant y Gorthrwm*, t. 176.
[151] Gwyneth Vaughan, 'Troad y Rhod', 17 Mehefin 1909, 6.
[152] Ibid., 15 Ebrill 1909, 6.
[153] Ibid.
[154] Ibid.
[155] Jane Aaron, *Pur fel y Dur*, t. 214.
[156] Gwyneth Vaughan, 'Troad y Rhod', 1 Ebrill 1909, 6.
[157] J. Bennett Jones, 'Gwyneth Vaughan', 45.
[158] Ibid.

5

Llenyddiaeth Sara Maria Saunders

[1] J. J. Roberts (Iolo Caernarfon), 'Y Cwrt Mawr', *Cymru*, 6, 1894, 213.
[2] Sara M. Saunders, 'Inasmuch', *The Christian Standard*, I/7, 1892, 8.
[3] Mrs John M. Saunders, 'Rhagymadrodd', *Llon a Lleddf* (Hollywell: P. M. Evans and Son), 1897.
[4] Ailgyhoeddwyd deg o storïau *Llon a Lleddf* yn: Sara Maria Saunders (S.M.S.), *Llon a Lleddf a Storïau Eraill*, gol., Rosanne Reeves (Dinas Powys: Honno, 2012). Lle mae hynny'n berthnasol, wrth drafod hanesion Llanestyn, cyfeirir yn y troednodion at y cyhoeddiad hwn.
[5] S. M. Saunders, 'Stories from the Lives of Methodist Fathers', *Monthly Treasury*, I/1894, 41.
[6] Sara Maria Saunders, 'Benja Jones y Teiliwr', *Llon a Lleddf a Storïau Eraill*, t. 44.
[7] Ibid., t. 45.

[8] S. M. Saunders, 'Boys and Girls Bible Classes: Paper read in Sunday School convention in Cardiff, March 5th [1894]', *Monthly Treasury*, I/11, 1894, 185–8.

[9] Ibid., 187.

[10] Sara Maria Saunders, 'Crydd Duwiol Tŷ Siôn', *Llon a Lleddf a Storïau Eraill*, t. 41.

[11] Ibid., t. 38.

[12] Russell Davies, *Secret Sins: Sex and Violence and Society in Carmarthenshire 1870–1920* (Cardiff: University of Wales Press, 1996), t. 210.

[13] Sara Maria Saunders, 'Y Can Cymaint', *Llon a Lleddf a Storïau Eraill*, t. 86.

[14] Ibid., t. 84.

[15] Ibid., t. 86.

[16] Sara Maria Saunders, 'Merch y Brenin', *Llon a Lleddf a Storïau Eraill*, t. 54.

[17] Ibid., t. 56.

[18] Ibid.

[19] R. Tudur Jones, *Coroni'r Fam Frenhines* (Llandysul: Gomer, 1977), t. 13; dyfynnwyd yn Marged Haycock, Kathryn Hughes, Elin ap Hywel, Ceridwen Lloyd-Morgan, 'Gwragedd a Grym yn y Ganrif Ddiwethaf', *Y Traethodydd: Rhifyn Arbennig, Merched a Llenyddiaeth*, 1986, 31.

[20] Sara Maria Saunders, 'Ruth Tŷ Capel', *Llon a Lleddf a Storïau Eraill*, tt. 111–12.

[21] Ibid., t. 112.

[22] Ibid., t. 112.

[23] Ibid., tt. 112–3.

[24] Sara Maria Saunders, 'Gwen, Fy Chwaer', *Llon a Lleddf a Storïau Eraill*, t. 123. Un o'r ysgrifau am Lanestyn yw'r stori hon, a gynhwyswyd yn wreiddiol fel ysgrif ychwanegol yn *Y Diwygiad ym Mhentre Alun*. Teimlwyd ei bod yn fwy addas i'w thrafod yn y fan hon gan mai Ifan, traethydd Llanestyn, sy'n dweud y stori.

[25] Ibid., t. 125.

[26] Mrs John M. Saunders,'Yn Llefaru Eto', *Llon a Lleddf* (Hollywell: P. M. Evans and Son), 1897, t. 114.

[27] Sara Maria Saunders, 'Gwen, fy Chwaer', *Llon a Lleddf a Storïau Eraill*, t, 125.

[28] 'Gwragedd a Grym yn y Ganrif Ddiwethaf', *Y Traethodydd: Rhifyn Arbennig, Merched a Llenyddiaeth*, 1986. Tynnir sylw yma, 28, at y 'ffaith bod y berthynas rhwng dynion a gwragedd o'r un dosbarth, ar yr olwg gyntaf o leiaf, yn gryfach na'r berthynas rhwng gwragedd sy'n perthyn i ddosbarthiadau cymdeithasol gwahanol'.

[29] Sara Maria Saunders, 'Er ei Fwyn Ef', *Llon a Lleddf a Storïau Eraill*, tt.72–8.

[30] 'Crydd Duwiol Tŷ Siôn', *Llon a Lleddf a Storïau Eraill*, t. 39.

[31] Sara Maria Saunders, 'Cennad Dros Dduw', *Llon a Lleddf a Storïau Eraill*, tt. 65–71.
[32] Ibid., t. 65.
[33] Sara Maria Saunders, 'Y Can Cymaint', *Llon a Lleddf a Storïau Eraill*, t. 81.
[34] N. Cynhafal Jones, gol., *Y Drysorfa*, LXVI/768, 1894, 388. (Yma ymddengys llun o S.M.S. uwchben ei stori 'Pregeth Olaf Matthew Jones', 388–92).
[35] R. J. Williams, Liverpool, 'Mrs J. M. Saunders', *Y Cenhadwr*, III/1, 1924, 13.
[36] Huw Walters, *Llyfryddiaeth Cylchgronau Cymreig/A Bibliography of Welsh Periodicals 1851–1900* (Aberystwyth: Llyfrgell Genedlaethol Cymru, 2003), t. 236.
[37] Cyferchir rhifyn cyntaf o'r *Monthly Treasury* gan olygydd *Y Drysorfa*, LXIV/759, 1894, 24, lle mynegir ymwybyddiaeth o'r angen am gyhoedd-iad 'Seisonig' gan fod 200 o eglwysi Saesneg wedi eu sefydlu erbyn hynny gan y Methodistiaid yng Nghymru, a'r amgylchiadau am ei lwyddiant felly'n fwy ffafriol nag adeg ymdrechion cynharach.
[38] S.M.S., 'Bethel Chapel: Sketches from Wales', *Monthly Treasury*, II/12, 1895, 23.
[39] S.M.S., 'A Man of God: Sketches from Wales', *Monthly Treasury*, II/13, 1895, 37.
[40] Ibid., 38–9.
[41] Ibid., 39.
[42] Ibid., 41.
[43] S.M.S., 'Bethel Chapel: Sketches from Wales', 21.
[44] Gweler y stori mewn dwy ran: 'Little Zaccheus', 56–60, a 'The Healing of the Breach', 91–6, *Monthly Treasury*, II/15, a II/16, 1895.
[45] Mrs J. M. Saunders, 'A Southerner's Visit to "Thrums"', *Monthly Treasury*, IV/45, 1897, 198–200.
[46] Hywel Teifi Edwards, *O'r Pentre Gwyn i Gwmderi: Delwedd y Pentref yn Llenyddiaeth y Cymry* (Llandysul: Gomer, 2004), t. 50.
[47] Mrs John M. Saunders, 'Impressions of the Paris Exhibition', *Monthly Treasury*, I/7, 1900, 154–6.
[48] Mae copïau gwreiddiol o'r llythrau hyn ym meddiant Mari Ellis.
[49] Mrs John M. Saunders, 'Chwedl Poli Gib, Rhan 1', *Y Drysorfa*, LXVII. Chwefror 1898–Rhagfyr 1897; 'Chwedl Pegi Gib, Rhan 2', *Y Drysorfa*, LXVIII, Ionawr 1898–Mawrth 1898.
[50] Ibid., Pennod III, *Y Drysorfa*, LXVII, 798, 1897, 165. Diddorol nodi nad oedd gwisgo dillad gorau i fynd i'r capel, mae'n debyg, wedi dod yn arferiad yn 70au'r bedwaredd ganrif ar bymtheg.
[51] Ibid., Pennod VI, 'Ymhlith y Cynghorwyr', *Y Drysorfa*, LXVII/801, 311.
[52] Ibid., Pennod VII, 'Y Merched', *Y Drysorfa*, LXVII/803, 416

[53] Ibid., Pennod VIII, 'Nac Arwain ni i Brofedigaeth', LXVII/804, 1897, 457.

[54] Mrs S. M. Saunders, 'Llythyr at Ferched Ieuainc Cymru', *Cymru: Heddyw ac Yforu*, gol., Stephens (Caerdydd: Western Mail, 1908), t. 149.

[55] Dylid hefyd gyfeirio yn y fan hon at stori gyfres arall, un o'r ychydig y gellid ei hysytried yn nofel, sef 'Catrin Prisiard' (37 o benodau), gan Winnie Parry, a gyhoeddwyd yn *Y Cymro* rhwng Ionawr a Hydref 1896.

[56] S.M.S., 'Chronicles of Abernant', *Monthly Treasury*, IV/ 37, 1897–IV/49, 1898 (yn achlysurol).

[57] S.M.S. 'The Well Beloved Gaius', 'Chronicles of Abernant', *Monthy Treasury*, IV/40, 1897, 77. Diddorol nodi yn y cyd-destun hwn sylw a wnaed gan R. R. Roberts yn ei deyrnged i John Saunders yn *The Treasury*, VIII/1, 1920, 2, lle dywed '. . . when I was his guest in Penarth, we sat up one night until 2.a.m. discussing . . . some of those sacred themes about which his mind constantly revolved . . . we then made an impromtu meal, and went for a short walk under the Constellations, and upon our return continued to talk about things older than they, until the dawn.'

[58] S.M.S., 'Theology and Furniture', 'Chronicles of Abernant', *Monthly Treasury*, IV/42, 1897, 135.

[59] S.M.S., 'Just Like his Father', 'Chronicles of Abernant', *Monthly Treasury*, IV/39, 1897, 65.

[60] Ibid.

[61] Caradoc Evans, 'Be this her Memorial', Cyhoeddwyd gyntaf yn yr *English Review* yn 1915 ac wedi hynny yn *My People*, yn yr un flwyddyn.

[62] M. Wynn Thomas, adolygiad o lyfr Caradoc Evans, *Nothing to Pay*, yn *New Welsh Review*, II/1, 1989, 81.

[63] 'Women's Place in Fiction', ed. Mrs S. M. Saunders, *Young Wales*, 3, 1897, 230–1.

[64] Yn y *Monthly Treasury*, II/18, 1895 yn yr erthygl 'The New Woman' gan rywun o'r enw 'E', meddir, 'It is not too much to anticipate that women will be M.P.'s sooner or later. Why not? We do not argue. We have not the least inclination to stem the current of the incoming tide. We hail the new woman, – clever, fluent, highly educated, and in full possession of all equal rights.' 139.

[65] S.M.S., 'Welsh Rural Sketches', *Young Wales*, 3–5, January 1896–March 1899.

[66] S.M.S., 'His Majesty of Pentre Rhedyn', *Young Wales*, 2, 1896, 3–8.

[67] Ibid., 3, 4.

[68] Ibid., 6.

[69] Ibid., 7.

[70] Ibid., 8.

[71] S.M.S., 'The Courtship of Edward and Nancy', *Young Wales*, 3, 1897, 28–32.

[72] S.M.S., 'Nancy on the Warpath', *Young Wales*, 3, 1897, 54–8.
[73] Ibid., 54.
[74] Ibid.
[75] Ibid., 58.
[76] Ibid.
[77] Ibid.
[78] Mrs S. M. Saunders, 'Llythyr at Ferched Ieuainc Cymru', *Cymru: Heddyw ac Yforu*, t. 149.
[79] Fel enillydd y nofel yn Eisteddfod Genedlaethol 1912, rhaid cadw mewn cof fod Moelona wrth gymryd rhan yn y gystadleuaeth yn sicr o fod yn ymwybodol o hoffter y beirniaid o bortreadau canmoliaethus o bentrefi Cymru, a'i bod felly, mae'n debyg, wedi rhamanteiddio'i phortread o Rydifor yn *Teulu Bach Nantoer* er mwyn eu plesio.
[80] Yn 1900 cychwynnodd y *Monthly Treasury* gyfrol newydd, a newidiodd yr is-deitl 'Organ of the English Methodist or Presbyterian Church of Wales' (1895–9), i 'The English organ of the Presbyterian Church of Wales' (1900–6).
[81] Huw Walters, *Llyfryddiaeth Cylchgronau Cymreig/A Bibliography of Welsh Periodicals 1851–1900*, t. 236.
[82] Mrs J. M. Saunders, 'The Miserliness of Twmi'r Llidiart', *Monthly Treasury*, I/1, 1900, 11. Dyma'r gyntaf mewn cyfres am Abergirmew sy'n canolbwyntio ar bobl ddi-Gymraeg yn yr ardal heb gapel Saesneg i'w fynychu.
[83] Ibid., 11–2; 34–6.
[84] Ibid., 12.
[85] S. M. Saunders, 'Cybydd-dra Twmi'r Llidiart', *Y Diwygiad ym Mhentre Alun*, tt. 187–98.
[86] Ibid., t. 189.
[87] Mewn erthygl yn y *Goleuad* (Mawrth 17, 1893), 3, cyfeiria Ruth, golygydd 'Colofn y Merched', at y llyfr *Irish Idylls* gan Miss Jane Barlow sy'n rhoi darlun canmoliaethus o bentref Cristnogol yn Iwerddon i'r Saeson.
[88] S.M.S., 'Storiau o Ddyddlyfr Martha Jones', *Y Gymraes*, 7, Medi, 1903, 154–6; Tachwedd, 165–7; Rhagfyr, 184–6.
[89] S.M.S., 'Storiau o Ddyddlyfr Martha Jones', 'Sali Coed Tân', *Y Gymraes*, 7, 1903, 154.
[90] Ibid.
[91] Ibid.
[92] S.M.S., 'Stori yr Ail, "Un o'r Rhai Bychain"', 'Storiau o Ddyddlyfr Martha Jones', *Y Gymraes*', 7, 1903, 166.
[93] Dienw, 'Y Diwygiad', *Cymru*, 28, 1905, 213.
[94] Russell Davies, *Secret Sins*, t. 193.
[95] S. M. Saunders, *Y Diwygiad ym Mhentre Alun ac ysgrifau ereill* (Gwrecsam: Hughes a'i Fab, 1907). Ailgyhoeddwyd un ar ddeg o storïau

y gyfrol hon yn: Sara Maria Saunders (S.M.S.), *Llon a Lleddf a Storïau Eraill*, gol., Rosanne Reeves (Dinas Powys: Honno, 2012). Lle mae hynny'n berthnasol, wrth drafod hanesion Pentre Alun, cyfeirir yn y troednodion at y cyhoeddiad hwn.

[96] S. M. Saunders, *Llithiau o Bentre Alun* (Gwrecsam: Hughes a'i Fab, 1908). Ailgyhoeddwyd dwy o storïau *Llithiau o Bentre Alun* yn: Sara Maria Saunders (S.M.S.), *Llon a Lleddf a Storïau Eraill*, gol., Rosanne Reeves (Dinas Powys: Honno, 2012). Wrth drafod y storïau hyn, cyfeirir yn y troednodion at y cyhoeddiad hwn.

[97] Sara Maria Saunders (S.M.S.). 'Dihangfa Dic Penrhiw', *Llon a Lleddf a Storïau Eraill*, tt.189–96.

[98] Ibid., t. 190.

[99] Ibid., t. 193.

[100] Ibid.

[101] Sara Maria Saunders (S.M.S.). 'Yr Etholedig Arglwyddes', *Llon a Lleddf a Storïau Eraill*, tt. 162–7.

[102] Ibid., t. 165.

[103] Ibid., t. 167.

[104] Ibid., t. 163.

[105] Sara Maria Saunders (S.M.S.), 'Gwragedd y Blaenoriaid', *Llon a Lleddf a Storïau Eraill*, tt. 197–204

[106] Ibid., tt. 197–8.

[107] Ibid., t. 198.

[108] Ibid.

[109] Ibid.

[110] Ibid., t. 199.

[111] Ibid.

[112] Fel y dywed Mari Ellis yn 'S.M.S., Y Ddynes Newydd', yn *Y Casglwr*, 74, 2002, 17, 'peth rhyfygus' oedd i fenyw siarad yn gyhoeddus yn y dyddiau hynny, ac roedd y newid yma ym mhersonoliaethau'r gwragedd yn gam mawr ymlaen yn eu statws fel unigolion annibynnol.

[113] Sara Maria Saunders (S.M.S.), 'Gwraig y Tŷ Capel', *Llon a Lleddf a Storïau Eraill*, tt. 175–81.

[114] Ibid., t. 176.

[115] Mrs S. M. Saunders, 'Llythyr at Ferched Ieuainc Cymru', *Cymru: Heddyw ac Yforu*, t. 149.

[116] Sara Maria Saunders (S.M.S), 'Gwraig y Tŷ Capel', *Llon a Lleddf a Storïau Eraill*, t. 176.

[117] Ibid., t. 177.

[118] Ibid., t. 181.

[119] Sara Maria Saunders (S.M.S), 'Priodas Lisa Bennet', *Llon a Lleddf a Storïau Eraill*, tt. 216–28.

[120] Ibid., t. 217.

[121] Ibid., t. 218
[122] Ibid., t. 217.
[123] David Morgan, *Llangeitho a'i Hamgylchoedd: Testun cyfarfod cystadleuol* (llyfryn a argraffwyd yn Aberystwyth, Heol y Bont, 1859), t. 12; gweler hefyd Griffith Parry yn 'Trefecca, Llangeitho a'r Bala', *Y Drysorfa*, 1892, lle dywed: 'Am Langeitho, drachefn, y mae llawer llai na'r Bala, gan nad ydyw ond pentref bychan yn cynnwys 42 o dai a 180 o drigolion.'
[124] Sara Maria Saunders, 'Priodas Lisa Bennet', *Llon a Lleddf a Storïau Eraill*, t. 220. Yn 1851, yr oedd 26 y cant o boblogaeth fenywaidd Cymru dros 10 oed yn gweithio i ennill bywoliaeth: gweler Sian Rhiannon Williams, 'The True "Cymraes": Women's Nineteenth-Century Welsh Periodicals', *Our Mothers' Land*, t. 76. Gwyddom fod merched Llanestyn yn gweithio ar y tir oherwydd pan werthodd Gwen ei gwallt i ferch y Plas yn y stori 'Er ei Fwyn Ef', tynnir sylw at ei hanabledd, a'i rhwystrodd rhag mynd i dynnu tatws, fel merched eraill o'i hoed.
[125] Ibid.
[126] Ibid., t. 221.
[127] Ibid.
[128] Ibid., t. 223.
[129] Ibid., t. 228.
[130] Russell Davies, *Secret Sins*, t. 207; meddai Geraint H. Jenkins yn *The Foundations of Modern Wales, 1642–1780* (Oxford: Oxford University Press, 1993), roedd y werin yn barod 'to respond favourably to the soul-stirring message of [the Welsh Methodist] leaders. John Wesley was right: "Wales was ripe for the Gospel"', t. 212. Roedd y traddodiad wedi parhau, a'r un peth yn dal yn wir am fenywod cyffredin di-ddysg fel Sali a Lisa yn nechrau'r ugeinfed ganrif.
[131] Russell Davies, *Secret Sins*, t. 207.
[132] Meddir yn Huw Walters, *Llyfryddiaeth Cylchgronau Cymreig/A Bibliography of Welsh Periodicals 1851–1900*, t. 56: '**Forward Movement herald** Became **Forward Movement torch** Aug. 1899; The Torch 1905. Incorporated in The Treasury 1913'.
[133] Mrs S. M. Saunders, 'Revival Stories', *The Torch*, 1908–9 yn achlysurol.
[134] Sara Maria Saunders (S.M.S.), 'Dihangfa Dic Penrhiw', *Llon a Lleddf a Storïau Eraill*, t. 190.
[135] Mrs S. M. Saunders, 'The Escape of Dick Penrhiw', *The Torch*, V/1, 1909, 18–20.
[136] Ibid., 18.
[137] Mrs S. M. Saunders, 'His Choice', *The Torch*, V/2, 1909, 38–40.
[138] S.M.S., 'Slum Stories', *The Torch*, VI/2; VI/4; VI/5, 1910.
[139] S.M.S., 'Storiau o Ddydd-lyfr Martha Jones', *Y Gymraes*, 7, 1903, 165.

[140] S.M.S., 'Slum Stories', *The Torch*, VI/5, 1910, 79.
[141] Mrs J. M. Saunders, 'Llythyrau Agored', *Yr Efengylydd*, 2 (Cyfres newydd), Ionawr; Ebrill; Mehefin, 1910. Yr adeg hon yr oedd yn dal i fyw ym Mhen-coed.
[142] Mrs J. M. Saunders, 'Llythyrau Agored' III, *Yr Efengylydd*, II/6, 1910, 90.
[143] S.M.S., 'Geneth yr Orsaf', *Y Gymraes*, 15 Ionawr – Mai 1911, yn fisol.
[144] Sara Maria Saunders (S.M.S.), 'Elen Werngoch', *Llon a Lleddf a Storïau Eraill*, t. 87.
[145] Mrs J. M. Saunders, 'Hen Bobl Llanestyn', *Yr Ymwelydd Misol*, 12, Mawrth–Hydref, 1914.
[146] Mrs J. M. Saunders, 'Bedd Myfanwy: Hen Bobl Llanestyn', *Yr Ymwelydd Misol*, 12, 1914, 3–5.
[147] Ibid., 3.
[148] Ibid., 4.
[149] Ibid., 4.
[150] Ibid., 5.
[151] Mrs J. M. Saunders, 'Mewn Cadwynau: Hen Bobl Llanestyn', 147–9.
[152] Ibid., 65–6.
[153] Ibid., 148. Gweler Gareth Williams, 'Crisis and Change in Cardiganshire', *Ceredigion*, IX/4 1983, 314. Mae'r erthygl hon yn rhoi darlun cynhwysfawr o'r newidiadau a effeithiodd ar gymdeithas Ceredigion yn y bedwaredd ganrif ar bymtheg a dechrau'r ugeinfed. Meddir: 'The cultural alienation resulting from the imposition and, it must be stressed, ready acceptance of one sort of education on a society based on another could not be other than far-reaching.'
[154] Mrs J. M. Saunders, 'Lower Bernard Street Stories', *The Outlook*, 1913–14 (Seland Newydd).
[155] Mrs J. M. Saunders, 'Stories from Wales', *The Outlook*, 1914.
[156] Mrs S. M. Saunders, 'Tales of Shabby Street' (Los Angeles), *The Treasury*, 8, March–June 1920; 'Tales of Shabby Street' (Cardiff), *The Treasury*, 9–10, August–July 1920–1; 'Tales of Shabby Street – Second Series' (Cardiff), *The Treasury*, 10–12, December 1921–August 1923.
[157] Mrs S. M. Saunders, 'Tales of Shabby Street, Story II – "Thinker"', *The Treasury*, VIII/4, 1920, 53.
[158] Mrs S. M. Saunders., 'Tales of Shabby Street: The Lady Evangeline', *The Treasury*, VIII/8, 1920, 118.
[159] Ibid.
[160] Mrs S. M. Saunders, 'Story II, "Thinker"', 53.
[161] S.M.S., 'Memoirs of Bronwen', *The Treasury*, XII/1–XII/6, 1924, yn achlysurol.
[162] S.M.S., 'Miss Polly and Others: Memoirs of Bronwen', XII/3, 1924, 45.
[163] Ibid.

[164] Ibid., 'Story IV – Three People', 'Memoirs or Bronwen', XII/6, 1924, 92.
[165] Ibid.
[166] Ibid.
[167] Ibid., 93.
[168] Ibid., 94.
[169] J. Thomas, 'Jiwbili y Genhadaeth', *Y Drysorfa*, LXI/723, 1891, 131–3.
[170] Sara Maria Saunders (S.M.S), 'Er ei Fwyn Ef', *Llon a Lleddf a Storïau Earill*, t. 72–3.
[171] Ibid., t. 62
[172] Ibid., t. 64.
[173] Sara Maria Saunders (S.M.S.), 'Chwedl Poli Edwart', *Llon a Lleddf a Storïau Eraill*, tt. 237–42.
[174] Ibid., t. 241.
[175] Ibid.
[176] Ibid., t. 237.
[177] [Anhysbys] 'Nodiadau Misol: Merched yn Dringo', *Y Drysorfa*, LX, 1890, 272.
[178] *A Bird's Eye View of our Foreign Fields* (Caernarvon: Calvinistic Methodist Book Agency, 1919). Cyfieithwyd gan W. T. Ellis o dan y teitl *Rhamant ein Cenhadaeth Dramor* (Caernarfon: Llyfrfa'r Methodistiaid Calfinaidd, 1924).
[179] Mrs S. M. Saunders., 'The Autobiography of Angharad', *The Treasury*, XVII/1–XVII/12, 1929.
[180] Mrs S. M. Saunders, 'The Autobiography of Angharad', Chapter I, *The Treasury*, XVII/1, 1929, 13.
[181] Ibid.
[182] Mrs S. M. Saunders, 'The Autobiography of Angharad', Chapter VII, *The Treasury*, XVII/6, 1929, 109.
[183] Ibid., 189.
[184] E. Wyn James, 'Cwm Rhondda a Cheinewydd: Croth a Chrud Diwygiad 1904–5', t. 211.
[185] Jane Aaron, *Pur fel y Dur*, t. 198.
[186] Katie Gramich, 'Dehongli'r Diwygiad', *Taliesin*, 128, Haf 2006, 24.
[187] Ceridwen Lloyd-Morgan, 'Cryfder cudd y ferch', adolygiad o *Llon a Lleddf a Storïau Eraill* gan S.M.S., *Barn,* Rhagfyr/Ionawr 2012–13, 80.

6

Cymharu Llenyddiaeth Gwyneth Vaughan a Sara Maria Saunders

[1] S.M.S., 'The Elect Lady', 'Chronicles of Abernant', *Monthly Treasury* IV/37, 1897, 4.

[2] Thomas Parry, 'Gwyneth Vaughan', *Cylchgrawn Cymdeithas Hanes a Chofnodion Sir Feirionnydd*, VIII/3, 1979, 228.

[3] Gwyneth Vaughan, 'Nain Wm: Bryn Ardudwy a'i Bobl', *Yr Haul*, VII/74, 1905, 77.

[4] Gwyneth Vaughan, *Plant y Gorthrwm* (Caerdydd: The Educational Publishing Co., 1908), tt. 26–7.

[5] Gwyneth Vaughan, *O Gorlannau y Defaid* (Caerfyrddin: W. Spurrel a'i Fab, 1905), t. 219.

[6] Gwyneth Vaughan, 'Cysgodau y Blynyddoedd Gynt', Pennod 17, Gorffennaf 25, 1907, 6.

[7] Gwyneth Vaughan, 'Aer y Neuadd Las: Bryn Ardudwy a'i Bobl', *Yr Haul*, V/58, 1903, 453.

[8] Gwyneth Vaughan, *Plant y Gorthrwm*, t. 22.

[9] Gwyneth Vaughan, *O Gorlannau y Defaid*, t. 68.

[10] Gwyneth Vaughan, 'Women and their Questions' yn y golofn 'Progress of Women in Wales', *Young Wales*, 3, 1897, 20, eds, Mrs Wynford Philipps, and Miss Elsbeth Philipps, sef golygyddion y golofn.

[11] Jane Aaron, *Pur Fel y Dur: Y Gymraes yn Llên Menywod y Bedwaredd Ganrif ar Bymtheg* (Caerdydd: Gwasg Prifysgol Cymru, 1998), t. 197.

[12] John Bennett Jones, 'Gwyneth Vaughan', *Y Geninen*, 30, 1912, 'Ceninen Gŵyl Dewi', 44.

[13] Gwyneth Vaughan, 'Cornel y Ford Gron', *Y Cymro*, Mehefin 21, 1906.

[14] W. J. Gruffydd. Dyfynnwyd yn T. I. Ellis, *John Humphreys Davies 1871–1926* (Lerpwl: Gwasg y Brython, 1963), t. 237.

[15] Fel y dywed R. J. Colyer yn 'Some Aspects of Land Occupation in Nineteenth Century Cardiganshire', yn *Trafodion Anrhydeddus Gymdeithas y Cymmrodorion*, 1981, 80, 'Only the man desperate for a holding would seek to become the tenant of an isolated mountain heath farm', sy'n adlewyrchu amgylchiadau echrydus mam sengl yn ceisio cadw ei theulu drwy'r fath weithgaredd.

[16] Gweler O. L. Roberts, *Cofiant y Parch O. R. Owen: Glandwr a Lerpwl* (Lerpwl: Evans Sons a Foulkes, Swyddfa'r *Brython*, 1909).

[17] E. Wyn James, 'Cwm Rhondda a Cheinewydd: Croth a Chrud Diwygiad 1904–5', *Cawr i'w Genedl: Cyfrol i Gyfarch yr Athro Hywel Teifi Edwards*, gol., Tegwyn Jones a Huw Walters (Llandysul: Gomer, 2008), t. 200.

[18] Ibid., t. 201.
[19] Mrs J. M. Saunders, 'Bedd Myfanwy: Hen Bobl Llanestyn', *Yr Ymwelydd Misol*, 12, 1914, 3.
[20] Sara Maria Saunders (S.M.S.), 'Sali Coed Tân', *Llon a Lleddf a Storiau Eraill*, t. 215.
[21] Gwyneth Vaughan, 'Rhagymadrodd', *O Gorlannau y Defaid*.
[22] Thomas Parry, 'Gwyneth Vaughan', 234.
[23] Yr oedd Richard Humphreys y Dyffryn (1790–1863) yn gymeriad hanesyddol – yn weinidog Methodist o Ddyffryn Ardudwy.
[24] Gwyneth Vaughan, *O Gorlannau y Defaid*, t. 3.
[25] Anhysbys, 'Y Diwygiad', *Cymru*, 38, 1905, 214.
[26] Gweler y 'Llythyrau Agored' a ysgrifennodd S.M.S. i'r *Efengylydd* yn Ionawr, Chwefror, a Mawrth, 1910, sy'n canolbwyntio ar egluro i ferch ifanc bryderus sut i ddarganfod a meddiannu gwir grefydd.
[27] Sara Maria Saunders (S.M.S.), 'Y Can' Cymaint', *Llon a Lleddf a Storïau Eraill*, tt. 82–3.
[28] J. J. Roberts (Iolo Caernarfon), 'Mrs J. M. Saunders, Penarth', *Y Gymraes*, 1, 1897, 99.
[29] Sara Maria Saunders (S.M.S), 'Benja Jones y Teiliwr', *Llon a Lleddf a Storïau Eraill*, t. 50.
[30] Mrs J. M. Saunders, 'Teulu Rhos Llidiart', *Llon a Lleddf* (Treffynnon: P.M. Evans a'i Fab, 1897), t. 31.
[31] Sara Maria Saunders (S.M.S.), 'Rheithor y Plwyf', *Llon a Lleddf a Storïau Eraill*, t. 103.
[32] Ibid., t. 104.
[33] Ibid.
[34] Ibid., t. 105.
[35] Ibid.
[36] Ibid., t. 106.
[37] Gwyneth Vaughan, 'Pobl a Gyfarfyddais', *Papur Pawb*, Medi 29, 1900, 8.
[38] Gwyneth Vaughan, *O Gorlannau y Defaid*, t. 64.
[39] Gwyneth Vaughan, 'Cornel y Ford Gron', *Y Cymro*, Mawrth 21, 1907.
[40] Gwyneth Vaughan, 'Pobl a Gyfarfyddais', *Papur Pawb*, 29 Medi 1900, 8. Dair blynedd yn ddiweddarach mynegir yr un math o dristwch yn *Young Wales*, 9, 1903, 91, gan W. George Roberts yn ei erthygl 'Nonconformity: A Force in Welsh National Life', lle dywed 'The greatest blot perhaps on Nonconformity has been the readiness with which it has lent itself to denominational strife and jealousy. The astounding bitterness of feeling which existed years ago, and which is not quite extinct even at the present day, between the different sects is responsible for a cleavage in the social life of Wales.'
[41] Gwyneth Vaughan, 'Cornel y Ford Gron', *Y Cymro*, 5 Gorffennaf 1906.

[42] Ibid., Cyfeirio at y Deon Howell (Llawdden) a wna Gwyneth Vaughan yn y fan hon, gŵr a edmygai o waelod ei chalon, ac y soniodd amdano fwy nag unwaith yn ei hysgrifennu.

[43] Gwyneth Vaughan, *O Gorlannau y Defaid*, t. 245.

[44] Ibid., 243.

[45] Ceir enghraifft arall sy'n dangos awydd yr Eglwys Wladol i feddiannu plant talentog yr Ymneilltuwyr yn 'Troad y Rhod', 45. Er fod William Jones, ewythr Ned, yn awyddus i weld ei nai yn llwyddo, 'nid oedd yn barod', meddir, 'i roi Nedw *yn anrheg i'r Eglwys Wladol*'.

[46] Gwyneth Vaughan, 'Pobl a Gyfarfyddais', XVI, *Papur Pawb*, 17 Tachwedd 1900, 4.

[47] Gwyneth Vaughan, 'Pobl a Gyfarfyddais', XII, *Papur Pawb*, 20 Hydref 1900, 4.

[48] Gwyneth Vaughan, *O Gorlannau y Defaid*, t. 243.

[49] Gwyneth Vaughan, 'Pobl a Gyfarfyddais', *Papur Pawb*, 17 Tachwedd 1900, 4.

[50] Gwyneth Vaughan, 'Cornel y Ford Gron', *Y Cymro*, 19 Gorffennaf 1906.

[51] Ibid.

[52] Ibid.

[53] *Monthly Treasury*, IV/ 40, 1897, 74.

[54] Mrs J. M. Saunders, 'Rhagymadrodd', *Llon a Lleddf*.

[55] Mari Ellis, 'S.M.S. y Ddynes Newydd', *Y Casglwr*, 74, 2002, 11 a 17.

[56] Mrs J. M. Saunders, 'Master', *Monthly Treasury*, VI/63, 1899, 53–65; VI/69, 1899, 197–200; VI/72, 1899, 272–4.

[57] S.M.S., 'Stories from the lives of the Methodist Fathers', *Monthly Treasury*, I/1, 1894–I/5, 1894. Yn y gyfres hon mae S.M.S., mewn gwirionedd, yn mynd yn ôl i'r cyfnod cyn i'r 'Tadau Methodistaidd' ddylanwadu ar grefydd Cymru.

[58] Gwyneth Vaughan, 'At y Darllenydd', cyfarchiad o dan 'Rhagymadrodd', yn *Plant y Gorthrwm*, a ysgrifennwyd gan Evan Jones, newyddiadurwr a gweinidog amlwg gyda'r Methodistiaid yng Nghaernarfon, oedd yn adnabod Gwyneth Vaughan yn dda.

[59] Gwyneth Vaughan, *Plant y Gorthrwm*, tt. 111–12.

[60] Gwyneth Vaughan, *Plant y Gorthrwm*, t. 88. Teitl y bennod hon yw 'Apostol Rhyddfrydiaeth Cymru', cymeriad tebyg iawn i Henry Richard. Neilltuir y bennod gyfan i'r sgwrs rhwng y '[g]wladweinydd penigamp' ond dienw yn y nofel, a Rhianon, ac wedyn i'w ymweliad â'r Hafod Oleu, lle'r oedd yn lletya, tt. 88–91.

[61] B. L. Davies, *Henry Richard* (Aberystwyth: The Centre for Education Studies, 1993), t. 5. Medd yr awdur: 'Henry Richard . . . has been given but little acknowledgement for his immense involvement in providing the youth of Wales with improved educational facilities.'

[62] Gwyneth Vaughan, *Plant y Gorthrwm*, t. 90.

[63] Dewi Rowland Hughes, *Cymru Fydd* (Caerdydd: Gwasg Prifysgol Cymru, 2006), t. 158. Sefydlwyd Ffederasiwn Rhyddfrydol Merched Cymru yn 1886, ac Undeb Cymdeithasau Rhyddfrydol Menywod Cymru yn 1891 o dan ofal Mrs T. E. Ellis a Mrs D. A.Thomas. Dyma'r corff a ymgorfforwyd yn 1895 yn rhan o Gynghrair Cenedlaethol Cymru Fydd.

[64] Gwyneth Vaughan, 'Women and their Questions', erthygl i'r golofn 'Progress of Women in Wales', eds Mrs Wynford Philipps and Miss Elsbeth Philipps, *Young Wales*, 3, 1897, 19–20.

[65] Kenneth O. Morgan, 'Radicalism and Nationalism', *Wales Through the Ages*, Vol. 2, ed. A. J. Roderick (Llandybïe: Christopher Davies, 1960), t. 193.

[66] Sara Maria Saunders (S.M.S.), 'Benja Jones y Teiliwr', *Llon a Lleddf a Storiau Eraill*, t. 60.

[67] Mrs S. M. Saunders, 'The Autobiography of Angharad', *The Treasury*, XVII/3, 45.

[68] Mrs S. M. Saunders, ed. 'Women's Place in Fiction', *Young Wales*, 3, 1897, 230–1.

[69] S.M.S., 'A Tragedy Averted', *Young Wales*, 5, 1899, 54–8.

[70] Ibid., 55.

[71] Ellen Hughes, 'Y Ddynes Newydd', *Y Gymraes*, 1, 1896, 28.

[72] Christopher Parker, ed. 'Introduction', *Gender Roles and Sexuality in Victorian Literature* (Aldershot: Scolar Press, 1995), t. 15.

[73] Ellen Hughes, 'Y Ddynes Newydd', *Y Gymraes*, 1, 1896, 28.

[74] Annie Catherine Prichard (Ruth), 'Colofn y Merched', *Y Goleuad*, 23 Mehefin 1893, 2.

[75] Sara Maria Saunders (S.M.S.), 'Gwraig y Tŷ Capel', *Llon a Lleddf a Storïau Eraill*, t. 175.

[76] Sara Maria Saunders (S.M.S.), 'Yr Ail a'r Trydydd', *Llon a Lleddf a Storïau Eraill*, t. 187.

[77] Sara Maria Saunders (S.M.S.), 'Gwraig y Tŷ Capel', *Llon a Lleddf a Storïau Eraill*, t. 180.

[78] Sara Maria Saunders (S.M.S.), 'Siomedigaeth Rebeccah Parry', *Llon a Lleddf a Storïau Eraill*, tt. 155–61.

[79] Ibid., t. 159.

[80] Ibid., t.158.

[81] Sara Maria Saunders (S.M.S.), 'Merch y Brenin', *Llon a Lleddf a Storïau Eraill*, t. 51.

[82] S.M.S., 'Chronicles of Abernant', Chapter 3, 'Just Like his Father', *Monthly Treasury*, IV/39, 1897, 65.

[83] Gwyneth Vaughan, 'Twm Wiliam: Bryn Ardudwy a'i Bobl', *Yr Haul*, V/56, 1903, 348.

[84] Ibid.

[85] Ibid., 349.

[86] Ibid., 348.

[87] Gwyneth Vaughan, 'Yr Hen Deiliwr: Bryn Ardudwy a'i Bobl', *Yr Haul*, V/59, 1903, 521.

[88] Ibid.

[89] Dechreuwyd tanseilio'r gred gonfensiynol y gellid gosod y ddau ryw yn dwt mewn adrannau ar wahân yn ôl eu gwahanol nodweddion, nôl yng nghanol y ganrif yn Lloegr, pan na ellid osgoi 'The Woman Question' mwyach – pwnc a drafodir yn fanwl yn *Gender Roles and Sexuality in Victorian Literature*, ed. Christopher Parker (Aldershot: Scolar Press, 1995).

[90] Rosemary A. N. Jones, 'Women, Community and Collective Action: The "Ceffyl Pren" Tradition', *Our Mothers' Land*, ed. Angela V. John, t. 27. Diddorol nodi i ohebydd sarhaus o'r enw Offa yn *Y Brython*, ochr yn ochr â phennod gyntaf 'Cysgodau y Blynyddoedd Gynt', fynegi'r un math o ofn pan ddywed, 'Pa un yw y pwysicaf i gymdeithas, ai cael pleidlais i'r merched ynte cael merched yn abl i gyflawni pob gwasanaeth angenrheidiol mewn tŷ?'

[91] Gwyneth Vaughan, 'Cysgodau y Blynyddoedd Gynt', *Y Brython*, Pennod VI, 18 Ebrill 1907, 6.

[92] Ibid., 4.

[93] Ibid.

[94] S.M.S., 'Gwragedd y Blaenoriaid', t. 200.

[95] Sara Maria Saunders (S.M.S.), 'Y Can Cymaint', *Llon a Lleddf a Storïau Eraill*, tt.183–4.

[96] Sara Maria Saunders (S.M.S.), 'Gwragedd y Blaenoriaid', *Llon a Lleddf a Storïau Eraill*, t. 201.

[97] S. M. Saunders, 'Helbul Robert Jones', *Llithiau o Bentre Alun*, tt. 77–87.

[98] Ibid., 78.

[99] S. M. Saunders, 'Aberth Gwirfoddol', *Y Diwygiad ym Mhentre Alun*, 239–53. Ifan Cadwgan, Llanestyn, yw'r traethydd, a gellid gosod y stori hon ymhlith yr ysgrifau ychwanegol a gynhwysir yn y llyfr *Y Diwygiad ym Mhentre Alun*.

[100] Ibid., 246–7.

[101] S. M. Saunders, 'Gwraig Watkin Jones', *Llithiau o Bentre Alun*, t. 32.

[102] Ibid.

[103] Mrs J. M. Saunders, 'The Vagaries o Solly Pepper: Tales of Shabby Street': *The Treasury*, VIII/9, 1920, 135.

[104] Mrs J. M. Saunders, 'Yn Llefaru Eto', *Llon a Lleddf*, 114.

[105] Joan Bennet, *Virginia Woolf: Her Art as a Novelist* (Cambridge: Cambridge University Press, 1945), t. 91.

[106] Katie Gramich, *Twentieth Century Women's Writing in Wales: Land, Gender, Belonging* (Cardiff: University of Wales Press, 2007), t. 25.

[107] Gwyneth Vaughan yn ysgrifennu o dan y ffugenw 'Hen Gymro' yn 'Syniade Hen Gymro', *Y Cymro*, 8 Hydref 1903.

[108] D. Myrddin Davies, 'Cymeriad yn Llenyddiaeth Cymru hyd yr ugeinfed ganrif', *Cymru*, 68, Mai 1925, 157. Gwerth nodi'r erthygl hon, gan ei bod, yn wahanol i'r mwyafrif o erthyglau a ysgrifennwyd ar yr adeg hon, yn mabwysiadu agwedd negyddol tuag at ddylanwadau crefyddol ar lenyddiaeth Cymru.

[109] Gwyneth Vaughan, "Welsh Pulpit", *Y Genedl Gymreig*, Awst 7, 1894. Fel gwraig i feddyg mae'n siŵr ei bod wedi gweld digon o dystiolaeth o gleifion yn troi at feddyginiaethau'r 'cwacs' heb gael gwellhad, a hynny'n amlwg yn ei chynddeiriogi.

[110] Gwyneth Vaughan, 'Myfyrion Dechrau Blwyddyn', *Y Brython*, Ionawr 21, 1909, 6.

[111] S.M.S., 'A Wolf in Sheep's Clothing: Welsh Rural Sketches', *Young Wales*, 3, 1897, 247.

[112] Gwyneth Vaughan, 'Gweledigaeth y Babell Wag', *Cymru*, 22, 1902, 26.

[113] Sara Maria Saunders (S.M.S.), 'Gwen, fy Chwaer', *Llon a Lleddf a Storïau Eraill*, t. 130.

[114] S. M. Saunders, 'Byw yn y Parlwr', *Y Diwygiad ym Mhentre Alun*, t. 91.

[115] Mari Ellis, 'Cefn Gwlad: S.M.S. Awdures Enwog o Llangeitho', *Country Quest* (February 1998), 30.

[116] Mari Ellis, 'Gwyneth Vaughan' (Sgwrs a ddarlledwyd ar Radio Cymru; mae copi o'r llawysgrif ym meddiant Mari Ellis).

[117] Kate Roberts, 'Tafodiaith mewn Storïau', *Y Llenor*, 10, 1931, 55.

[118] Gwyneth Vaughan, *Plant y Gorthrwm*, t. 86.

[119] Sara Maria Saunders (S.M.S.), 'Poli Pat', *Llon a Lleddf a Storïau Eraill*, tt. 168–75.

[120] Ibid., t. 170.

[121] Ibid., t. 171.

[122] Ibid., t. 172.

[123] Ibid.

[124] Gwyneth Vaughan, *O Gorlannau y Defaid*, tt. 151–2.

[125] Gwyneth Vaughan, 'His Majesty of Pentre-Rhedyn: Welsh Rural Sketches', *Young Wales*, 2, 1896, 3–8.

[126] Christine Jones, 'Llenyddiaeth mewn Tafodiaith: Tafodiaith mewn Llenyddiaeth', *Llenyddiaeth mewn Theori*, 1, 2006, 81–99.

[127] S.M.S., 'His Majesty of Pentre-Rhedyn: Welsh Rural Sketches', *Young Wales*, 2 January 1896, 6.

[128] Beriah G. Evans, 'Wales and its Novelists', *Wales*, 1, 1911, 38.

[129] Jane Aaron, *Pur fel y Dur*, 214.

[130] Mari Ellis, darlith ar Radio Cymru (dim dyddiad ond mae copi o'r llawysgrif ym meddiant yr awdur).

[131] Jane Aaron, *Pur fel y Dur*, t. 214.

[132] Sian Rhiannon Williams, 'The True "Cymraes": Images of Women's Nineteenth-Century Welsh Periodicals', *Our Mothers' Land: Chapters in Welsh Women's History 1830–1939*, ed. Angela V. John, t. 88.

[133] Hywel Teifi Edwards, *O'r Pentre Gwyn i Gwmderi: Delwedd y pentref yn llenyddiaeth y Cymry* (Llandysul: Gomer, 2004). Yma mae Hywel Teifi Edwards yn sôn am y ddelwedd ramantaidd, rithiol o gefn gwlad a gyflwynwyd gan awduron Cymru o dan ddylanwad traddodiad a gychwynnodd yn yr 1830au yn Lloegr, traddodiad a ddylanwadodd ar O. M. Edwards yn ystod ei ddyddiau yn Rhydychen.

[134] Hywel Teifi Edwards, 'O'r Pentref Gwyn i Llaregyb', *DiFfinio Dwy Lenyddiaeth Cymru*, gol., M. Wynn Thomas (Caerdydd: Gwasg Prifysgol Cymru, 1995), tt. 7–41.

[135] Ibid, t. 25. Meddai Hywel Teifi Edwards am agwedd ddilornus O. M. Edwards tuag at Caradoc Evans: 'Pan oedd protestiadau ei gyd-Gymry ffyrnicaf yn erbyn y "bradwr" a'r "renegade" ni chafodd sillaf o sylw yn *Cymru.*'

[136] Thomas Parry, 'Gwyneth Vaughan', 234.

[137] Gwyneth Vaughan, *O Gorlannau y Defaid*, t. 73.

[138] Sara Maria Saunders (S.M.S.), 'Yr Etholedig Arglwyddes', *Llon a Lleddf a Storïau Eraill*, t. 162.

[139] Ibid.

[140] Ceir rhestr ohonynt gan E. G. Millward yn *Llên Cymru*, 24 (2001).

[141] Sara Maria Saunders (S.M.S.), 'Rheithor y Plwyf', *Llon a Lleddf a Storïau Eraill*, t. 140.

[142] Dyfyniad o bregeth Thomas Arnold i fechgyn ysgol Rugby yn 1837 yn Jennifer Hayward, *Consuming Pleasures: Active Audiences and Serial Fictions from Dickens to Soap Opera* (Kentucky: The University Press of Kentucky, 1997), t. 24.

[143] Ibid.

[144] Linda K. Hughes and Michael Lund, *The Victorian Serial* (Charlottesville and London: University Press of Virginia, 1991), t. 4.

[145] Ibid., t. 5.

[146] Ibid., t. 11.

[147] Huw Walters, *Y Wasg Gyfnodol Gymreig 1735–1900: Arddangosfa yn Llyfrgell Genedlaethol Cymru, 18 Gorffennaf–5 Medi 1987*, t. 32.

[148] Ibid. t. 34.

Diweddglo

[1] Virginia Woolf, *Three Guineas* [1938] (Harmondsworth: Penguin, 1977), tt. 125–6.

[2] Ann Heilmann, ed. 'Introduction', *Feminist Forerunners: New Womanism and feminism in the early twentieth century* (London: Pandora, 2001), t. 7; gweler hefyd y bennod 'A New Race of Colored Women, tt. 92–3.

[3] Ibid., tt. 8–9.

[4] Jane Aaron, 'Identifying Welsh Feminisms: Narrative Legacies and Political Futures', papur anghyhoeddedig a gyflwynwyd ym Mhrifysgol Salford yn 1997.

[5] Ann Heilmann, ed. *Feminist Forerunners,* t. 1.

[6] Jane Aaron, *Pur fel y Dur*, t. 200.

[7] O. M. Edwards, 'At ohebwyr', *Cymru* 12 (1896), 196.

[8] Arwyddocaol nodi bod dau o ewythredd Gwyn A. Williams wedi rhoi'r gorau i'r ddiod feddwol weddill eu hoes fel canlyniad i'r Diwygiad 'but moved from the Revival straight into the Independent Labour Party'; gweler Gwyn A. Williams, *When Was Wales?* (London: Penguin, 1985), t. 240.

[9] D. W. Bebbington, *The Nonconformist Conscience: Chapel and Politics 1870–1914* (London: George Allen & Unwin, 1982), p. 160.

[10] Ôl-nodyn ar waelod 'Notes on the work of Welsh Liberal women', gan y golygydd J. Huw Edwards, yn *Young Wales*, 1 (1895), 19.

[11] Un o ddatganiadau Hywel Teifi Edwards yn y rhaglen 'Hywel Teifi', cynhyrchiad Apollo, a ddarlledwyd ar S4C, 14 Medi 2009.

Llyfryddiaeth

Cyhoeddiadau Gwyneth Vaughan

'Women and Temperance', *The Christian Standard*, I/3, 1891, 10.

'Ladies Column', ed. *Welsh Weekly*, 1892, yn wythnosol.

'Our Bob', *Welsh Weekly*, 26 February 1892, 14.

'A Day at Llandrindod', *Welsh Weekly*, 1 April 1892, 14.

'How the Poacher Paid his Debt', *Welsh Weekly*, 6 May–27 May 1892, yn wythnosol.

'Correspondence: Our Young People', *The Dowlais Weekly Gazette*, 4 November 1893, 2.

'Enquiry Column', ed. *Dowlais Gazette*, 1894.

'Tafarnau Arfon: At Olygydd y "Genedl"', *Y Genedl Gymreig*, 4 Medi 1894.

'"Y Welsh Pulpit": At y Golygydd', *Y Genedl Gymreig*, 7 Awst 1894, 6.

'Dewi a'r "Welsh Pulpit": At Olygydd Goleuad', *Y Goleuad*, 26 Medi 1894, 10.

'Colofn y Merched', *Yr Eryr*, 1894–5, yn achlysurol.

'Women and their Questions' yn 'Progress of Women in Wales', eds Mrs Wynford Philipps and Miss Elsbeth Philipps, *Young Wales*, 3, 1897, 19–20.

'Cadair yr Eisteddfod Genedlaethol', *Y Geninen*, XVII/4, 1899, 250–2.

'John Grwgnach Jones', *Cymru*, 19, 1900, 334.

'"Cydymdeimlad": Cyflwynedig i Weddw y diweddar T. E. Ellis', *Cymru*, 28, 1900, 245.

'Yr Eisteddfod Genedlaethol – Awgrymiadau i'r Pwyllgorau Lleol', *Y Geninen*, XVIII/3, 1900, 92–194.

'Pobl a Gyfarfyddais', *Papur Pawb*, 14 Gorffennaf–15 Rhagfyr 1900, yn wythnosol gyda rhai eithriadau.

'Our Welcome: From the Mountains of Eryri', *Celtia*, I/2, 1901, 19–20.

'Telynores Gwalia', *Cymru'r Plant*, 10, 1901, 210–12.

'"Nid Da lle Gellir Gwell!": Arawd a draddodwyd yng Ngorsedd Beirdd Ynys Prydain, yn Merthyr Tydfil', *Y Geninen*, XIX/4, 1901, 278–9.

'Can gwledydd ereill: "Cariad" (O Almaeneg Heine gan Gwyneth Vaughan)', *Cymru*, 20, 1901, 280.

'The Pan Celtic Procession: A National Costume', *Celtia*, I/9, 1901, 131–46.

'The Welsh Language – Its Condition and Prospects: To the Editor of "Celtia"', *Celtia*, II/1, 1902, 62.

'Gweledigaeth y Babell Wag', *Cymru*, 22, 1902, 24–8.

'Hunangofiant Blodau', *Perl y Plant*, Mehefin 1902–Gorffennaf 1905 (19 o benodau, yn ysbeidiol).

'Cyfrinach y Blodau' (Cyfieithiad o gerdd Heine), *Cymru*, 25, 1903, 193.

'Syniade Hen Gymro', *Y Cymro*, Hydref 8, 1903; Rhagfyr 3, 1903; Medi 29, 1904.

O Gorlannau y Defaid (Caerfyrddin: W. Spurrel a'i Fab, 1905); cyhoeddwyd yn gyntaf yn *Y Cymro*, 1903–5, yn wythnosol.

'Bryn Ardudwy a'i Bobl', *Yr Haul*, V/51, 1903 – VII/75, 1905 yn achlysurol.

'Breuddwyd Nos Nadolig', *Cymru*, 29, 1905, 245–8.

Plant y Gorthrwm (Caerdydd: The Educational Publishing Co., 1908); cyhoeddwyd yn gyntaf yn *Y Cymro*, 1905–6, yn wythnosol.

'Cornel y Ford Gron', *Y Cymro*, 1906–7, yn wythnosol.

'An Old Cymric Legend', *The Celtic Review*, III, 1907, 154–60.

'The Old Song and the New', *Am Bolg Solair* (Glasgow: Archibald Sinclair, 1907). Adargraffwyd yn *A View Across the Valley: Short Stories by Women from Wales c.1850–1950*, ed. Jane Aaron (Dinas Powys: Honno, 1999), tt. 37–44.

'Y Waedd yn y Fonllech', *Cymru*, 32, 1907, 7–9.

'Cysgodau y Blynyddoedd Gynt', *Y Brython*, Chwefror 1907–Ebrill 1908, yn wythnosol.

'Merched Cymru Fu', *Y Brython*, Ebrill–Rhagfyr, 1908, yn wythnosol.

'A Vision of Today', *Celtia*, VIII/3, 1908, 35–7.

'A Dream', *Celtic Review*, IV, 1907–8, 200–1.

'Troad y Rhod', *Y Brython*, Chwefror–Rhagfyr, 1909, yn wythnosol.
'Myfyrion dechrau blwyddyn', *Y Brython*, 21 Ionawr 1909, 6.

Gweithiau ychwanegol a restrir yn Archifdy Caernarfon heb fanylion cyhoeddi llawn yn: Papurau Guy Hughes, Adran 1 – Papurau Gwyneth Vaughan XD/85/1:

'Women's Dress Reform', *Woman's Signal*, 1896.
'The Sisterhood of Woman', *Woman's Signal*, 1898.
'From the Mountains of Wales', *Union Signal Chicago*.
'Mrs George of Criccieth', *Woman's Signal*.
'Review on the Evolution of a Wife', *Woman's Signal*, 1898.
Marwnad fuddugol Eisteddfod Caernarfon, 1899.
Pryddest fuddugol Cadair Bwlchgwyn, 1901.
'The Chief Bard Cadvan', *Temple Magazine*, 1901.
'The Ideal Man', Papurau Guy Hughes, XD85/1/38.
'A Report of a quarter of a Century's work, Literary, and in the interest of Liberal Politics', 1908, XD/85/51.
Roberts, Evan, 'Newyddion Pwllheli [ysgrif goffa]', *Y Goleuad*, 1910.

Cyhoeddiadau S.M.S.

The Christian Standard, I, 1892.
'Inasmuch', February 1892, 4–5.
'Only a Pauper', March 1892, 14.
'A Rich Young Woman', April 1892, 6–7.
'The Palace Beyond', May 1892, 12–3.
'Ted's Revenge', October 1892, 5–6.
Llon a Lleddf (Treffynnon: P. M. Evans a'i Fab, 1897); cyfres o hanesion a gyhoeddwyd gyntaf yn *Y Drysorfa*, rhwng 1893 a 1896.
'Stories from the lives of the Methodist Fathers', *Monthly Treasury:*
Chapter I, 'Introduction', *Monthly Treasury*, I/1, 1894, 6–9.
Chapter II, 'Griffith Jones, of Llanddowror', *Monthly Treasury*, I/2, 1894, 25–7.
Chapter III, Part I, 'Daniel Rowlands of Llangeitho', *Monthly Treasury*, I/3, 894, 39–41.
Chapter IV, Part II. 'Daniel Rowlands of Llangeitho', *Monthly Treasury*, I/4, 1894, 58–60.

Chapter IV, Part III, 'Daniel Rowlands of Llangeitho', *Monthly Treasury*, I/5, 1894, 74–6.

'"Boys and Girls Bible Classes", Paper read in Sunday School Convention in Cardiff, March 5th, 1894', *Monthly Treasury*, I/11, 1894, 185–8.

'Sketches from Wales', *Monthly Treasury:*

'Bethel Chapel', II/3, 1895, 21–3.

'A Man of God', II/14, 1895, 36–41.

'Little Zaccheus', II/15, 1895, 56–60.

'The Healing of the Breach', II/16, 1895, 91–6.

'Evan Peters', II/17, 1895, 113–19.

'Unequally Yoked', Part 1, II/19, 1895, 180–4.

'Unequally Yoked', Part 2, II/24, 1895, 270–4.

'The Transformation of Esther Habakkuk', III/25, 1896, 7–11.

'Welsh Rural Sketches', *Young Wales:*

'His Majesty of Pentre-Rhedyn', 2, 1896, 3–8.

'The Courtship of Edward and Nancy', 3, 1897, 28–32.

'Nancy on the Warpath', 3, 1897, 54–8.

'The Ambition of Twm Sali', 3, 1897, 101–6.

'A Wolf in Sheep's Clothing', 3, 1897, 246–9.

'Dan's Wedding Day', 4, 1898, 11–15.

'A Crotchety Old Maid', 5, 1899, 29–32.

'A Tragedy Averted', 5, 1899, 54–8.

'A Southerner's Visit to "Thrums"', *Monthly Treasury*, 45, 1897, 198–200.

Ed. 'Women's Place in Fiction', *Young Wales*, 3, 1897, 230–1.

'Chwedl Poli Gib', Rhan 1, *Y Drysorfa*, LXVII, Chwefror 1897–Rhagfyr 1897.

'Chwedl Pegi Gib', Rhan 2, *Y Drysorfa*, LXVIII, Ionawr 1898–Mawrth 1898.

'Chronicles of Abernant', *Monthly Treasury:*

'The Elect Lady', IV/37, 1897, 4–8.

'The Pride of Deborah Parry', IV/38, 1897, 32–5.

'Just Like His Father', IV/39, 1897, 64–8.

'The Well Beloved Gaius', IV/40, 1897, 75–8.

'Theology and Furniture', IV/42, 1897, 134–40.

'Kezia Scents a Romance', IV/46, 1897, 235–9.

'A Terrible Quarrel', IV/48, 1897, 267–9.

'Tossed With the Wind', V/50. 1898, 28–32.

'Master', VI/62, 1899; VI/69, 1899; VI/72, 1899.

[Abergirmew Stories]:
'The Miserliness of Twmi'r Llidiart', *Monthly Treasury*, I/1, 1900, 11–12.
'The Fortune of Avarina', *Monthly Treasury*, 1/3, 1900, 58–60.
'Beto's Husband', *Monthly Treasury*, 1/4, 1900, 83–4.
'Next Time', *Monthly Treasury*, I/6, 1900, 127–9.
'Impressions of the Paris Exhibition', *Monthly Treasury*, I/7, 1900, 154–6.
'Storiau o Ddyddlyfr Martha Jones', *Y Gymraes*, 7, 1903, Medi 154–6; Tachwedd 165–7; Rhagfyr, 184–6.
'Ymweliad Gipsy Smith ag Abertawe', *Y Traethodydd*, 63, 1903, 459–63.
Y Diwygiad ym Mhentre Alun, gydag ysgrifau ereill (Gwrecsam: Hughes a'i Fab, 1907); cyhoeddwyd yn gyntaf yn *Yr Ymwelydd Misol*, 1906–7.
Llithiau o Bentre Alun (Gwrecsam: Hughes a'i Fab, 1908); cyhoedd-wyd yn gyntaf yn *Yr Ymwelydd Misol*, 1908–9.
'Llythyrau Agored – I', *Yr Efengylydd*, II/1, 1910, 6–7.
'Llythyrau Agored – II', *Yr Efengylydd*, II/4, 1910, 55.
'Llythyrau Agored – III', *Yr Efengylydd*, II/6, 1910, 90.
'Geneth yr Orsaf', *Y Gymraes*, 15, Ionawr – Mai, 1911, yn fisol.
'Hen Bobl Llanestyn', *Yr Ymwelydd Misol*:
'Bedd Myfanwy', 12, 1914, 3–5.
'Modryb Ann', 12, 1914, 67–70.
'Cyfarwyddyd ei Ddwylaw', 12, 1914, 83–6.
'Gwasanaeth yr Arglwydd', 12, 1914, 99–102.
'Gorchfygwr Malen', 12, 1914, 115–8.
'Ni byddaf farw, ond byw', 12, 1914, 131–33.
'Mewn Cadwynau', 12, 1914, 147–9.
'Tröedigaeth Ned Prosser', 12, 1914, 163–7.
'Llythyr at Ferched Ieuainc Cymru', *Cymru: Heddyw ac Yforu*, gol. T. Stephens (Caerdydd: Western Mail, 1908), tt. 148–50.
'The Rescue Home', *Monthly Treasury*, 8, 1908, 144–6.
'Revival Stories', *The Torch:*
'The Escape of Dick Penrhiw', V/1, 1908, 18–20.
'His Choice', V/2, 1909, 38–9.
'Can the Ethiopian change his skin?' V/7, 1909, 138–40.
'The Three Davids', V/10, 1909, 199–200.
'The Wives', V/12, 1909, 239–40.

'Slum Stories: From the Diary of Martha Jones, Sister of the People', *The Torch:*
i. 'Firewood Sally', VI/2, 1910, 39–40.
ii. 'My Lady of the Tantrums', VI/4,1910,78–9.
iii. 'One of the Least', VI/4, 1910, 79–80.
iv. 'Inasmuch', VI/5, 1910, 98–100.

'Lower Bernard Street Series', *The Outlook* [Cylchgrawn Presbyteriaid Seland Newydd], 1913–4: 'Firewood Sally'; 'The Repentance of Jane Morse'; 'Sally's Lodger'; 'Her Rich Aunt'; 'Liser Ann'; 'Liser Ann's Husband'; 'His Gift'; 'Theresa's Wedding Dress'; 'Romance at Number Ten'; 'Poor Alice Maud'; 'The Guinea Stamp'; 'Nat Barclay's Daughter'; 'In the Fold'; 'Mrs Johnson's Locked Drawer'; 'Granny'; 'The Hope that Saves'; 'His Hands'; 'Molly & Bella'; 'No Place of Repentance'; 'His Opportunity'; 'Auntie Ann's Philosophy'; 'Her Ladyship'; 'Her Boy'; 'After Many Days'.

'Stories from Wales', *The Outlook*, 1914: 'Cobbler of Ty Shon'; 'Benja'; 'Conversion of Ned Prosser'.

'Impressions of the Wanganui Conference', *The Outlook*, 3 February 1914.

'Sunday Afternoon Address', *The Outlook*, 3 March 1914.

A Bird's Eye View of our Foreign Fields (Caernarvon: Calvinistic Methodist Book Agency, 1919).

Rhamant Ein Cenhadaeth Dramor, cyfieithiad i'r Gymraeg o *A Bird's Eye View of our Foreign Fields* gan W. T. Ellis (Caernarfon: Llyfrfa'r Methodistiaid Calfinaidd, 1924).

'Tales of Shabby Street', *The Treasury*:
'Starting In', VIII/3, 1920, 36–7.
'Thinker', VIII/4, 1920, 52–3.
'Thinker' (Conclusion)', VIII/5, 1920, 69–71.
'The Dirtiest Woman in the Street', VIII/6, 1920, 87–8
'The Lady Evangeline', VIII/8, 1920, 116–8.
'The Vagaries of Solly Pepper', VIII/9, 1920, 135–8.
'Mrs Johnson's Locked Drawer', VIII/10, 1920, 148–51.
'Her Tenth', VIII/12, 1920, 183–6.
'The Lady Who Wasn't a Sinner', IX/1, 1921, 5–8.
'The Surprise of Kitty Beynon', IX/2, 1921, 22–5.
'Romance at Mrs Chadwick's', IX/4, 1921, 57–60.
'The Glory, Hallelujhah Business', IX/ 6, 1921, 90–2.
'Unto the Uttermost', IX/7, 1921, 119–21.

'Tales of Shabby Street – Second Series', *The Treasury*:
'The Repentance of Jane Morse', IX/12, 1921, 184–6.
'Fruits of the Spirit', X, 25–6.
'Granny', X/3, 1922, 57–60.
'From the Heights to the Depths', X/6, 1922, 86–8.
'Liser Ann', XI/3, 1923, 182–8.
'Theresa's Wedding Dress', XI/5, 1923, 71–4.
'Poor Alice Maud', XI/7, 1923, 101–4.
'Solly to the Rescue', XI/8, 1923, 149–51.
'Memoirs of Bronwen', *The Treasury:*
'Morgan Davies, Deacon', XII/1, 1924, 12–4.
'Malen', XII/2, 1924, 28–30.
'Miss Polly and Others', XII/3, 1924, 43–6.
'Three People', XII/6, 1924, 92–4.
'A Managing Woman', XII/12, 1924, 187–90.
'The Autobiography of Angharad', *The Treasury*, XVII/1, 1929–XVII/12, 1929, yn fisol ac eithrio mis Medi.
'O Safn y Llew', *Yr Efengylydd*, XXII, 1930, 132–4.

Llawysgrifau Gwyneth Vaughan ac S.M.S.

Llythyrau a anfonwyd gan Gwyneth Vaughan at ei theulu, Papurau Guy Hughes.
Adran 1 – Papurau Gwyneth Vaughan XD/85/1/1–17.
Davies, Annie, 'Atgofion am Cwrt Mawr' [casgliad preifat Mari Ellis].
Llythyr a ysgrifennodd S.M.S. at Winnie Parry, 16 Mehefin 1897. Cais am gyfraniad i'w cholofn 'Women of Wales', yn *Young Wales* [casgliad preifat Mari Ellis].
Llythyrau a anfonwyd gan S.M.S. o'r White Star Line at aelodau o'i theulu [casgliad preifat Mari Ellis].

Cyhoeddiadau Cynradd

Adams, David (Hawen), 'Rhagarweiniad' i '*Cofnodion a Chyfansoddiadau Buddugol Eisteddfod Lerpwl 1900'*, gol. E.Vincent Evans (Cymdeithas yr Eisteddfod Genedlaethol, 1901), xiii–xvi.
Albert, Rev. D. J., *The Story of St. David's Presbyterian Church, Auckland, 1864–1921* (Auckland: Clark and Matheson, 1921), tt. 59–71.

Anhysbys:

'Dyrchafiad Merched', *Y Frythones*, 8, 1886, 235–7.

'The Marriage of Miss Davies, Cwrt Mawr', *Cambrian News*, 1887 [casgliad preifat Mari Ellis].

'Cyfran y Merched yn Ffurfiad Cymeriad Cenedl y Cymry', *Y Frythones*, 13, 1889, 302–5.

'"Go Forward"', *The Christian Standard*, 1, 1891, 1.

'Salutory', *The Welsh Weekly*, 8 January 1892, 15.

'Death of Mr R. J. Davies, Cwrtmawr', *Welsh Weekly*, 13 May 1892, 14.

'The British Women's Temperance Association', *The Dowlais Weekly Gazette*, 4 November 1893, 5.

'Editorial: The Dowlais Weekly Gazette', *The Dowlais Weekly Gazette*, 4 November 1893.

'Assaulting the Police at Merthyr', *The Dowlais Weekly Gazette*, 4 November 1893, 5.

'Marwolaethau Pregethwyr: Dr Saunders', *Y Drysorfa*, LXII/746, 1893, 464.

'Yr Eisteddfod', *Y Goleuad*, 18 Gorffennaf 1894, 8–9.

'Y Monthly Treasury', *Y Drysorfa*, 64, 1894, 75.

'Darllen a Segur-Ddarllen', *Y Mis*, 11, 1894, 289–96.

'"Gwyneth Vaughan" The Welsh Authoress and Teetotaller', *Western Mail*, 1894.

'Welsh Union Notes', *Young Wales*, 2, 1896, 67.

'Beirdd Cymru: Gwyneth Vaughan', *Y Perl*, 1, 1900, 241–2.

'Books Worth Reading', *The Monthly Treasury*, I, New Series, 1900, 175–6.

'Our Welcome', *Celtia*, I/2, 1901, 19–20.

'The "Union of the Red Dragon"', *Celtia*, II/ 9, 1902, 141.

'Mrs Saunders a Mair Fach', *Y Gymraes*, 6, 1902, 161–3.

'Marwolaeth y Deon Howell', *Y Cymro*, Ionawr 1903, 7–8.

'Y Cronicl Cenhadol: Pentref Paham Sohpieng yn y Bhoi', *Y Drysorfa*, LXXV/894,905, 189–92.

'Y Diwygiad', *Cymru*, 28, 1905, 213.

'Y Symudiad Ymosodol (Cangen y Merched)', *Y Drysorfa*, LXXVII/ 923, 1907, 404.

'Cymry Amlwg', *Y Brython*, 21 Mai 1908, 5.

'The Women's Branch', *The Torch*, IV/7, 1908, 128–9.

'Death of Gwyneth Vaughan'; toriad o bapur newydd, dienw yn Papurau Guy Hughes, Adran 1 – Papurau Gwyneth Vaughan, XD/85/1.

Y Glorian [Ysgrif Goffa], Papurau Gwyneth Vaughan XD85/1/1–17, 30 Ebrill 1910.

Dispatch [Obituary], Papurau Gwyneth Vaughan, XD85/1/1–17, 26 April 1910.

'Death of Famous Welsh Authoress', *Liverpool Daily Post*, 26.4.1910.

Y Brython [Ysgrif Goffa], Papurau Gwyneth Vaughan, XD85/1/1–17, Mai 1910.

'Detholion', *Cymru*, 67, 1924, 119–21.

'Arwyr Cymru: XII Gwyneth Vaughan', *Cymru*, 68, 1925, 109–11.

Ap Ceredigion, 'Yn y Glyn', *Cymru*, 38, 1910, 97.

Ap Adda, 'Yr "Eternal Woman Question"', *Yr Eryr*, 3 Awst 1894, 3.

Ashton, Charles, 'Welsh Literature of the Victorian Period', *Young Wales*, 3, 1897, 165–9.

Charles, David, 'O'r Dremynfa', *Y Drysorfa*, LXIV/760, 1894, 69–70.

Davies, Margaret Llewelyn, 'Votes for working class women', *Manchester Guardian*, 16 July 1908.

Davies, Edward, 'Etholiad '59', *Cymru*, 36, 1909, 77–99.

Davies, R. R. 'Y Diwygiad yn Sir Aberteifi', *Y Drysorfa*, LXXV/ 892, 1905, 65–6.

Dewi, 'Gohebiaethau', *Y Goleuad*, XXV/1381, 12 Medi 1894, 2.

Edwards, J. Hugh, ôl-nodyn i Mrs Wynford Philipps, 'Notes on the work of Welsh Liberal women', *Young Wales*, I, 1895, 19.

Edwards, Lewis, 'Addysg yng Nghymru', *Y Traethodydd*, IV, 1848, 112–36.

Edwards, Lewis,'Merched Cymru: Adolygiad o Lyfr Thomas Jones ar Ei Chwaer Margaret Jones yr Wyddgrug', *Y Traethodydd*, I, 1845, 69–73.

[Edwards. O. M.], 'Llyfrau a Llenorion', *Cymru*, 31, 1906, 45–50.

Elsbeth, 'Cymruesau'r Ganrif', *Cymru*, 20, 1901, 9–15.

Evans, Ellin, *Telyn Egryn: Cyfansoddiadau Awenyddol Miss Ellin (Elen Egryn) o Lanegryn* (Dolgellau: Evan Jones, 1850).

Evans, Owen, *Merched yr Ysgrythyrau* (Dolgellau: L. Hughes a'i Fab, 1886).

Evans, Beriah G.,'Wales and its Novelists', *Wales*, 1, 1911, 38.

Evans, Caradoc, 'A Father in Sion', *My People* (1915; London: Dennis Dobson. 1953), 11–21.

Glan Tecwyn ac Ednant, "Cwyn Coll am Enwogion": Englynion er cof am Gwyneth Vaughan', *Y Geninen*, XXVIII/3, 1910, 213.

Griffith, M. (Mair Ogwen), *Chwiorydd Trugaredd a Gras* (Caernarfon: Llyfrfa'r Methodistiaid Calfinaidd, 1929).

Haig, Margaret (The Viscountess Rhondda), *This was My World* (London: Macmillan, 1933).

Hughes, Ellen, 'Merch – Ei Hawliau a'i Hiawnderau', *Cyfaill yr Aelwyd a'r Frythones*, Cyfres Newydd/1, 1892, 251–4.

Hughes, Ellen, 'Y Ddynes Newydd', *Y Gymraes*, I, 1896, 28–9.

Hughes, Ellen, 'Miss Prichard ("Ruth") Birmingham', *Y Gymraes*, 4, 1900, 9–11.

Hughes, Parch. H. (Bryncir), 'Peter Williams', *Y Drysorfa*, LXVI/780, 1895, 456–62.

Hughes, Parch. H. (Bryncir), 'Trefecca, Llangeitho a'r Bala: Ysgrif 1', *Y Drysorfa*, LXIII/758, 1893, 446–9.

Huws, Morien Mon, 'Merched Cymru Fu', *Cymru*, 18/104, Mawrth 15, 1900, 194.

Ionawr, Anna, 'Cyfran y Merched yn Ffurfiad Cymeriad Cenedl y Cymry', *Y Frythones*, 11, 1889, 346–8.

James, Y Parch. S., 'Y Parch. D. Saunders, D.D.', *Y Drysorfa*, LXII/746, 1892, 441–54.

Jones, Alice Gray (Ceridwen Peris), *Er Cof a Gwerthfawrogiad o Lafur Mrs Mathews* (Liverpool: Hugh Evans a'i feibion ar ran UDMGC [1931]).

Jones, Elizabeth Mary (Moelona), *Teulu Bach Nantoer* (1913; Abertawe: Hughes a'i Fab, 1978).

Jones, J. Bennet, 'Gwyneth Vaughan', *Y Geninen*, XXX, Rhifyn Gŵyl Dewi, 1912, 43–5.

Jones. J. H., 'Undeb y Ddraig Goch', *Celtia*, III/1, 1903, 8–9.

Jones, J. Evans, Caerdydd, 'Pobl Dolgellau a Diwygiad '59', *Cymru*, 22, 1902, 133–7.

Jones, Mary Oliver, *Y Fun o Eithinfynydd* (Caernarfon: Swyddfa'r *Genedl Gymreig*, 1897).

Jones, Mary Oliver, 'Rhyddid y Rhyw Fenywaidd', *Y Traethodydd*, 47, 1892, 437–47.

Jones, N. Cynhafal, 'Mrs S. M. Saunders', Teyrnged o dan lun o S.M.S., *Y Drysorfa*, LXIV/768, 1894, 388.

Jones, T. Gwynn, 'Chwarter Canrif o Lenyddiaeth Cymru', *Y Geninen*, XXVI/1, 1908, 9.

Jones, Margaret (Myfanwy Meirion), 'Peryglon Merched Ieuainc y Trefydd Mawr', *Y Frythones*, 2, 1880, 209–11.

Jones, T. M., 'Methodistiaeth a Llenyddiaeth Gymreig', *Y Traethodydd*, LXXI–LXXIV, 1916, yn fisol.

Levi, Thomas, *Daniel Rowland, Llangeitho, Traethodau Bywgraffyddol* (Caernarfon: Llyfrfa'r Methodistiaid Calfinaidd, 1935).

Lewis, Y Parch. John, 'Y Diweddar Barchedig David Charles, Caerfyrddin', *Y Drysorfa*, LXII/739, 1892, 168–71.

Macwyes y Llyn, 'Y Nofel Gymreig', *Cymru*, 60, Ebrill, 1911, 197–204.

Morgan, David, *Llangeitho a'i Hamgylchoedd* (Aberystwyth, argraffwyd ar gyfer yr awdur, 1859).

Morgan, Rev. E., *Brief Account of the Great Progress of Religion under the wonderful ministry of the late Rev. D. Rowlands of Llangeitho, Cardiganshire* (Leicester: Argraffwyd ar gyfer yr awdur, 1866).

Morris, R. Jones, 'Llanfihangel y Traethau', *Cymru*, 60–1, 1921, 127–8.

Morgan, John, 'Pobl Ann Griffiths', *Cymru*, 27, 1906, 34–6.

Owain, O. Llew, *Bywyd, Gwaith ac Arabedd Anthropos* (Caernarfon: Llyfrfa'r Methodistiaid Calfinaidd, 1954).

Owen, Richard Jones (Glaslyn), 'Merched Cymru', *Cymru*, 23, 1902, 261–4.

Owen, Richard Jones (Glaslyn), 'Agwedd Bresennol Llenyddiaeth Gymreig', *Y Llenor*, VI, 1896, 57–66.

Owen, Richard Jones (Glaslyn), 'Cymru Lan', *Cymru*, 24, 1903, 101–4.

Owen, Richard Jones (Glaslyn),'Y Farchnad Lenyddol', *Y Traethodydd*, 60, 1905, 355–63.

Parry, Winnie, *Sioned: Darluniau o Fywyd Gwledig Cymru* (Caernarfon: Cwmni y Cyhoeddwyr Cymreig, Swyddfa Cymru, 1907); adargraffwyd gan Honno: Gwasg Menywod Cymru yn 1988 a 2006; cyhoeddwyd gyntaf yn *Cymru*, 7–9, 1894–6 yn fisol.

Parry, Winnie, 'Catrin Prisiard', *Y Cymro*, 16 Ionawr–15 Hydref 1896, yn wythnosol.

Phillips Hughes, Elizabeth, *The Education of Welsh Women* (London: W. Speaight, 1887).

Phillips Hughes, Elizabeth, *The Education of a Nation* (London: A. and C. Black, 1919).

Philipps, Mrs Wynford, 'News of the Suffrage Movement: Progress of Women in Wales', *Young Wales*, 2, 1896, 294–5.

Philipps, Mrs Wynford and Elsbeth Philipps, 'Progress of Women in Wales', *Young Wales*, 2, 1896, 64–7.

Plenydd, 'Ceridwen Peris: Merched Cymru', *Yr Ymwelydd Misol*, 12, 1914, 25–6.

Prichard, Annie Catherine (Ruth), 'Colofn y Merched', *Y Goleuad*, Mehefin 23, 1893, 2.

Prichard, Annie Catherine (Ruth), 'Prawf Morfudd Hughes', *Y Gymraes*, 1, 1899, 163–7.

Prichard, Annie Catherine (Ruth), *Troedigaeth Mrs Evans, Yr Hafod* (Caernarfon: G. Evans, d.d.).

Prichard, Catherine Jane (Buddug), 'Paham yn arbennig y dylai merched bleidio dirwest', *Y Frythones*, 2, 1880, 369–71.

Rees, J. Seymour, 'Mary Owen, yr Emynyddes', *Y Llenor*, 25, 1946, 68–75.

Rees, Sarah Jane (Cranogwen), 'At Ein Darllenwyr', *Y Frythones*, 1, 1879, 5–6.

Rees, Sarah Jane (Cranogwen),'Llythyr oddiwrth Cranogwen', *Y Goleuad*, 20 Chwefror 1895, 5.

Rees, Sarah Jane (Cranogwen), 'Crefydd Cymru yn y Ganrif Nesaf: Y Rhagolygon', *Y Geninen*, Gorffennaf, 1900, 94–100.

Rees, William (Gwilym Hiraethog), *Llythyrau 'Rhen Ffarmwr* (1878; Caerdydd: Gwasg Prifysgol Cymru, 1939).

Richards, Mrs D. M., 'The Duty of Women and Wives to try for places on the Parish', *The Very Salt of Life*: *Welsh Women's Political Writings from Chartism to Suffrage*, eds Jane Aaron and Ursula Masson (Dinas Powys: Honno, 2007), tt. 180–3.

Roberts, Margaret Evans, 'Merched yn y Pwlpud', *The Very Salt of Life*: *Welsh Women's Political Writings from Chartism to Suffrage*, eds Jane Aaron and Ursula Masson (Dinas Powys: Honno, 2007), tt. 82–6; cyhoeddwyd gyntaf yn *Y Drych*, 4 Ionawr 1894.

Roberts, O. L., *Cofiant y Parch O. R. Owen: Glandwr a Lerpwl* (Lerpwl: Evans Sons a Foulkes, Swyddfa'r *Brython*, 1909).

Roberts, R. R., 'Marwolaethau Pregethwyr', *Y Blwyddiadur neu Lyfr Swyddogol y Methodistiaid Calfinaidd am y Flwyddyn 1921*, gol. Parch. John Jones (Caernarfon: Cyhoeddedig dros y Gymanfa Gyffredinol, 1921), 172.

Roberts, John (Iolo Caernarfon), 'Y Cwrt Mawr', *Cymru*, 6, 1894, 213–15.

Roberts, John (Iolo Caernarfon), 'Mrs J. M. Saunders (S.M.S.)', *Y Gymraes*, 1, 71.

Rowlands, Anna, 'Education in Wales', *Young Wales*, 2, 1896, 100–3.

Rowland, Robert David (Anthropos), 'Cipdrem ar hanes y cyfnodolion Cymraeg yn ystod y chwarter canrif diweddaf', *Y Geninen*, XXVI/1, 1908, 1–6.

Rowland, Robert David (Anthropos), 'Gogwydd Presennol Llenyddiaeth Gymreig', *Cymru*, 24, 1903, 209–14.

Rowland, Robert David (Anthropos), *Y Pentre Gwyn* (1909; Gwrecsam: Hughes a'i Fab, 1920).

Thomas, Edward, *Mamau Methodistaidd* (Gwrecsam: Hughes a'i Fab, 1905).

T.W.O., 'Safle a Gallu y Rhyw Fenywaidd', *Y Frythones*, 2, 1880, 17–9.

Vesta, 'A Woman's World', *The Christian Commonwealth*, 8 February 1900.

Williams, Jane (Ysgafell), 'Introduction', *An Autobiography of Elizabeth Davis: Betsy Cadwaladr, A Balaclava Nurse* (London: Hurst & Blackett, 1857; ailargraffiad Dinas Powys: Honno, 1987).

Williams, Mallt, 'Madame Gwyneth Vaughan: The Women of Wales' Circle', *Young Wales*, 7, 1901, 188–9.

Williams, Mallt, 'A Celtic Cymru', *Celtia*, II/6, 1902, 94–5.

Williams, R., Tanygrisiau, 'Y Seiat Brofiad ym mhlith y Methodistiaid Calfinaidd', *Y Drysorfa*, LXXII/866, 1902, 547–51.

Williams, Parch. R. J., Liverpool,'Mrs J. M. Saunders', *Y Cenhadwr*, III/1, 1924, 13–14.

Williams, R. Hughes, 'Y Nofel yng Nghymru', *Y Traethodydd*, 64, 1909, 121–6.

Wynne, Ellis, *Gweledigaethau y Bardd Cwsg*, goln Patrick J. Donovan a Gwyn Thomas (Cyfeillion Ellis Wynne, 1991).

Woolf, Virginia, *Three Guineas* (1938; Harmondsworth: Penguin, 1977), tt. 125–6.

Cyhoeddiadau Eilaidd

Aaron, Jane, 'Anadnabyddus neu Weddol Anadnabyddus', *Cof Cenedl* XII*: Ysgrifau ar Hanes Cymru* (Llandysul: Gomer, 1997), 103–36.

Aaron, Jane, *Pur Fel y Dur: Y Gymraes yn Llên Menywod y Bedwaredd Ganrif ar Bymtheg* (Caerdydd: Gwasg Prifysgol Cymru, 1998).

Aaron, Jane, 'Introduction', *A View Across the Valley: Short Stories by Women from Wales c.1850–1950* (Honno: Dinas Powys, 1999).

Aaron, Jane, *Nineteenth-Century Women's Writing in Wales* (Cardiff: University of Wales Press, 2007).

Aaron, Jane, 'A Review of the Contribution of Women to Welsh Life', *Trafodion Anrhydeddus Gymdeithas y Cymmrodorion*, Cyfres Newydd, 8, 2002, 188–204.

Aaron, Jane and Ursula Masson (eds), *The Very Salt of Life: Welsh Women's Political Writings from Chartism to Suffrage* (Dinas Powys: Honno, 2007).

Ashton, Glyn, 'Y Nofel', *Traddodiad Rhyddiaith yn yr Ugeinfed Ganrif*, gol. Geraint Bowen (Llandysul: Gomer 1976), tt. 106–49.

Barnes, David Russell, *People of Seion* (Llandysul: Gomer, 1995).

Bebbington, D. W., *The Nonconformist Conscience: Chapel and Politics 1870–1914* (London: George Allen & Unwin, 1982).

Bebbington, D. W., 'Religion and National Feeling in Nineteenth-Century Wales and Scotland', *Studies in Church History, Vol. 18, Religion and National Identity*, ed. Stuart Mews (Oxford: Basil Blackwell, 1982), tt. 489–503.

Bell, Harold Idris, 'The Welsh Literary Renascence of the Twentieth Century', *Proceedings of the British Academy* XXXIX, 1953, 150.

Belsey, Catherine and Jane Moore, *The Feminist Reader: Essays in Gender and the Politics of Literary Criticism* (London: Macmillan, 1989).

Bennet, Joan, *Virginia Woolf: Her Art as a Novelist* (Cambridge: University Press, 1945).

Bowen, Geraint a Zonia, *Hanes Gorsedd y Beirdd* (Abertawe: Cyhoeddiadau Barddas, 1991).

Charnell-White, Catherine, 'Marwnadau Pantycelyn a Pharagonau o'r Rhyw Deg', *Tu Chwith*, 6, 1996, 131–41.

Colyer, R. J., 'Some Aspects of Land Occupation in Nineteenth Century Cardiganshire', *Trafodion Anrhydeddus Gymdeithas y Cymmrodorion*, 1981, 79–97.

Cook, Kay and Neil Evans, '"The Petty Antics of the Bell-Ringing Boisterous Band"? The Women's Suffrage Movement in Wales, 1890–1918', *Our Mothers' Land: Chapters in Welsh Women's History 1830–1939*, ed. Angela V. John (Cardiff: University of Wales Press, 1991), tt. 159–88.

Crawford, Elizabeth, *Women's Suffrage Movement* (London: Routledge, 1999).

Croll, Andy, 'Music and Morality in Late-Victorian Merthyr', *Llafur*, VI/1, 1992, 17–27.

Davies, D. Myrddin, 'Cymeriad yn Llenyddiaeth Cymru hyd yr Ugeinfed Ganrif', *Cymru*, 68, 1925, 155–8.

Dafydd, Guto, 'Chwilota am Achau Gwyneth Vaughan neu Annie Harriet Jones (1852–1910)', *Gwreiddiau Gwynedd*, 2/51 (2006), 5–6.

Davies, John, *Hanes Cymru* (Llundain: Penguin Press, 1990).

Davies, Mary, Annie Jones ac Elan Wyn, 'Portread o Gwyneth Vaughan i ddathlu Gŵyl Lyfrau yn Theatr Ardudwy', Merched y Wawr [dim dyddiad; casgliad preifat Gwenda Paul, Penrhyndeudraeth].

Davies, Russell, *Secret Sins: Sex and Violence and Society in Carmarthenshire 1870–1920* (Cardiff: University of Wales Press, 1996).

Davies, Peter, 'Davies of Cwrt Mawr: Cwrt Mawr in the Nineteenth Century in the Parish of Llangeitho', *Cylchgrawn Hanes Teuluoedd Dyfed*, VII/1, 2000, 20–3.

Eagleton, Mary, *Feminist Literary Criticism* (London: Longman, 1991).

Eckley, Martin a Lewis Lloyd, *Cwmwd Ardudwy* (Harlech: Gwasg Harlech, 1995).

Edwards, Hywel Teifi, 'The Eisteddfod Poet: an Embattled Figure', *A Guide to Welsh Literature c.1800–1900*, V, ed. Hywel Teifi Edwards (Cardiff: University of Wales Press, 2000), tt. 24–47.

Edwards, Hywel Teifi, *O'r Pentre Gwyn i Gwmderi: Delwedd y Pentref yn Llenyddiaeth y Cymry* (Llandysul: Gomer, 2004).

Edwards, Hywel Teifi, 'O'r Pentref Gwyn i Llaregyb', *DiFfinio Dwy Lenyddiaeth Cymru*, gol. M. Wynn Thomas (Caerdydd: Gwasg Prifysgol Cymru, 1995) tt. 7–41.

Edwards, Hywel Teifi, 'Comisiynu'r rhieingerdd eisteddfodol, 1855–1858', *Llên Cymru*, 18, 1995, 273–300.

Edwards, Hywel Teifi, 'Y "Pentre Gwyn" and "Manteg"', *Beyond the Difference, Welsh Literatures in Comparative Contexts: Essays for M. Wynn Thomas at Sixty*, eds Alyce van Rothkirch and Daniel Williams (Cardiff: University of Wales Press, 2004), tt. 8–20.

Ellis, Mari, 'S.M.S. y Ddynes Newydd', *Y Casglwr*, 74, 2002, 11 a 17.

Ellis, Mari, 'Cefn Gwlad: S.M.S. Awdures Enwog o Llangeitho', *Country Quest* (February 1998), 30.

Ellis, Mari, 'T. E. Ellis a Cheredigion', *Ceredigion*, XIV/2, 2002, 24–37.

Ellis, T. I., *John Humphreys Davies 1871–1826* (Lerpwl: Gwasg y Brython, 1963).

Evans, W. Gareth, 'Addysgu mwy na Hanner y Genedl: Yr Ymgyrch i Hyrwyddo Addysg y Ferch yng Nghymru Oes Fictoria', *Cof Cenedl IV* (Llandysul: Gomer, 1989), 92–119.

Evans, W. Gareth, *Education and Female Emancipation: The Welsh Experience, 1847–1914* (Cardiff: University of Wales Press, 1990).

Evans, W. Gareth, 'Free education and the quest for popular control, unsectarianism and efficiency – Wales and the free elementary education act 1891', *Trafodion Anrhydeddus Gymdeithas y Cymmrodorion*, 1991, 203–31.

Evans, D. Gareth, *A History of Wales 1815–1906* (Cardiff: University of Wales Press, 1989).

Gramich, Katie, 'The Madwoman in the Harness-loft: Women and Madness in the Literatures of Wales', *Dangerous Diversities*, eds Katie Gramich and Andrew Hiscock (Cardiff: University of Wales Press, 1998), tt. 20–33.

Gramich Katie, *Twentieth Century Women's Writing in Wales* (Cardiff: University of Wales Press, 2007).

Gramich, Katie (ed.), 'Introduction', Allen Raine, *Queen of the Rushes* (Dinas Powys: Honno, 1998), tt. 1–23.

Gramich, Katie, 'Dehongli'r Diwygiad: Ymateb Awduron Cymreig i Ddiwygiad 1904–05', *Taliesin*, 128, Haf 2006, 12–28.

Heilmann, Ann (ed.), *Feminist Forerunners: New Womanism and Feminism in the Early Twentieth Century* (London: Pandora, 2003).

Harris, John, 'Introduction', Caradoc Evans, *My People* (Bridgend: Seren Books, 1987).

Haycock, Marged, Kathryn Hughes, Elin ap Hywel a Cheridwen Lloyd-Morgan, *Y Traethodydd: Merched a Llenyddiaeth*, Ionawr, 1986.

Hughes, Dewi Rowland, *Cymru Fydd 1886–1896* (Caerdydd: Gwasg Prifysgol Cymru, 2006).

Ifans, Dafydd, 'Nofelau Hanesyddol fel Llenyddiaeth', *Ysgrifau Beirniadol IX* (Dinbych: Gwasg Gee, 1976), 298–311.

James, E. Wyn, 'Rhai Methodistiaid a'r Anterliwt', *Taliesin*, 57, Hydref 1986, 8–19.

James, E. Wyn, 'Ann Griffiths, Mary Jones a Mecca'r Methodistiaid', *Llên Cymru* 21, 1988, 74–87.

James, E. Wyn, 'Ann Griffiths: O Lafar i Lyfr', *Chwileniwm: Technoleg a Llenyddiaeth'*, gol. Angharad Price (Caerdydd: Gwasg Prifysgol Cymru, 2002), tt. 54–85.

James, E. Wyn, '"Eneidiau Ann a John": Ann Griffiths, John Hughes a Seiat Pontrobert', *Trafodion Anrhydeddus Gymdeithas y Cymmrodorion 2003*, Cyfres Newydd/10, 2004, 111–32.

James, E. Wyn, 'Cwm Rhondda a Cheinewydd: Croth a Chrud Diwygiad 1904–05', *Cawr i'w Genedl: Cyfrol i Gyfarch yr Athro Hywel Teifi Edwards*, goln Tegwyn Jones a Huw Walters (Llandysul: Gomer, 2008), tt. 199–216.

Jarvis, Branwen, 'Mary Owen yr Emynyddes', *Y Traethodydd*, 143, 1988, 45–52.

Jarvis, Branwen, 'Kate Roberts and a Woman's World', *Trafodion Anrhydeddus Gymdeithas y Cymmrodorion*, 1991, 233–48.

Jenkins, Geraint, *The Foundations of Modern Wales, 1642–1680* (Oxford: Oxford University Press, 1993).

John, Angela, 'A Draught of Fresh Air: Women's Suffrage, The Welsh and London', *Trafodion Anrhydeddus Gymdeithas y Cymmrodorion*, Cyfres newydd, Cyfrol 1, 1995, 81–93.

John, Angela (ed.), *Women's History 1830–1939* (Cardiff: University of Wales Press, 1991), 69–91.

Johnston, Dafydd, 'The Literary Revival', *A Guide to Welsh Literature c.1900–1996*, ed. Dafydd Johnston (Cardiff: University of Wales Press, 1998), tt. 1–21.

Jones, Aled Gruffydd, 'Meddylier am India: Tair Taith y Genhadaeth Gymreig yn Sylhet 1890–1947', *Trafodion Anrhydeddus Gymdeithas y Cymmrodorion*, Cyfres Newydd, 4, 1998, 84–110.

Jones, Christine, 'Llenyddiaeth mewn Tafodiaith: Tafodiaith mewn Llenyddiaeth', *Llenyddiaeth mewn Theori*, 1, 2006, 81–99.

Jones, Ieuan Gwynedd, 'Cardiganshire Politics in the Mid-Nineteenth Century', *Ceredigion – Cylchgrawn Cymdeithas Hynafiaethwyr Sir Aberteifi*, V/1, 1964, 14–41.

Jones, Iorwen Myfanwy, 'Merched Llên Cymru', Traethawd M.A. Prifysgol Cymru, 1934; ceir copi yn Llyfrgell Genedlaethol Cymru, Aberystwyth.

Jones, R. M., *Llenyddiaeth Gymraeg 1902–1936*: 'Y Pastwn Llenyddol', tt. 22–8; 'Storiau Cynnar Kate Roberts', tt. 352–63; 'Y Pastwn Llenyddol', tt. 475–85 (Abertawe: Cyhoeddiadau Barddas, 1987).

Jones, R. Tudur, 'Daearu'r Angylion: Sylwadau ar Ferched mewn Llenyddiaeth, 1860–1900', *Ysgrifau Beirniadol XI*, gol. J. E. Caerwyn Williams (Dinbych: Gwasg Gee, 1979), 191–226.

Jones, Rosemary A. N., 'Separate Spheres?: Women, Language and Respectability in Victorian Wales', *The Welsh Language and its Social Domains, 1801–1911*, ed. Geraint H. Jenkins (Cardiff: University of Wales Press, 2000), tt. 177–213.

Jones, Rosemary A. N., 'Women, Community and Collective Action: The "Ceffyl Pren" Tradition', *Our Mothers' Land: Chapters in Welsh Women's History 1830–1939*, ed. Angela V. John (Cardiff: University of Wales Press 1991), tt. 17–41.

Lambert, W. R., *Drink and Sobriety in Victorian Wales c.1820–c.1895* (Cardiff: University of Wales Press, 1983).

Lewis, Aneirin, 'Rhagymadrodd' yn Ellis Wynne, *Gweledigaethau y Bardd Cwsc* (Caerdydd: Gwasg Prifysgol Cymru, 1960).

Lloyd-Morgan, Ceridwen, 'Anturiaethau'r Gymraes', *Y Casglwr*, Mawrth 1982, 11.

Lloyd-Morgan, Ceridwen, 'From Temparence to Suffrage?', *Our Mothers' Land: Chapters in Welsh Women's History 1830–1939*, ed. Angela V. John (Cardiff: University of Wales Press 1991), tt. 135–58.

Lloyd-Morgan, Ceridwen, a Kathryn Hughes, 'Rhagymadrodd' yn Elen Egryn, *Telyn Egryn* (Dinas Powys: Honno, 1998).

Löffler, Marion, A Book of Mad Celts: John Wickens a Chyngres Geltaidd Caernarfon 1904 (Llandysul: Gomer, 2000).

Masson, Ursula, *For Women, for Wales, and for Liberalism: Women in Liberal Politics in Wales 1880–1914* (Cardiff: University of Wales Press, 2010).

Masson, Ursula, 'Hand in Hand with the women, forward we will go: Welsh Nationalism and Feminism in the 1890s', *Women's History Review*, XII/3, 357–86.

Masson, Ursula, 'Divided Loyalties, Women's Suffrage and Party Politics in South Wales 1912–1915', *Llafur*, VII/3–4, 1998–99, 113–26.

Morgan, Derec Llwyd, 'Y Beibl a Beirdd Oes Victoria' yn *Y Beibl a Llenyddiaeth Gymraeg* (Llandysul: Gomer, 1998), tt. 139–208.

Morgan J. J., *The '59 Revival in Wales* (Mold; cyhoeddwyd ar gyfer yr awdur, 1909).

Morgan, Prys and David Thomas, 'Church and Chapel', *Wales: the Shaping of a Nation* (London: David and Charles, 1984), tt. 155–77.

Parker, Christopher (ed.), *Gender Roles and Sexuality in Victorian Literature* (Aldershot: Scolar Press, 1995).

Parry, Thomas, 'Gwyneth Vaughan', *Cylchgrawn Cymdeithas Hanes a Chofnodion Sir Feirionnydd*, VIII/3 1979, 225–36; cyhoeddwyd hefyd yn Thomas Parry, *Amryw Bethau* (Dinbych: Gwasg Gee, 1996), tt. 281–98.

Project Grace: Sources for Welsh Women's History, 10 Units, University of *Wales*, Bangor, 1993.

Rees, D. Ben, 'Methodistiaeth Gynnar yn Llanddewibrefi 1735–1859', *Cylchgrawn Cymdeithas Hanes y Methodistiaid Calfinaidd*, 32, 2008, 19–43.

Rees, Brinley (gol.), *Ieuan Gwynedd: Detholiad o'i Ryddiaith* (Caerdydd: Gwasg Prifysgol Cymru, 1957).

Reeves, Rosanne, 'Rhagymadrodd', Sara Maria Saunders (S.M.S.), *Llon a Lleddf a Storïau Eraill* (Dinas Powys: Honno, 2012).

Roberts, Kate, 'Y Nofel Gymraeg', *Y Llenor*, 7, 1928, 211–16.

Roberts, Kate, 'Y Nofel Gyfoes', *Llên Ddoe a Heddiw* (Dinbych: Gee, 1964), tt. 9–18.

Roberts, Kate, 'Tafodiaith mewn Llenyddiaeth', *Y Llenor*, 10, 1931, 55–8.

Schiavone, Gwennan Mair Gruffydd, 'Llais y Genhades Gymraeg 1887–1930', *Gwerddon: Cyfnodolyn Academaidd Cymraeg*, I/1, Ebrill, 2007, 29–46, *http://www.gwerddon.org/gwerddon1.pdf*.

Schiavone, Gwennan Mair Gruffydd, 'Y genhades dramor a'r diwylliant cenhadol yng Nghymru 1887–1930', traethawd PhD Prifysgol Aberystwyth, 2008.

Spender, Dale, 'Women and Literary History', *Feminist Reader: Essays in Gender and the Politics of Literary Criticism*, eds Catherine Belsey and Jane Moore (London: Macmillan, 1989), tt. 16–25.

Thomas, Ben Bowen, *"Aber" 1872–1972* (Caerdydd: Gwasg Prifysgol Cymru, 1972).

Thomas, M. Wynn, 'Review of Caradoc Evans', *Nothing to Pay*', *New Welsh Review*, 5, Summer 1989, 81–3.

Thomas, M. Wynn (gol.), *DiFfinio Dwy Lenyddiaeth* (Caerdydd: Gwasg Prifysgol Cymru, 1995).

Vickery, Amanda, 'Golden Age to Separate Spheres? A review of the Categories and Chronology of English Women's History', *The Historical Journal*, 36, 1993, 383–414.

White, Eryn Mant, '"Myrdd o Wragedd": Merched a'r Diwygiad Methodistaidd', *Llên Cymru*, 20, 1997, 62–74.

White, Eryn Mant, 'Y Byd y Cnawd a'r Cythraul: Disgyblaeth a threfn seiadau Methodistaidd de-orllewin Cymru 1737–1750', *Cof Cenedl VIII: Ysgrifau ar Hanes Cymru*, gol. Geraint H. Jenkins (Llandysul: Gomer, 1993), 69–103.

Williams, Gareth, 'The Disenchantment of the world: Innovation, Crisis and Change in Cardiganshire c.1909–1910', *Ceredigion*, IX/4, 1983, 303–21.

Williams, Emyr. W., 'Tom Ellis a Mudiad Cymru Fydd, 1886–1890', *Taliesin*, 59 (1987), 87–98.

Williams, Gerwyn (gol.), *Rhyddid y Nofel* (Caerdydd: Gwasg Prifysgol Cymru, 1999).

Williams, Sydna Ann, 'Care in the Community: Women and the Old Poor Law in Early Nineteenth-Century Anglesey', *Llafur*, VI/4, 1995, 30–43.

Williams, David, *A History of Modern Wales* (London: John Murray, 1950).

Williams, Sian Rhiannon, 'The True "Cymraes": Images of Women in Women's Nineteenth-Century Welsh Periodicals', *Our Mothers' Land: Chapters in Welsh Women's History 1830–1939*, ed. Angela V. John (Cardiff: University of Wales Press, 1991), tt. 69–91.

Mynegai